エリア・スタディーズ 180

ザンビアを知るための55章

島田周平
大山修一（編著）

明石書店

はじめに

温和で平和な国ザンビア

編者の2人はともに、ザンビアの他に西アフリカでも調査経験がある。1986年に初めてザンビアを訪ねた島田は、空気の爽やかさと人びとの穏やかさに感激した記憶を今も鮮明に覚えている。1974年以来調査のために出かけていたナイジェリアとの違いは大きかった。1980年末から1990年代初めにかけて毎年のようにザンビアに出かけるようになったのであるが、その時は20年以上政権の座にあったカウンダ大統領時代が終わりを迎えた頃であった。1991年にはUNIP（統一民族独立党）の一党支配が終わり多党制へ移行し、選挙の結果UNIPがMMD（複数政党制民主主義運動）に敗れるという政治的一大変革期であったが、国を揺るがすような混乱はなかった。

大山はこの選挙後の1993年からザンビアで調査を始め、その後の2000年に西アフリカのニジェールでも調査を始めたのであるが、ザンビアとニジェールとの違いについては島田と同じような印象を抱いていた。2008年8月に現職のムワナワサ大統領の死去と補欠選挙までの3ヵ月間の大統領不在、2011年9月の大統領選挙によるPF（愛国戦線）への政権交代という政治変動がつづいたが、この時も国家的危機に陥ることはなかった。

頻繁に軍事クーデターが起きて地域紛争やテロリズムも絶えず、常時威圧的な警察や軍隊が市中や主要国道を警備するナイジェリアやニジェールから比べると、ザンビアは緊張を強いられることのない「平和」な国であった。

その「平和」の理由について、「ザンビアは争いを嫌う人たちがアフリカ各地から奥地に集まってできた国だから」という話を何度か聞いたことがある。この話は、わたしたちに妙に説得的に聞こえたのであるが、もちろん本書を読めば、この国が争いを嫌って大陸の奥地に逃げてきた民族で成り立っているわけではないことがすぐにわかる。現在のザンビアに住む民族は、15世紀にはすでに中央集権的な王国や緩やかな統治機構を持つ無頭制社会を形成し栄えていた。これらの民族はそれ以前にアフリカ各地から移動してきた人びとであるが、そのような民族移動は当時のアフリカでは広く見られたことであり、ザンベジ川上流部のこの地のみに争いを嫌い安寧の地を求めた人たちが集まってきたというわけではない。

ロジ王国には19世紀に南アフリカからソト語系のコロロ人が進出してきた（9、17）。また東部のチェワ人の王国にも南アフリカからきたンゴニ牧畜民が侵入してきた（9、15）。ザンビアの諸民族は、各地から移動してくる他民族と衝突し戦っていたのである。

民族間の対立といえば、民族間の緊張関係を和らげるためにさまざまなレベルで冗談関係（20）が見られることが指摘されている。人びとが他民族について語る時には決まって、この冗談関係について触れるところをみると、冗談関係が民族間の緊張を和らげることに幾ばくかの効果を持っていたことは確かかもしれない。しかし、それが現代政治に見られる「平和」につながる文化的背景だと断定するわけにはもちろんいかないので、実のところザンビアの温和で平和な理由はよくわからないということになる。

大陸の「奥地」で栄える多様な民族

ザンビアの地を「奥地」と捉えたのは、沿岸部からはるばるこの地に辿り着いたヨーロッパ人である。19世紀にこの地を訪れた探検家や宣教師そして初期の行政官たちにしてみれば、ザンベジ川上流部のこの地域はまさに大陸の一番奥にある僻地であった。人口密度は低く、西アフリカの内陸部で見られた伝統的な都市が見られるわけでもなく、彼らにはまさしく「暗黒大陸」の最奥部と見えたのである（9）。

第Ⅲ部の「民族と言語」を見ると、ザンビアでは70を超える言語が話されている。政府の公式な資料によると、73の民族がおり、それぞれが政治制度を持ち、多様な民族文化が栄えてきたことがわかる。イギリスはこの文化的社会的多様性を利用しつつ植民地支配をおこなった。植民地政府は基本的に既存のチーフ（または首長）を利用して人びとを統治するという間接統治をとった（14）。パラマウント・チーフ（最高位の首長、または王）を頂点とする集権的な政治制度を持つベンバやロジといった民族はその政治制度を温存するかたちで統治し、無頭制社会を持つ民族の場合にはチーフを任命して統治をおこなった。チーフらは現代でも地域社会で少なからぬ影響力を持っており、現政府は４人のパラマウント・チーフ、そして２４１人のチーフを正式に登録しその存在を公的に認めている。

植民地支配の歴史が現代政治の場で突如表面化することがある。たとえばザンビア西部に作られたアンゴラ難民のキャンプには、植民地分割で分断されたルンダやルヴァレの人びと（19、21）が多く押し寄せ、完全なよそ者のキャンプとは異なる様相を見せている（52、53）。また、バロツェランド独立運動を起こす人たちは、かつて鉱区使用をめぐるイギリスとの交渉で特別な保護領の地位を得たロジ王国の末裔の人たちである（17）といった具合である。

このように各民族は歴史的にも政治的にも多様性を見せるのであるが、ザンビアの民族には世界的に見て極めて珍しい特徴がある。それは母系制が「残っている」民族が多いという点である。ザンビアは「母系ベルト」といわれている（16、コラム10）。現代の法制度は、父系出自・夫方居住を基本とするものとなっており、母方居住から夫方居住への変化が徐々に増えているが、それでもまだまだ母方居住の慣習は強く残っている。また、年齢階梯《かいてい》制度やそれと深く結びついた仮面結社の存在（15）も特筆に値しよう。

銅と内陸国性

ザンビアにとって、銅依存経済からの脱却（22）と銅搬出路の確保（23）は、植民地時代から変わらぬ二大課題である。これは経済的のみならず政治的にも重大な課題である（11、12、13）。銅とコバルトが輸出の7割を占めるザンビアの経済は、常に銅の世界市場に左右されてきた。1980年代の経済不況、その影響を受けた1990年代の構造調整計画の実施、そして2000年代初期の世界的資源ブームによる一時的好況とその後の不況といった具合に、この国の経済は銅の世界市場価格と連動して動いてきた。ザンビア経済の好不況はコッパーベルトの状況（6、29）を見ればわかるといえよう。

内陸国であることは、ザンビアにとって最も大きな経済的かつ政治的なリスクであった。とりわけ独立直後にザンビアは銅の輸出に苦労することになった。南側に2つの白人国家（南ローデシアと南アフリカ共和国）が立ちふさがっており、ザンビアの銅の輸出路を握っていたからである。その地政学的宿命からザンビアを解き放とうとして建設されたのがタンザン鉄道であった（33）。

南の白人国家がなくなった今日、内陸国としての宿命も地域統合の推進や関税同盟の締結で和らげられる状況になってきた（23）。国境の障壁がなくなり、貿易拡大の好機が到来したのである。しかし、銅以外に輸出できる産業がないザンビアにおいては今のところ、その好機は南アフリカ企業の一方的な進出（32）を招いてしまっているようである。非鉱産物で唯一ザンビアが誇れる輸出品といえるザンビーフ社の牛肉も、結局は南アフリカ資本のスーパーマーケット、ショップライトの汎アフリカ販売ルートに乗って輸出されている（28）。しかし小規模ながらニッチ市場を獲得し起業しようとする人たちがいるようであるから、今後に期待が持てそうである。

日本との強いつながり

ザンビア独立の日は１９６４年の東京オリンピックの閉会式の日にあたり、この日に初めてその国旗が世界に発信された（38）。このことだけが理由というわけではないが、ザンビアと日本の関係はこの独立直後から極めて緊密である。国際協力機構（ＪＩＣＡ）による開発援助（35）を見れば明らかであるが、教育（41、51）、医療（50）、獣医学（26）、衛生（47）、技術（35）、村おこし（43）、スポーツ（37）など協力は多岐にわたる。カウンダ大統領（在任１９６４～91年）はとくに親日的で、彼の在任中にザンビアに赴任した青年海外協力隊員は大統領公邸に招待された経験を持つ人が多いのではないかと思われる。そのような良好な関係は今もつづいている（35）。

研究の分野でもザンビアは日本人とのつながりが強い。ザンビアは長期の現地調査が可能な数少ない国のひとつであった。これには1937年に設置されたローズリヴィングストン研究所の果たした役割が大きい。宗主国イギリスで植民地開発の機運が高まる中、「役立つ研究」が必要だという流れの中で設置された研究所であったにもかかわらず、「研究の基本は客観的な知識を提供することにあり、政策を左右するような意見を直接述べることにあるわけではない」とする姿勢が維持された。そのため植民地時代に設置された研究所にしては科学的に高い評価を得ていたといえる。

この研究所は独立の翌年（1965年）にザンビア大学付置の社会研究所となり、1971年にはアフリカ研究所となった。実用性の要請は以前よりも高まってきていたが、わたしたちが現地調査を始めた1990年代でもローズリヴィングストン研究所時代の伝統を引き継ぐ気風が残っており、とりわけ海外研究者の調査許可の発行を担当していたムワンザ女史が『役に立つ』ためには詳細な現地調査が不可欠」という強い信念を持っており、外国人研究者も長期の現地調査ができる状況にあった。多くの日本人研究者がザンビアのフィールドに出かけた成果がこの本の随所で見られるが、それはローズリヴィングストン研究所時代からつづく現地調査を重視する伝統のおかげだといえる。この研究所は1996年、より政策志向の経済社会研究所となり、外国人研究者の調査許可を担当する部署は本部キャンパスの大学院事務局へ移っている。

求められる変化

さまざまな援助協力や現地調査がおこなわれる中で、ザンビアが直面している多岐にわたる問題群も指摘されている。たとえばこの本で触れられているだけでも、電力不足問題（30）、都市スラムの保健衛生（47）、感染症（48）、エイズ（49）などがある。銅依存経済のザンビアにとって、これらの問題群への取り組みは容易ではない。

政府は、世界銀行や国際通貨基金（ＩＭＦ）といった国際機関はもとより民間資金などの借り入れも受けながら、これらの問題に取り組むことになる。銅価格が高騰している時には一息つけたが、それが去るとたちまちザンビアは深刻な対外債務国となった。２０００年以降には中国からの借款も増え、総額は70億ドルを超えている（２０２０年）。どの政党が政権の座に就いたとしても対外債務免除や削減の交渉が最重要課題となっている状況で、児玉谷氏が指摘する「与野党伯仲、少数与党状態」（13）、そして遠藤氏が述べる「競争的権威主義」（54）が到来してきている。政治的には、けっして安定的とはいえない。

変化の中の伝統

多くの著者が２０００年以降の急激な社会変化について述べているが、その変化は多方面にわたって見られ、携帯電話の普及と利用の高度化（コラム15、コラム22）、土地所有権をめぐる変化（46）、小規模灌漑の普及（25、35）、ペンテコステ派をはじめとするキリスト教の活況（36、42）、農村と都市間を流動的に移動する人びと（31）、地酒のチブク醸造から工場製チブクへの変化（40）など、枚挙にいとまがない。

しかしその変化の一方で伝統への思い入れも根強く残っており、人びとの主食シマへの強いこだわり（39）や伝統的仮面舞踏への人びとの熱意などにそれが垣間見られる。舞踏の世界では「伝統を始めよう」（15）の合言葉で新しい踊りが創造されているのだが、「伝統的」な舞踏の場に現れる仮面に、これまで見られなかった自動車やヘリコプターが登場しているという。伝統は創造されるとはよくいわれることであるが、ザンビアの伝統も急激な社会変化の中を生きつづけていくであろう。

ザンビアの魅力

豊かな民族文化や日本との強いつながりなどについて述べてきたが、ザンビアを紹介する時に忘れてはならないのはこの国の自然であろう。

幅１７００メートル、落差１０８メートルのヴィクトリア・フォールズ（7）の壮大さについてはいうまでもない。とりわけ水量の多い4〜5月の滝は圧巻で、滝底から天に向けて立ちあがる「水煙」は観光客の雨合羽を煽《あお》り上げ、ザンベジ川の水を吹きかけてくる。その水煙により、天気のよい日には虹が見える。その感動的な光景の中で多くの人は、「アフリカの水に触れた人はふたたびアフリカの地を訪れることになる」という言い伝えを実感するのではないだろうか。

案外知られていないのだが、ザンビアには広大な国立公園があり（34）、野生動物も豊富（3）である。ケニアやタンザニアにくらべ国立公園に至る交通インフラの整備が遅れているといわれるが、滞在日数に少し余裕があれば逆にザンビアの国立公園の素晴らしさに魅了されるに違いない。また、大地溝帯に形成されたタンガニーカ湖は５００万年の歴史を持ち、そこにはシクリッドをはじめ独立に進化をとげた魚類群が生息する（4）。貯水量で世界最大を誇るカリバダムとそれによってできた

はじめに

カリバ湖は首都ルサカから日帰りで行ける観光地である。湖畔の町シアボンガでは、新鮮な魚（カリバ・ブリームなど）を味わうことができる（27、コラム16）。

そして何より、高度1000メートルを超えるザンビアの中央高地は、日本の夏よりはるかに過ごしやすい快適な土地である（1）。このように魅力的で平和でさわやかな国を一度は旅してみたいと思われないだろうか。旅のかたちはさまざまで、バックパックのひとり旅や団体旅行、あるいはスタディー・ツアーやインターンシップ、さらには仕事や留学での長期駐在もあるだろう。いずれのかたちの旅、滞在にしろ、ザンビアの地を訪ねる時にはとにかく本書をスーツケースやリュックサックにしのばせておくことをお勧めしたい。そうすればザンビアでの滞在がより一層味わい深いものになると思う。

2020年8月

編者　島田周平
編者　大山修一

ザンビアを知るための55章

目次

I　自然と国土

Ⅱ　歴史――内戦・紛争のないザンビア

Ⅲ　民族と言語

Ⅳ　産業と開発

Ⅵ　社会の問題と克服

CONTENTS

注：本文中の写真のうち、特記なきものは原則として各章執筆者が撮影したものである。

[地　図]

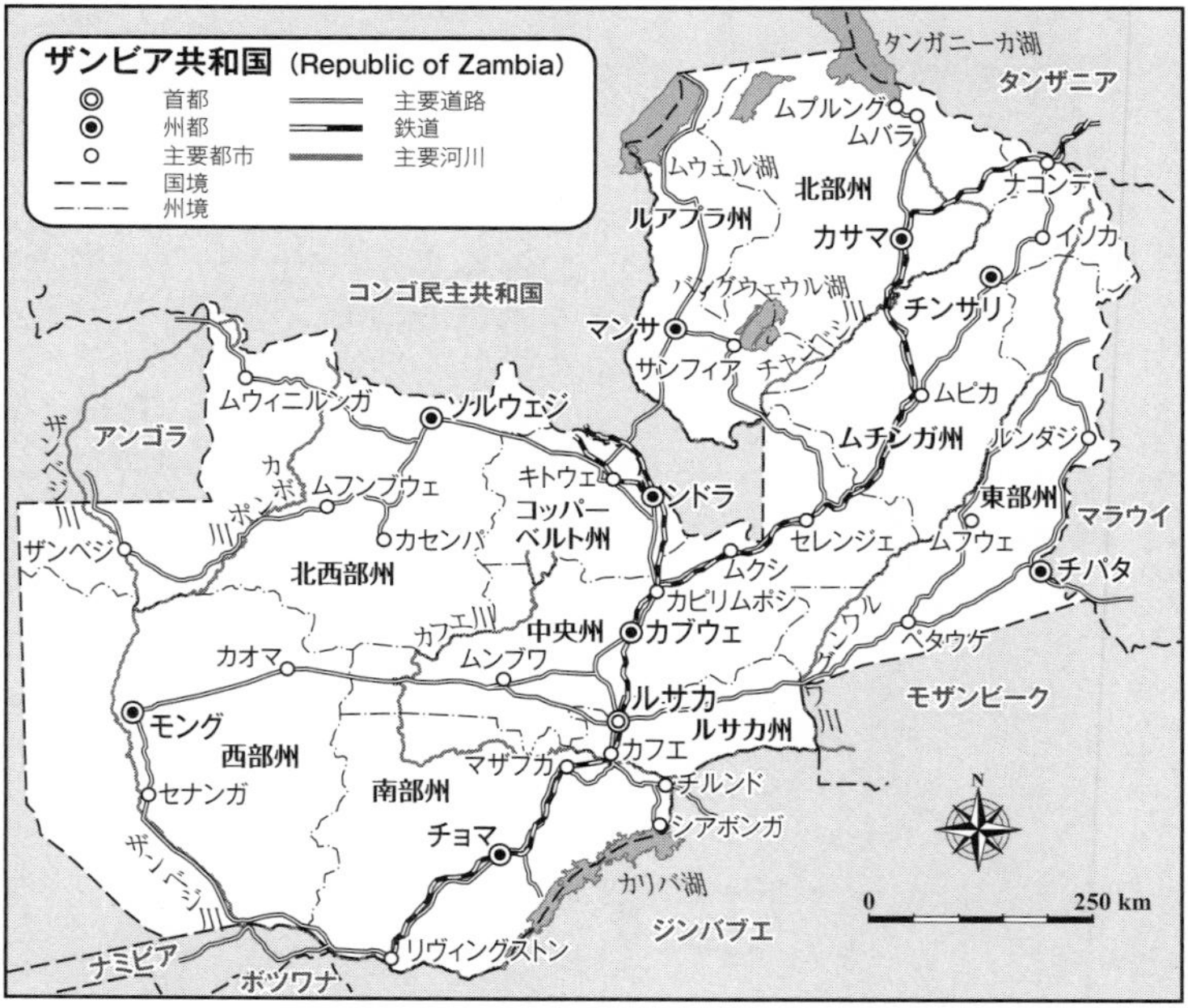

ザンビア共和国 (Republic of Zambia)
首都
州都
主要都市
国境
州境
主要道路
鉄道
主要河川
タンガニーカ湖
タンザニア
ムプルング
ムバラ
ムウェル湖
北部州
ルアプラ州
カサマ
ナコンデ
イソカ
コンゴ民主共和国
バングウェウル湖
マンサ
チンサリ
サンフィア
チャンベシ川
ムピカ
ムウィニルンガ
ソルウェジ
ザンベジ川
アンゴラ
カボンポ川
ムフンブウェ
キトウェ
ンドラ
コッパー
ベルト州
ムチンガ州
ルンダジ
東部州
マラウイ
ザンベジ
カセンバ
北西部州
セレンジェ
ムフウェ
ムクシ
チパタ
カピリムポシ
ルアングワ川
カフエ川
中央州
カブウェ
ペタウケ
カオマ
ムンブワ
モザンビーク
ルサカ
モング
ルサカ州
西部州
マザブカ
カフエ
チルンド
セナンガ
南部州
シアボンガ
チョマ
N
カリバ湖
0
250 km
ジンバブエ
ナミビア
ボツワナ
リヴィングストン

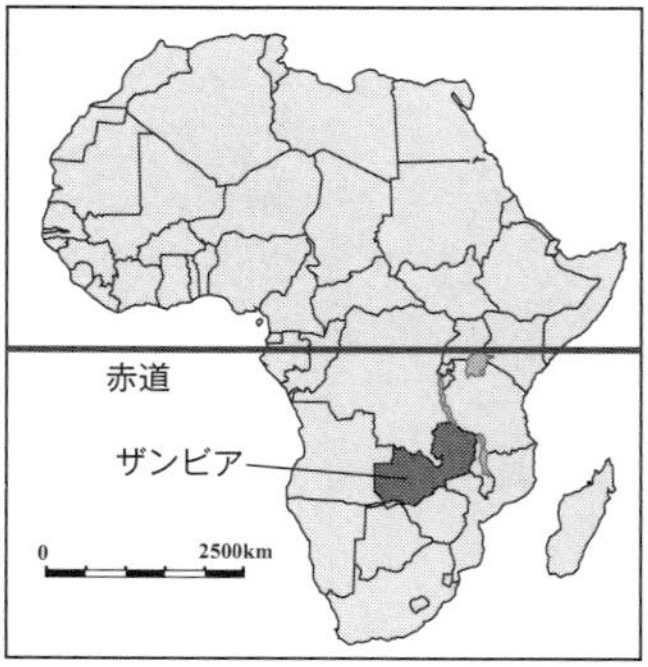

赤道
ザンビア
0
2500km

I

自然と国土

1

地形と気候

★起伏に富み、水資源豊かな大地★

ザンビアの国土は南緯9度から南緯18度、東経22度から33度にわたって広がる。その面積は75万2610平方キロメートルであり、日本の国土面積のおよそ2倍におよぶ。世界銀行によれば、ザンビアの2018年の人口は1735万人、人口密度は1平方キロメートルあたり23人。日本の人口は1億2653万人、人口密度は1平方キロメートルあたり347人。日本と比較すると、ザンビアは驚くほど人口密度の低い国である。ザンビアを旅すれば、広大なサバンナや林を眺め、広いアフリカの大地を体感することができる。

ザンビアで最も有名で、雄大な河川はザンベジ川だ。ザンビアという国名はザンベジ川に由来しており、ザンビア北西部のカレネ丘陵を源流とし、アンゴラ、ザンビアを経て、モザンビークからインド洋に流れ込む。その途中には、世界自然遺産のヴィクトリア・フォールズ（ヴィクトリアの滝、7章参照）や、世界有数の規模を誇る人造湖カリバ湖がある。1950年代後半に発電の目的でカリバ峡谷にダムが建設され、それにともなってカリバ湖が誕生した。

ザンベジ川はその上流域となるザンビア西部に、広大なバロツェ氾濫原《はんらんげん》をつくり出した。ピークの洪水時には長さ180キロメートル、幅30キロメートルにわたって氾濫し、多くの集落や耕作地が冠水する。またザンベジ川に流れ込む多くの支流沿いには、水のたまるくぼ地（パン）や草本《そうほん》の繁茂する湿地（ダンボ）が形成されている。これらの地形は、ザンベジ川水系の豊富な水資源によって維持され、人間が営む農業にとって良好な土壌や水環境をつくり出している。

ザンベジ川の流れは、ヴィクトリア・フォールズを境にして激変する。ヴィクトリア・フォールズは世界最大級の規模であり、その横幅は広く、1700メートルにおよび、滝の垂直落差は最大108メートルもある。非常に緩やかな流れである上流と比べると、ヴィクトリア・フォールズより下流の勾配は、およそ10倍も急になる。滝の直後には、狭いジグザグ型の流路になり、カリバ湖につづく渓谷となる。

ザンベジ川の流れる西部の標高は1000メートル前後と低いが、東部に行くと標高が高くなる。ザンビア北東部にはムチンガ山地が南北を貫いており、標高は1700～1900メートルである。ムチンガ山地の南側には、平行するようにルワングワ川が流れ、標高は一気に600メートル以下にまで下がる。ルワングワ川は、国内で標高の最も高いマフィンガ丘陵（2339メートル）付近を源流とし、ザンベジ川と合流する。北東部には起伏に富んだ地形が見られ、それらはアフリカ大地溝帯からつづいている。

アフリカ大地溝帯は、ヨルダンからエチオピア、ケニアを通ってモザンビークまでつらなる陥没した地形である。大地溝帯は、地下深部からのマグマの上昇流によって押され、こらえきれなくなった

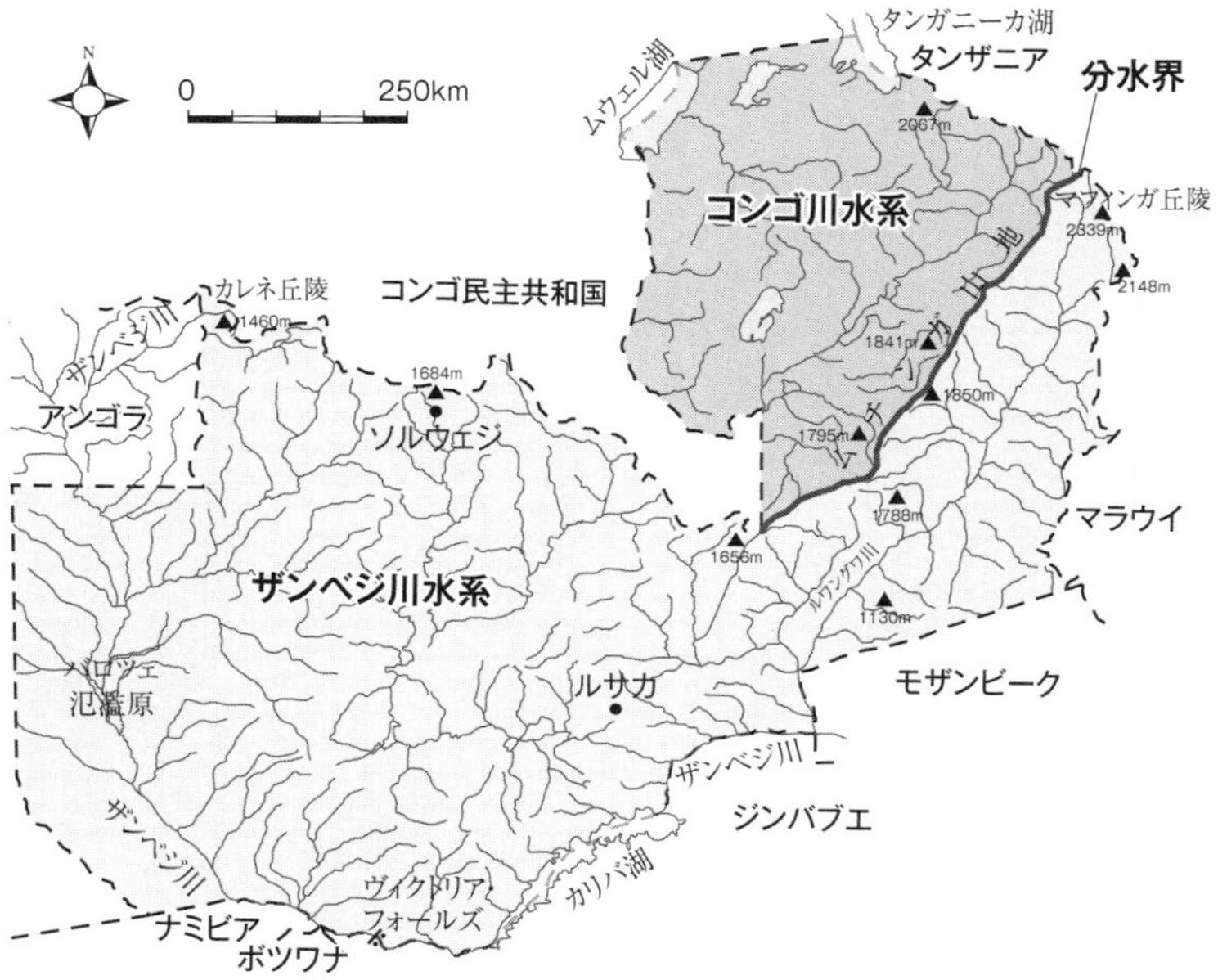

ザンビア分水界
出所：Mashekwa, J. 2019. *Secondary School Atlas for Zambia*. South Africa: Bookworld Africa. を基に筆者作成

地殻に２つの平行な断層が生じて、中央部が陥没することで形成された。地下からの上昇流の供給はつづき、火山活動が活発である。大地溝帯に沿って多くの湖や山地が存在する。ザンビア北部とタンザニア、コンゴ民主共和国にかかるタンガニーカ湖は、大地溝帯の陥没部に形成され、最大深度は１４２１メートル、世界第２位の深さを誇る。

ザンビア国内に流れる多くの河川に着目していこう。流れ込む河川ごとにまとめた水系として分類すると、ザンビアの国土は２つに分かれる。ひとつはザンベジ川水系であり、インド洋に流れ込む。もうひとつはコンゴ川水系である。コンゴ川はコンゴ盆地を蛇行しながら流れ、大西洋へとそそぐ。両者の水系を分ける境界となる分水界は、ムチンガ山地にあたる。ザンビアは水系によって、大きく2つの地域に分けられる。そしてその分水界は、アフリカ大陸を大西洋側とインド洋側の2つに隔てる境界でもある。

国土の広いザンビアでは、地域によって気候が大きく異なる。ザンビアの大半は、ケッペンの気候区分でいうCw（温暖冬季少雨気候）に属すが、南部の一部は降雨の少ないBS（ステップ気候）となる。年降雨量は500〜1500ミリメートルと地域によって異なり、南部では700ミリメートルに満たない地域もある。一方、コンゴ盆地に接する北西部や北部の降雨量は多く、年間に1300ミリメートル以上降ることもある。季節は地域によって前後するものの、5〜9月が寒い乾季、10〜11月が暑い乾季、12〜4月が雨季である。半年ほどつづく乾季に雨が降ることはまれであり、乾季と雨季は明瞭に分かれている。

ザンビアの気候は、熱帯内収束帯（ITCZ）の季節移動に左右される。熱帯内収束帯とは、赤道付近にできる低圧帯のことである。赤道付近であたためられた空気が上昇気流となり、雨を降らせる。ザンビアが乾季である7〜8月には熱帯内収束帯は最も北上し、サハラ砂漠の南で雨を降らせる。逆にザンビアの雨季の1月には熱帯内収束帯は南下し、アフリカ大陸南部に降雨がもたらされる。年によって、熱帯内収束帯の強さや南北移動の挙動が異なる。海水面温度の変化によって、地球の大気循環が変化し、熱帯内収束帯の移動域や強度が変わる。

最後にザンビア国内で2地点の雨温図をみてみよう（次ページ）。ひとつはザンビアの首都ルサカである。国内では比較的南に位置し、降水量の少ない場所である。もうひとつはザンビア北西部州の州都ソルウェジである。コンゴ盆地に接しており、降水量が多い地域に位置する。ルサカの年降水量が

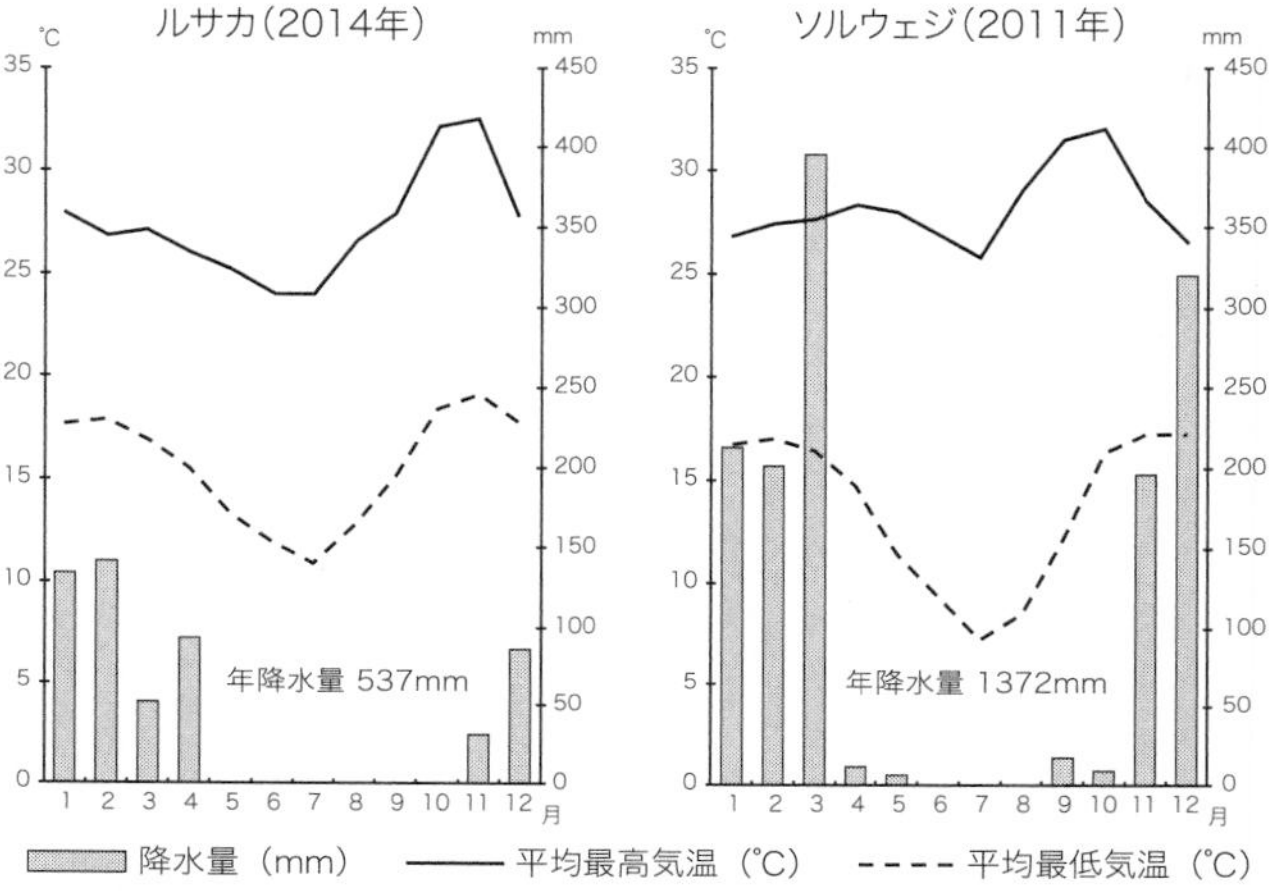

首都ルサカおよび北西部州都ソルウェジの雨温図
出所：ザンビア交通・情報省気象局の気象観測データを基に筆者作成

５３７ミリメートルであるのに対し、ソルウェジではその２倍以上の１３７２ミリメートルである。データ欠損の問題があり、同じ年の２地点のデータを比較できないのだが、国内でもこれだけ降水量に差があることはわかるだろう。

また気温をみると、ソルウェジでは７月に７℃前後まで下がっている。一方でルサカでは低くとも10℃前後である。最高気温は２地点とも30℃前後であり、昨今の東京の夏季と比べると、いかに過ごしやすい土地であるか、想像にかたくない。わたしは８月に調査でザンビアへ行くことが多いが、その際知人から「暑いと思うので、気をつけて」という言葉をいただく。日本に暮らす多くの人びとは、「アフリカ＝暑い」と想像しがちだが、雨温図をみてもわかる通り、ザンビアは１年を通して日本よりも過ごしやすい気候である。とくに８月は乾季の真っただ中で、朝晩は冷えるが、日中には25℃前後の気温になる。乾いた風が肌に心地よく、さわやかな季節である。本書を手に取った読者のみなさんには、ぜひとも日本の夏からの避暑をかねて、７月か、８月にザンビアを訪れてほしい。

（原 将也）

ダンボの農業利用

コラム1

島田周平

ダンボとは、ザンビア東部やマラウイで広く話されているチェワ語で浅いくぼ地状の谷地や湿地帯の土地、さらには大きい川の河岸低地などを指す言葉である。雨季には冠水し乾季になっても湿地帯となり多年生のスゲが生い茂る草地となっていることが多い。同様の土地はアフリカ各地に見られ、東アフリカのムブガ（スワヒリ語）や南アフリカのフレイ（アフリカーンス語）などが類似の土地である。

ザンビアのダンボは、河川最上流部の丘陵地帯や丘陵周辺部に発達していることが多い。流出部がないダンボもあるが、狭い出口を持った杓文字《しゃもじ》型のものも多い。ダンボの縁辺部は粗砂が多く、中心部に向かうにしたがって鉄分が増え中心部では粘土やシルトが多くなる。中心部は乾季でも地下水位は高く、土の湿度も高い。

都市近郊の村ではダンボにおいてスイカやトマト、野菜などが栽培され、それらが農民の大事な現金収入源となっている。しかし、ザンビアでダンボの利用が盛んになったのは1970年代以降のことである。それ以前は、ダンボは水位変動が激しく動物の侵入や鳥害が多いこと、さらに湿地帯が健康に良くないという怖れからあまり利用されてこなかった。ザンビア（旧北ローデシア）でのダンボ利用を語るときは、南隣のジンバブエ（旧南ローデシア）のダンボ利用の歴史にふれる必要がある。

南ローデシアでは、ダンボはイネ、野菜、トウモロコシ、綿花、タバコなどの農作物の栽培や家畜の採草地として1930年代にはすでに広く利用されていた。ショナ（ジンバブエで最大の人口を持つ民族）の人びとはミパンジェという畝《うね》づくり栽培をダンボでおこなっていた。1930~40年代に白人の入植者が急増し、彼らは

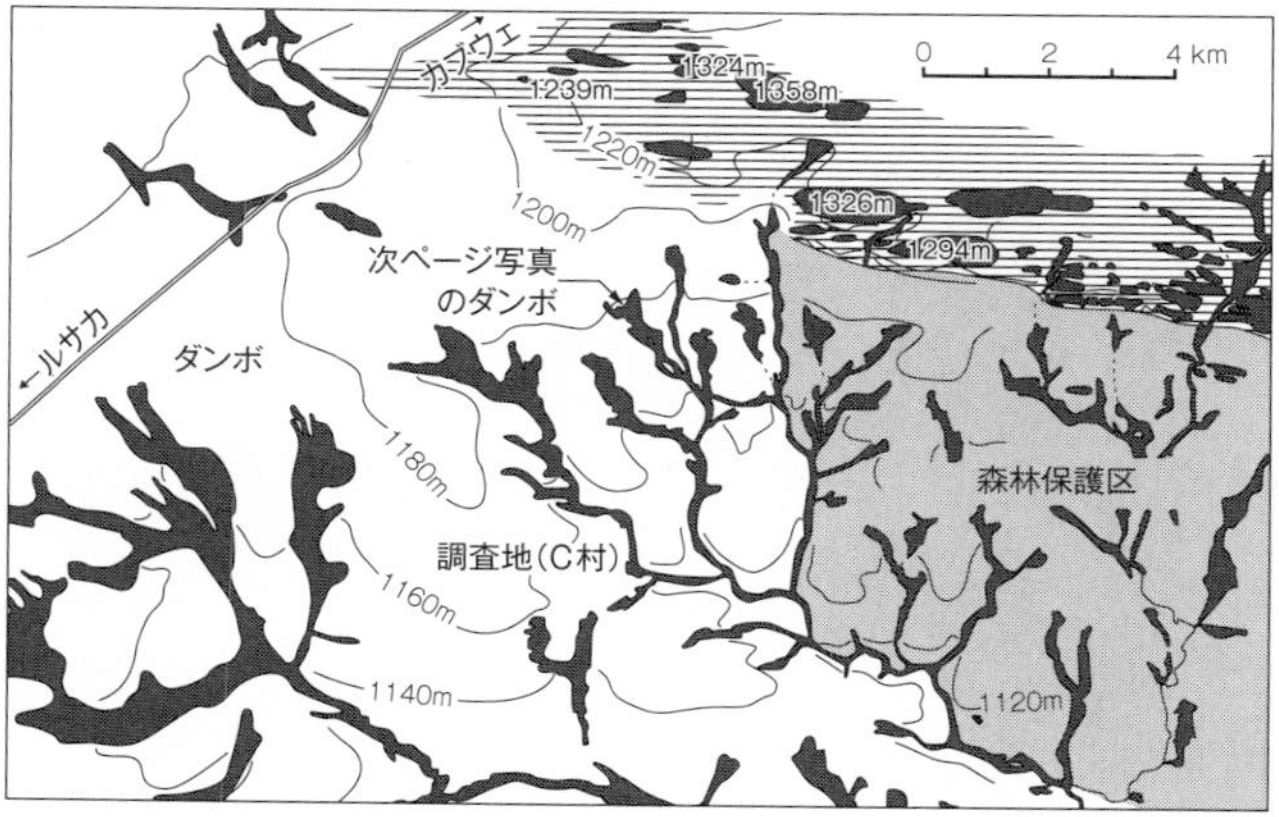

調査地におけるダンボの分布

出所：Shimada（1995）（Matsumoto, H. 原図 1993）を基に筆者作成

ダンボでタバコや小麦を盛んに栽培するようになった。彼らはこれらの農作物をダンボの傾斜部に植え、中央部には排水のための溝を掘った。この方法がダンボ傾斜部の土壌浸食を引き起こしダンボの環境を一気に破壊した。１９５０年代には、ダンボの環境破壊の危険性が広く認識されるようになり、入植者のあいだでダンボの農地利用を止めるべきだという意見が高まってきた。そして１９５２年、ダンボの中心部の低地（あるいは流路）から両脇30メートルの土地の利用を禁止するという法律が作られた。

この法律はアフリカ人が住む原住民保護区にも適用され、乾季にイネやサトウキビを栽培してきたアフリカ人農民を困らせることになった。１９５３年に南・北ローデシアとニヤサランド（現在のマラウイ）が統一されて中央アフリカ連邦（ローデシア・ニヤサランド連邦）ができると、南ローデシアのアフリカ人農民にとってダンボの利用規制がない北ローデシアは魅力的な

ダンボの農業利用

ダンボにおける小規模灌漑

土地にうつり、多くの農民が北ローデシアに移住した。

南ローデシアから来た農民たちは、利用禁止のないダンボで最初にイネを栽培し、やがて野菜を集約的に栽培するようになった。

わたしが調査していたルサカ北方100キロメートル近くにある村でも、最初にダンボ耕作を始めたのは南ローデシアから移住してきたショナたちであった（地図参照）。彼らはダンボ畑ではやくからイネやスイカ、トマト、野菜を栽培していた。やがてこれに刺激を受けた他の村人たちもダンボでの畑作を始めるようになった。ルサカと北のコッパーベルトを結ぶ幹線に近いこの村では、ダンボで小規模灌漑をおこない、そこでとれたトマト、スイカ、野菜などを道路わきの直売店で売る農民が増え、彼らの重要な現金収入源となっている。

2

植生と土壌

★消え行くミオンボ林？★

２００２年の国連食糧農業機関（ＦＡＯ）の報告書によると、ザンビアの国土（約75万２０００平方キロメートル）の約60％（45万１０００平方キロメートル）が森林で覆われている。このうち、葉が密に生い茂って、地面に光がほとんど届かないほど樹冠が閉じている森林は３万１０００平方キロメートルに過ぎず、樹冠が閉じていない疎開林が大半を占めている（次ページ図）。アカシア属が優占するムンガ林やモパネが優占するモパネ林もあるが、35万２０００平方キロメートルの広がりを持つミオンボ林が、ザンビア全体の代表的な植生といってよい。

ここではミオンボ林について紹介しよう。ミオンボとは、ザンビアでも話されているバントゥ系諸語において、ブラキステギア属を指す。ミオンボ林とは、このほか、ジュルベルナルディア属、イソベルリニア属が優占する疎開林で、ザンビアだけではなく、周辺のジンバブエやマラウイ、モザンビーク、タンザニア、ナミビアなどにも広がっている。先に述べた３属はいずれもマメ科に属しているが、窒素固定の能力はない。ザンビアのミオンボ林は、年降雨量１０００ミリメートルを境に、湿性ミオンボと乾性ミオンボに分けられる。前者は北部州やルアプラ州、コッパーベルト州、北西州、中央州北部、西部州北部などに、後者は南部州や東部州、中央州南部・東部、西部州などに見られる。両者は、優占する樹種や下層植生に違いがある。

ミオンボ林の樹種は、主に乾季後半（8～11月）に種子を散布する。種子は、適切な水分環境であれば、ただちに発芽する。実生の地上部は総じて、干ばつや火などの環境ストレスに弱く、その生長は遅い。一方、根は地上部に比べ、干ばつや火に耐性があり生長も速い。したがって、根が生き残っていれば、地上部は死んでも翌年には再生する可能性がある。ミオンボ林のほとんどの樹種で、萌芽《ほうが》による更新も重要な再生の経路である。地上部が伐採されたり、死んだりすると、残った根や切り株から芽が出る。これを萌芽と呼ぶ。ミオンボ林を開墾し、畑とした場合、畑に残った切り株のそこかしこから萌芽が再生する。農民は、それらを雑草のように鍬《クワ》で取り除くため、数年耕作すると、萌芽の量は劇的に減少する。また、開墾時に伐倒した樹木を燃やすと、地下にもしっかりと熱が入るため、根が死滅し萌芽は期待できなくなる。

ミオンボ林では、チテメネと呼ばれる焼畑耕作が営まれてきたが、人口増加や社会経済状況の変化にともない、休閑期間の短縮や連続的な耕作の増加

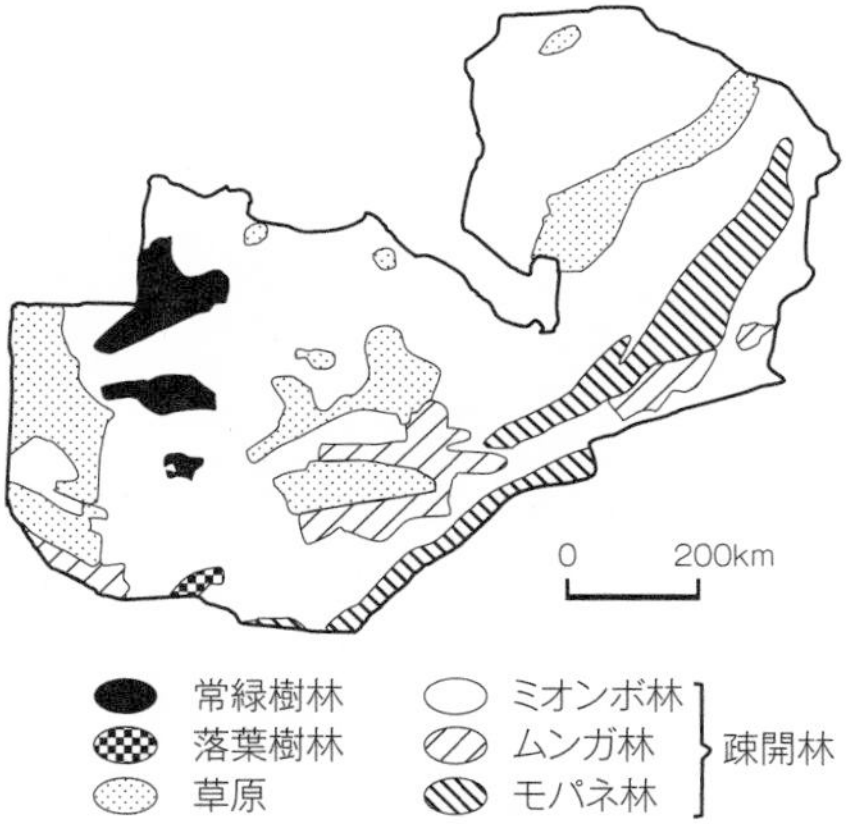

ザンビア植生図
出所：Chidumayo (1997) を一部改変

木炭の生産と作物栽培のために伐採されたミオンボ林

が見られ、ミオンボ林の面積は減少の一途をたどっている。さらに、薪炭《しんたん》材としての伐採もミオンボ林の現存量の低下に拍車をかけている。国家経済の発展にともなって、急激な都市化が進行しているが、都市化の速度にインフラの整備が追いついておらず、多くの都市住民にとって、炭は現在でも重要な燃料である。そのため、都市周辺のミオンボ林では、炭生産のための伐採圧が高まっている。いびつな経済発展が森林減少を招いていると言えるだろう。

２０１３年に発行されたアフリカ土壌図によれば、ザンビアで広く見られる土壌のうち、よく発達した土壌としてフェラルソルとアクリソル、ルビソルが挙げられる。フェラルソルは、長い年月の風化によって生成した赤色の土壌で、ザンビア北部のコンゴ盆地につながる地域に広く分布している。アクリソルは酸性の母材（典型的には花崗岩）の上でよく発達した土壌で、フェラルソルよりも酸性のことが多く、南部州や中央州、北西州に分布している。ルビソルはフェラルソル、アクリソルに比べれば若い土壌で土壌pHは中性付近を示し、ザンビアでは肥沃な土壌といってよい。地溝帯周辺に見られ、東部州やルサカ州、南部州のカリバ湖岸に分布している。

このほか特筆すべき土壌として、西部州に分布するグライソルとアレノソル、ルアプラ州のバングウェル湖周辺のヒストソルが挙げられよう。西部州を流れるザンベジ川の両岸には、季節的な氾濫の影響を受ける排水不良なグライソルが分布し、それと隣接してカラハリ盆地へとつながる砂質なアレノソルが分布している。バングウェル湖周辺には湿地が広がり、有機物が集積したヒストソルが分布している。地溝帯沿いに形作られる断層崖であるエスカープメントは、傾斜が急で土壌の発達が見られず、岩石が露出したレプトソルが分布している。

我々はムチンガ州のムピカ周辺、東部州のペタウケ周辺でミオンボ林の土壌を調査したことがある。ムピカ周辺では、チテメネが現在でもつづけられている。畑とする区画の樹木を伐倒するほか、その周辺の樹木の枝葉も刈り取って畑とする区画に運び、一緒に燃焼させる。ムピカ周辺の土壌は砂質で酸性であり、土壌に含まれている養分は極めて乏しいが、樹木の燃焼により灰が添加されること、地温上昇により土壌中の有機物の形態が変わることにより、養分が添加され、酸度が矯正されて、作物が栽培できるようになる。酸性で砂質な土壌において作物栽培が可能となる極めて合理的な土壌管理法だといえる。

一方、ペタウケでは、チテメネとは違い、常畑にするためのミオンボ林の開墾の一環として、伐倒した樹木が畑に積み上げられて焼かれることがある。過去に、薪炭材を切り出したことがあるようなミオンボ林では、その現存量が少ないため、伐倒した樹木で畑全体を覆うことができず、畑の一部だけで樹木が焼かれることになる。わたしたちの調査地では、その面積割合は10％程度だった。ペタウケ周辺の土壌のｐＨは中性付近を示し、樹木燃焼の効果は、土壌酸度の矯正というよりも養分の添加が主といえよう。

このほか、忘れてはならないのが、雑草の防除である。樹木を燃焼すると、５センチメートル深での地温が１００℃以上に上がり、雑草の種子が死滅するのだ。これらの効果により、樹木が燃焼した場所のトウモロコシ収量は、それ以外の場所の約３倍となった。したがって、樹木が燃焼した場所は、全生産量の約３割を生み出す大事な区画といえる。ただし、この程度の効果を期待できる樹木の再生には数十年の休閑期間が必要だが、近年の土地利用圧を考えれば、それほど悠長に待っていられる状況にないことが明白である。その意味で、政府や国際世論が、焼畑による植生破壊を糾弾し、近代的な常畑に置き換わるべきと主張してきたことは間違いではない。しかし、ミオンボ林における大規模な機械化農業も森林破壊を助長しており、貧栄養な土壌であるフェラルソルやアクリソルの劣化を加速させる危険性をはらんでいる。植生のさらなる破壊をともなわない、農地の集約的利用を可能にするすべが現在、切に求められている。

（真常仁志・荒木 茂）

コリン・G・トラップネルと生態調査

コラム2

水野祥子

1920年代まで英領アフリカ各地の植民地政府やイギリス本国の植民地省は、一貫した戦略のもとで農業開発に取り組むことはなかった。場当たり的な農業の展開による失敗が重なるにつれ、「熱帯の土壌は肥沃である」という楽観的な見通しから「熱帯の土壌は脆弱である」という見方に修正され、農業開発計画の前提条件として生態環境を調査する必要性が唱えられるようになった。こうした調査の拠点となったのが、北ローデシア（現在のザンビア）農務局だったのである。

1932～43年に北ローデシアで実施された生態調査の責任者となったのは、コリン・G・トラップネルという生態学者である。彼はオクスフォード大学で古典を専攻していたが、生態学に関心を持つようになって、同大学の植物学教授（イギリス生態学会の創設者でもあった）アーサー・タンズリーのもとで生態学を学んだ。トラップネルは1931年に24歳で北ローデシアに配属され、農務官とともに長期のフィールドワークを繰り返して各地の生態環境に関する知を集積していった。彼らは1～2ダースのポーターと1人ないし複数の通訳を雇い、ほとんど徒歩で村と村のあいだを1日に平均して18マイルのペースで移動した。そして、各地の地質や地形、植生や土壌の特徴の調査に加え、村長から土地選別の方法や整地の仕方、作物の選択や栽培方法、耕作や休閑の期間などの聞き取りをつづけた。

このような生態調査の過程で、トラップネルは植生と土壌の組み合わせによって土地を分類する手法を生み出した。これは、植生の型と土壌の型には相関関係があり、植生を調査すれば地質や肥沃度を測ることができるという認識にもとづいたものである。この際、注目すべきは、現地農民の土地を選別する慣習的な方法——土壌の色や手触り、特定の土壌に生息する植物の種類などを注意深く観察することによって土地を選ぶ——を活用したことである。生態調査の初期から、トラップネルは農民の土地選別の正確さを「驚くべきもの」と評価していた。たとえば、ザンベジ川周辺のカラハリサンドが堆積した地域でアカシアの有無によりブッシュの類型を区分し、トウモロコシの栽培に適した土壌かどうかを確認している事例を挙げ、こうした選別の方法は農民の「直観的エコロジー」と呼ぶべき知にもとづいていると指摘したのである。

トラップネルが出版した2つの生態調査は、北ローデシアだけでなく他のアフリカ植民地の開発に携わる科学者、行政官、政策決定者にも影響を与えた。生態調査によって土地を細かく分類したうえで開発計画を立案する必要性が広く認識されるようになり、土地を長いあいだ利用してきた農民の知と実践に関心が寄せられるようになった。ところが、1945年に北ローデシア・ニヤサランド合同開発顧問ジェフリー・クレイが生態調査の意義を全面的に否定し、現地社会と農業を急速に「近代化」する方針を打ち出すと、状況は一変した。1946年にはトラップネルのよき理解者であったクロード・レヴィンが北ローデシア農務局長を辞職し、トラップネルも北ローデシアを去った。その後、彼はケニアの東アフリカ農業林業研究機関で生態調査に従事する人材の育成や、東アフリカ生態環境地図の作成に関わった。こうして北ローデシアの生態調査の手法は東アフリカ地域の農業開発に引き継がれたのである。

3

野生動物観察の楽園

★複数の角度から野生動物を考える★

1967年、タンザニアのジュリウス・ニエレレ大統領（当時）によってアフリカにおける野生動物への考えを示した象徴的な演説がなされた。このアルーシャ宣言には、「アフリカ各地に棲むさまざまな野生生物は驚異と霊感の源泉として、天然資源として、また、将来の生活と福利のために欠かすことのできないものである。野生生物について責任のある人類は、この豊富で貴重な遺産を子々孫々に至るまで間違いなく享受できるようあらゆることをするつもりである。野生生物の保護には、専門家の知識と訓練された人的資源と資金を要するため、多くの国々の協力を要請する。この成否はアフリカ大陸ばかりでなく、世界中にも影響が及ぶ」と記されている。アフリカの人びとが、野生動物と共生してきた歴史を示すもので、60年も前にその後の地球環境の危機を予知したかのような発言は、地球上の生態の一部として人間が野生動物を保護する重要性を認識させてくれる。

ザンビアでは国土の総面積の約30％が野生動物のために国立公園と動物保護区（game reserve）に指定され、その中でもサウス・ルワングワ、カフエ、ローワー・ザンベジの国立公園は世界的にもたくさんの野生動物が観察できる場所として有名である。それら以外にも、ザンビア、ボツワナ、ナミビア北部、コンゴ民主共和国などに広がる湿地帯に特有に見られる哺乳綱ウシ目ウシ科ウォーターバック属のリーチュエなどが観察できるロッキンバー国立公園や、人と動物がとても近い、世界三大瀑布のひとつであるヴィクトリア・フォールズを含むモシ・オ・トゥニャ国立公園など、特徴的な国立公園もある。しかし、野生動物の目線では国立公園とその他の区別はなく、動物たちは国立公園とその周辺地域とを自由に往来している。国立公園外でも、人の居住地区ちかくにライオンが出没する地域もある。人間の目線から、動物が保護されるべき地域における人間の介在も少なからず存在する。最も代表的な事象は、本来の野生動物の生命バランスを大きく変化させうる密猟である。そのような現実的なことはやや脇におき、ここではザンビアにおける野生動物を観察するという点について書いてみたい。

１９６４年に独立したザンビアは、先んじて独立した周辺の新興アフリカ諸国と同様、多くの野生動物が見られる。その中で、ケニアやタンザニアでは、野生動物の保護管理は制度的にも人道的にも進んでおり、屋根のない車でのサファリや夜間のサファリは、一部の私設動物保護区を除き、国立公園や動物保護区内では禁止されている。ザンビアでは、現段階でそのあたりの規制は非常にゆるく、動物の生態を考えるとけっして良いといえることではないが、動物を間近に見ることができる。また、多くが夜間におこなわれる肉食獣のハンティングについても高い確率で見ることができるのもザンビアの国立公園内の特徴である。

ザンビアは一般にサバンナといわれる気候で、雨季と乾季がはっきりしている。１年の中で雨季、

雄のライオン。国立公園内のサファリツアーでも、雌に比べて雄を発見できることは極めて少ない。さらにほとんど見ることができない「木登り」ライオン。

寒い乾季、そして暑い乾季が訪れ、雨季にはまとまった雨がしっかり降り、ロング・グラスがおおうブッシュが多い。そのため、いわゆる草原として分類できるショート・グラスの環境は少なく、ケニアやタンザニア、南アフリカとも違った種類の野生動物に出会うことができる。ブッシュが多い環境のため、野生動物の観察にはそのブッシュが乾燥し、草丈が低くなる乾季の終わり頃がベスト・シーズンであろう。その時期には、雨季に湿地になって豊富にあった水がなくなるため、少ない水場に多くの動物が集まるため、さらに観察しやすくなる。とくに草食動物は集団で動くようになるため、個体間の行動も観察しやすくなる。

アフリカの野生動物というと、アフリカライオン、アフリカゾウ、サイ、アフリカバッファロー、ヒョウが、ビッグ・ファイヴと呼ばれている。この西洋人が狩猟に関連して決めた5種のうち、ザンビアではサイは完全に野生の状況では見つからなくなってしまった。サファリで出会うライオンは大多数が雌で、雄に出会える機会は極めて少ない。とくに、あまり狩りに参加しない雄は、見つけやすい昼間に移動も少なく、ブッシュでは見つけにくいのかもしれない。このうち、筆者が最も近づきたくない動物はバッファローである。反応が過敏で非常に攻撃的に見えるだけでなく、黒い体を追って多くのツェツェバエが周りを飛んでいる。このツェツェバエは、アフリカ眠り病の病原体であるトリパノソーマ原虫を伝播する。このハエは叩いてもつぶれず、刺されるととても痛い。

雨季のあいだには湿地になるザンビアのブッシュでは、ショート・グラスを好むトムソンガゼルやチーターを見かけることはほとんどない。一方、比較的大型の草食獣は多種観察され、湿地を好む特徴的な動物も見ることができる。それぞれの国立公園で観察される動物は異なるが、典型的な例としてザンビアでも最も古く、約2万2千平方キロメートルと最大の面積をほこるカフエ国立公園では、ゾウ、カバ以外に、ウシ科アンテロープ亜科の動物が数多く見られる。これらに含まれるのは、最大の体格を持つエランド、セーブルアンテロープ、ローンアンテロープ、クドゥ、ハーテビースト、ワイルデビースト、インパラ、プク、ウォーターバック、ブッシュバック、レッドリーチュエなどである。アンテロープは大腿四頭筋が強力で、跳躍力に優れていることが特徴である。そのほか、マサイキリン亜種に含まれるとされるキタローデシアキリンや、アフリカ眠り病にかかりにくいシマウマも数多く見られる。国立公園に入ると、地面を這うように走るホロホロチョウとイボイノシシの外見には心をなごまされるが、イボイノシシは家畜の伝染病（アフリカ豚コレラ）を伝播する。

草食獣を狙う肉食獣は夜行性のものが多く、昼間にはそのハンティングを見ることはほとんどできない。昼間に個体の様子を見ても、獰猛な動物とは想像もつかない、まるで怠け者の動物たちである。肉食獣としては、ライオン、ブチハイエナ、ヒョウなどがよく見られる。動物の観察はその活動性が最も高くなる早朝か夕方におこなわれるが、夜間にも観察できるザンビアは、動物たちの違った姿を見ることができる数少ないアフリカの最後の楽園なのかもしれない。

草食獣は、肉食獣にとって大好物であろう。ただし、野生動物の社会では「食べ過ぎ」になることはほとんどない。その理由はいくつかあるだろう。もしかしたら、いわゆる狩りは非常に難しい作業であり、それほど容易ではないためかもしれない。肉食獣は脳血管における冷却機構が弱く、長時間の激しい運動は生理的に不可能である。そのため、跳躍力が高く俊足のアンテロープを追い詰めることができないのかもしれない。あるいは、目の前をのんびり歩く草食獣を肉食獣が追いかけないのは、過分な生命の奪いあいはしないという野生動物社会の規律があるのではないかと思えてならない。

現地での野生動物と人との関係は、必ずしも容易ではない。野生動物にとって国立公園の区切りはまったく関係ないし、その周辺に住む人たちは野生動物から恩恵も、危害も受けつつ生活をしている。時には、国立公園の周辺の家畜に野生動物由来の感染症が広がることもあるし、当然その逆も存在する。ここでは、そのようなことも心に留めていただきながら、おおらかなザンビアの野生動物たちに心を馳せていただきたい。

（奥村正裕）

4

タンガニーカ湖の魚類

★岩礁域で繁栄するシクリッドたちの複雑な群集★

アフリカ大陸の東部を南北に走る大地溝帯に沿って、ヴィクトリア湖、タンガニーカ湖、マラウイ湖などの大きな湖が並んでいる。この大湖沼群は世界でも有数の生物多様性が高い湖である。中でもタンガニーカ湖は最も歴史が古く、およそ500万年の歴史を持ち、他の2つの湖と較べ、魚類の種数では劣るものの、その系統と形態などの多様性は最も高い。この湖には約300種の魚類が生息し、そのうちの約200種はスズキ目のカワスズメ科（学名のままシクリッドとも呼ばれる）という単一の科に属する魚たちである。他にはコイ目、ナマズ目などの魚が多い。

シクリッドは珊瑚礁で繁栄するスズメダイ科に近縁で、魚類の進化では頂点近くに位置する新しい系統である。日本にはいないが、熱帯魚の飼育を趣味とするアクアリストたちには人気がある。シクリッドの進化的成功は、まず、子どもを手厚く育てること、たとえば親が口の中で卵や稚魚を保護する口内保育や、岩表面に産んだ卵の孵化から稚魚の独立までを両親で世話するなど、さまざまな保護をする習性を発達させたことにある。それとともに、顎の骨や歯の形が変化に富み、その組み合わせによってさまざまな餌を利用するように適応放散できたことが大きいと言われている（左図）。

これらシクリッドの大部分（97％）はこの湖の固有種で、複数の系統に由来するが、各系統内の種分化はこの湖の中で生じたと考えられている。約200種のシクリッドの3分の2は沿岸の岩場を生

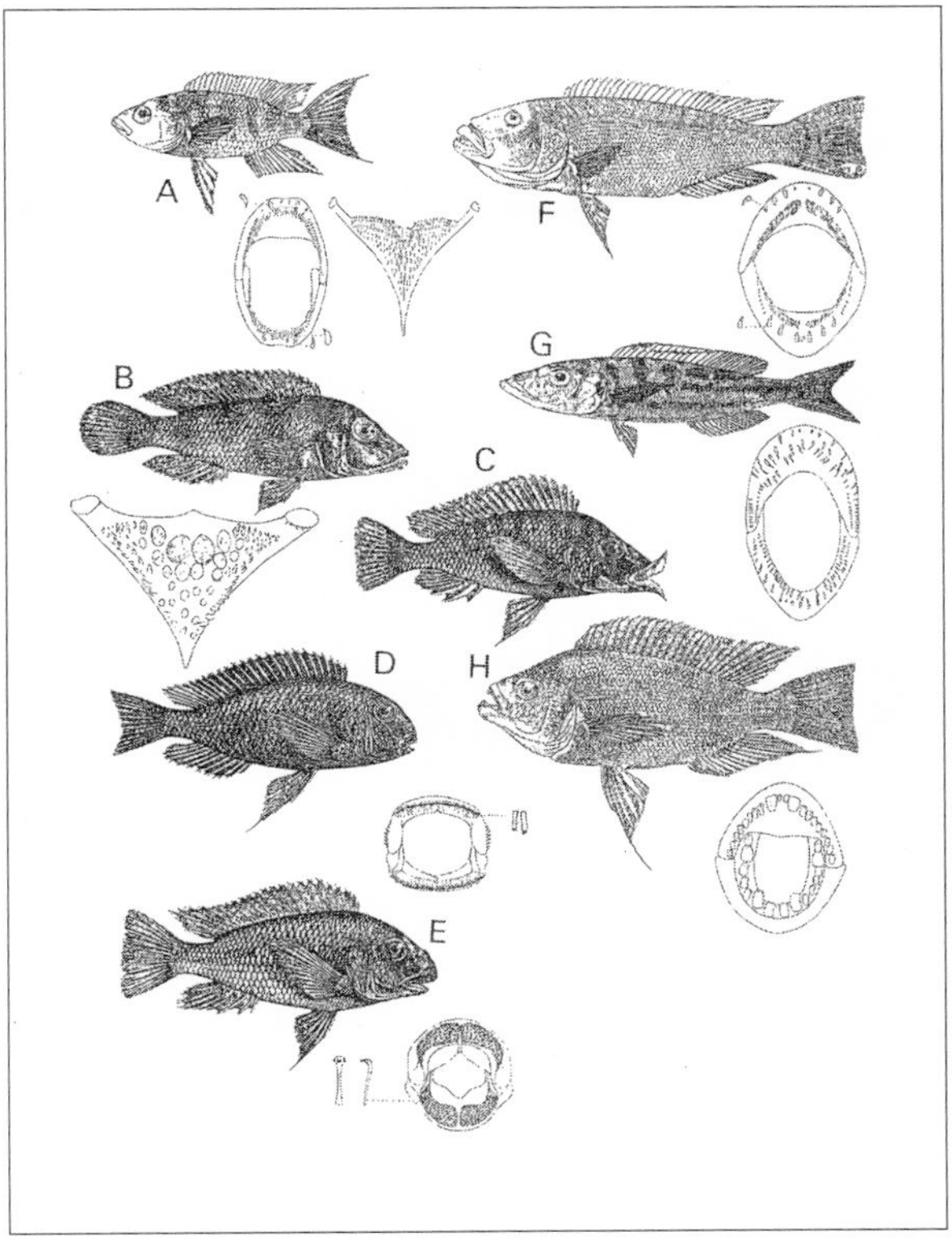

タンガニーカ湖産シクリッド類の代表的な種とその口と咽頭骨
(Poll, 1956 より抜粋)

(A)動物プランクトンを食べる魚。平たく短い身体。顎歯と咽頭骨はあまり発達していない。
(B)貝類等の硬い殻を持つ底生動物を食べる魚。頑丈な頭骨と臼状の咽頭歯を持つ。
(C)岩の隙間からトビケラ等の底生動物を吸い出して食べる魚。吻をラッパ状に突出できる。
(D)糸状藻類を食べる魚。顎歯は前面に並んでいて藻類を切断できる。
(E)単細胞藻類を食べる魚。ブラシ状の歯盤で糸状藻類に付着している単細胞藻類をすき取る。
(F)岩礁域での忍び寄り型の魚食者の魚。少数の鋭い犬歯状の歯を持つ。
(G)沖帯での遊泳性の魚食者の魚。大きな口と流線型の体型を持つ。
(H)スケールイータ。他の魚の鱗を剥ぎ取って餌とする。鱗をこそげ取る平たく曲がった歯を持つ。

息場所としており、したがって岩場の魚類群集が最も多様で、さまざまな近縁度のシクリッドが主体となって構成されている。なお、湖の沖合は、現地でカペンタと呼ばれるイワシの仲間2種と、その捕食者でサバによく似たブカブカと呼ばれるアカメ科の魚1種からなる単純な魚類群集が繁栄しており、これらは内陸国のザンビアなどでは貴重な漁業資源として利用されている。

さて、岩場のシクリッド群集については、従来からその高い多様性が注目されていたが、詳しい調査はされておらず、したがって多様性が維持されるメカニズムについても探究されてはいなかった。我々日本人研究者チームは、1979年から京都大学の川那部浩哉教授（当時）を中心として、沿岸魚類群集の研究を開始した。主にスキューバ潜水によって種間の相互作用を明らかにし、それによって岩礁域の高い種多様性が維持されるメカニズムを解明しようとしたのである。初期の調査地は湖北端のウビラ周辺（旧ザイール、現コンゴ民主共和国）であったが、政変がつづいたため、調査地は一時タンザニアに変更され、1988年からは政治的な安定がつづいているザンビアに移された。それ以降、北部州ムプルング周辺で、ザンビア水産庁のタンガニーカ湖支所との共同研究が継続している。

実際の調査は、岩場でのセンサスと魚種ごとの行動観察、および食性調査である。調査地の岩場では、湖底の20メートル四方をロープで囲んでその中をメッシュに区切り、メッシュごとに詳しい地図を作り、どこでどんな魚が何をしていたかを記録する。その岩場には約50種のシクリッドたちが約7000匹も生息しており、まるで水族館の大型水槽のようである。魚の食性は、水中で採集した魚のサンプルを実験室で解剖して、胃の内容物から餌の種類と容量を調べ、どの種が何をどれくらい食べていたかを集計して、この群集の食物連鎖を解明するのである。その結果を次ページ図に示す。

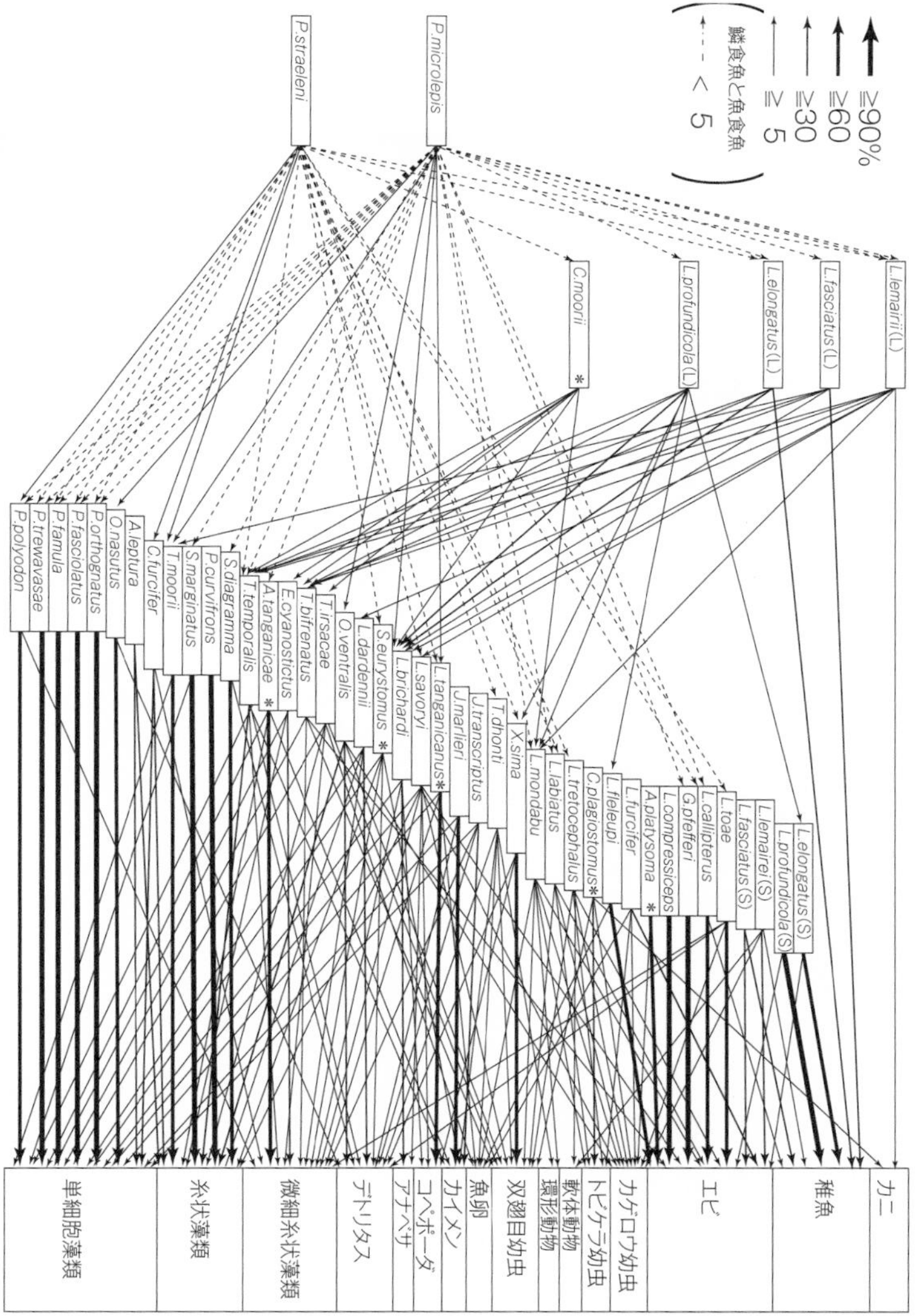

岩礁域における魚類群集の食物連鎖（タンザニア・マハレ国立公園での調査結果） (Hori, 1987)

岸から水深約 12 メートルまでの調査枠内に生息する 48 種の魚が食べる餌品目とその割合を矢印の向きと太さで示す。＊印の種はシクリッド以外の魚。トップに位置する 2 種はスケールイータ。食性の広いものと狭いものがいること、また同じ餌を複数の種が利用していることに注意。

魚食魚の未成魚（S）は底生動物を餌としているので、この図では成魚（L）とは別のものとして扱っている。餌品目で稚魚としたものは実際にはどれかの種の稚魚なのだが、この図では一括して扱われている。またすべての魚の稚魚はプランクトン食であるが、この図では示されていない。したがって、この図はすでに相当複雑ではあるが、かなり抽象化した概念図である。幸い岩場の魚類群集は大きな季節変化や年変化はなさそうで、この図で表された関係も相当安定したものと考えることができる。

この図から、魚たちが全体として、岩場で手に入る生物をほぼもれなく餌として利用していることがわかる。食性の広いもの、狭い物とさまざまであるが、多くの種で餌の種類がほぼ決まっており、さらにどの種も複数の餌品目を利用し、またほとんどの餌品目は複数の種に利用されている。

これらの魚の食性を大きく分けると、藻類食、プランクトン食、底生動物食、魚食の4種類に区別できる。これは熱帯に限らず大きな湖では普通に見られる食性区分である。注目すべきは、魚食性の魚の上に、さらにそれを食べる魚がいることである。この魚はスケールイータ（鱗食魚、うろこ食い）と呼ばれ、その名のとおり他の魚を襲ってその体表から何枚かの鱗を剝ぎ取って餌とする特異な捕食者である。おそらく、閉じられた湖という環境で、シクリッドだけで群集が成立してゆく過程で、魚食者をさらに捕食する大形の魚食者までは生み出し得なかったのはないかと想像される。開かれた環境の海でなら、そうした生態的地位は他の分類群の魚たちで簡単に埋められたはずである。ちなみに、同じくシクリッドが優占するヴィクトリア湖とマラウイ湖も、何種かのスケールイータを生み出したが、これらはそれぞれ別の系統から各湖で独立に進化してきたのである。

さて、食物連鎖図を詳しく見ると、ここでは同じ藻類食でも、単細胞藻類食、糸状藻類食、微細糸状藻類食というふうにさらに細かい食性に分化している。同様に、底生動物食の魚では、淡水カイメン食、ユスリカ食、カゲロウ食、トビケラ食、エビ食などの食性に分化している。このような細かい食性に分化することによって、多くの種類の魚が共存できていることは間違いない。この状況は「喰い分け」と呼ばれ、多種が共存できるメカニズムのひとつである。

しかし、この群集の大きな特徴は、同じ食性の魚が複数種、それも多くの場合、同属の近縁種で構成されていることである。動物生態学では、同じ生活要求を持つ種は共存しにくいとされており、多種の共存を問題とする場合には、こうした競争関係にあるはずの同じ食性の近縁種のあいだで、どのような折り合いがついているのかを調べる必要がある。同じ食物を利用する魚でも、それぞれの行動を詳しく観察してゆくと、すぐに気づく種間の違いがある。とくに魚食魚やスケールイータなどの肉食者で顕著であるが、獲物の襲撃方法が種ごとに違うのである。そして、ある襲い方をする肉食者の存在が、別の襲い方をする肉食者の襲撃成功率を高めている可能性が示唆された。襲われる側の魚の警戒が分散させられ、隙が生じるからである。我々はこの状況を「襲い分け」と呼んで、これまで気づかれなかった近縁種の共存メカニズムと考え、その実証研究に取り組んでいる。

（堀 道雄）

コラム3

水中での生態調査

堀　道雄

タンガニーカ沿岸域の岩礁地帯には同属のスケールイータ（鱗食魚）2種が共存する。それぞれ、ミクロレピス、ストラエレニという。近縁種の共存が「襲い分け」によって促進されるとの仮説を実証するために、この2種の鱗の取り方を水中で比較した。魚の後をつけて、どのように獲物を襲撃するかをスキューバ潜水で観察するのである。湖の中は、熱帯であるがサンゴやイソギンチャクなどの腔腸動物がいないので殺風景で、魚たちの色彩もそれほど派手ではない。それでも、スキューバ潜水では3次元を自由に動けるので、慣れればとても面白く、解き放たれた爽快感に浸れる。

スケールイータは他の魚にとっては追い剥ぎにも似たやっかいな肉食者である。勝手に鱗を剥ぎ取られてはたまらない。近寄ってくる

タンガニーカ湖岩礁域の水中の様子。多様なシクリッドが共存している。（写真提供：太田和孝）

スケールイータを目ざとく見つけては、逃げるなり、逆に反撃するなりして追い払おうとする。スケールイータはふつう自分より大きな魚を襲うので、狙った魚に気づかれると反撃されることが多く、その狩りは失敗する。そこで、襲撃の成否は、いかに獲物の隙をつくかにかかっており、獲物の後ろからこっそりと忍び寄り、ここぞという距離から突進する。忍び寄りが始まると、後ろの我々も息を殺して注視する。あたかも国立公園の草原で、ライオンの後をつけてその狩りの成否を見届けるようなワクワク感がある。

この2種は、ほとんど同じ魚種を襲うが、襲い方は大きく異なる（次ページ図上）。どちらの種も中層をゆっくり泳ぎながら探索するが、隙のある魚を見つけると、ミクロレピスは底沿いに忍び寄り、遠くから突進する。ストラエレニはヒラヒラとあたかも無害な藻類食魚のような泳ぎ方で近寄り、近くからいきなり飛びつく。そして、それぞれの形態と色彩もその襲撃方法と対応している。ミクロレピスは突進に適した紡錘型で、魚体の輪郭を曖昧にする不規則な斑紋を持っている。ストラエレニは獲物の藻類食魚と同じ縦に平たい体型で、これまた藻類食魚に多い横縞かベージュ色をしている。そして、この2種の襲撃の成功率を状況ごとに集計してみると、ある個体が単独で獲物を探している場合よりも、たまたま近くに他種のスケールイータがいる場合の方が成功率は高い（次ページ図下）。しかし、近くにいるのが同じ種の他個体の場合には、単独の襲撃の場合と差はない。これは、襲い方の違う他種の存在が、被食者の警戒を分散させる効果を持つためと考えられる。襲われる側の立場からすると、異なる襲い方をする種が複数いることで、同時に違った警戒を強いられ、それぞれの警戒の効率は悪くなると考えられるのである。

また、必ずしも近くに他種がいる必要はないとも考えられる。エビを専食する魚たちも近縁の5種が共存するが、ある種は石の隙間だけを丹念に探し、別の種は岩の表面を舐めるように探す。またオーバーハングした岩の陰に潜みエビを待ち伏せする種もいるし、平たい石を口で持ち上げて裏返し、隠れていたエビを捕食する種もいる。エビの立場からすれば、こうした状況では、単一のエビ食の魚だけがいる場合と比較して、隠れることが難しくなるに違いない。この場合も、あるエビ食魚の捕食成功率は、別の捕食方法を持つ他種がいることで、単独でいる場合よりも高くなると予想される。魚食魚な

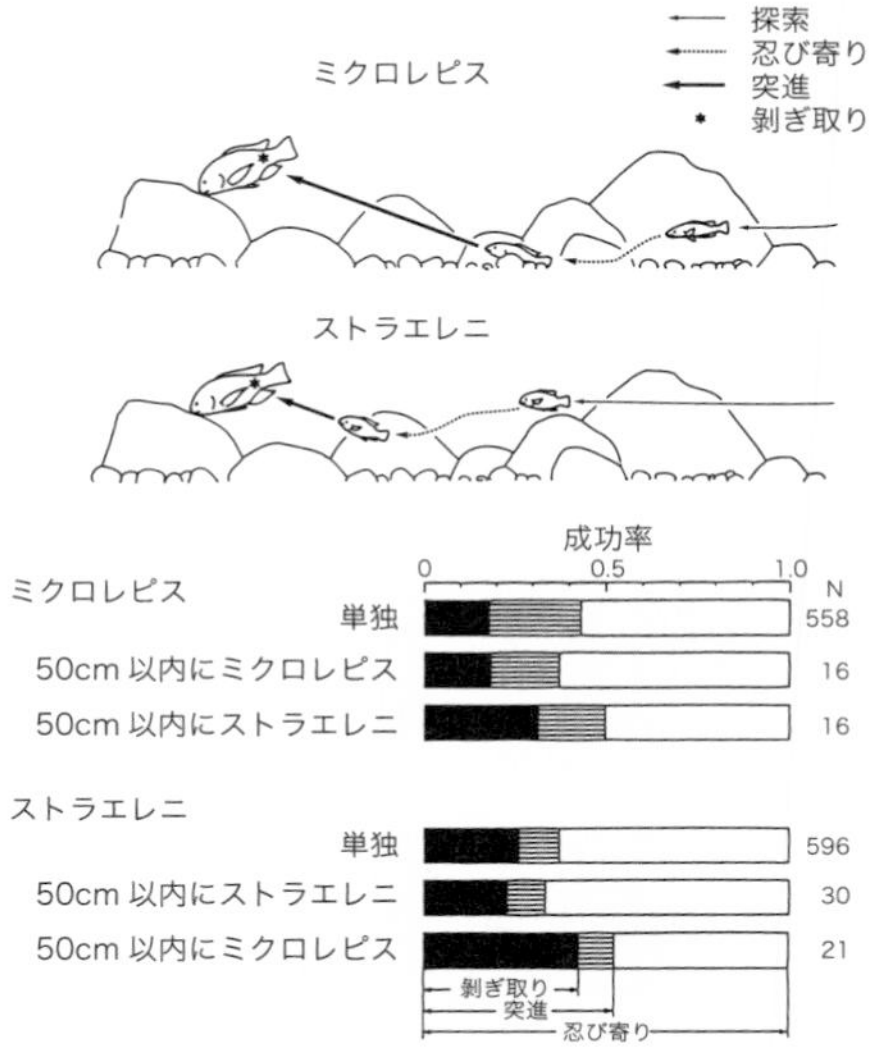

2種のスケールイータの摂食行動と状況ごとの摂食成功率（Hori, 1987）
上図はミクロレピスとストラエレニが岩の上で摂食中の藻類食魚を襲撃する場合を模式的に示す。下図はこの2種について、観察しているスケールイータ個体の周囲50センチメートル以内に同種の他個体か異種の他個体がいる場合と単独時の成功率を比較している。Nは観察回数を示し、忍び寄りの回数に対する鱗の剝ぎ取り回数（黒塗り部分）が成功率となる。

どの種間でも同じ効果が期待できる。

　では、捕食者ではない魚たち、たとえば藻類食魚の多種共存はどのように理解すればよいのだろうか。実は、「襲い分け」の裏返しの関係、言うなれば「防ぎ分け」、つまり防衛する側の魚たちも、それぞれの種が独自の警戒や逃げ方をすることで、共存する近縁種から利益を得ているると考えられる。これを直接示すことは難しいが、同種の他個体が接近した場合、往々にして縄張り争いや配偶行動などが誘発され、それが捕食者につけ入る隙を与えることは簡単に実証できる。このように、行動まで含めた種ごとの特性を考慮することで、多種共存を新しい観点から理解できる可能性が見えてきたのである。

5

首都ルサカ

★色鮮やかな花の街★

ルサカは、標高約1280メートルの高原に位置する。気候は年間を通して比較的冷涼であり、日本のような四季の変化はないが、4〜8月は涼しい乾季、9〜11月は暑い乾季、11〜4月は雨季となる。年間の降雨量は800〜900ミリメートル程度であり、雨季の最中である1月には月間200ミリメートル前後の降雨が見られる。

ルサカはイギリスの植民地であった北ローデシア時代に建設された計画都市であり、整然とした街並みが特徴である。街の中心にはカイロ・ロードが走り、街路にはカエンジュやアカシア、ジャカランダなどの街路樹が植栽されている。その両側には高いビルが建ち並び、大型のショッピングモールや商店、郵便局、銀行、駅、会社の事務所などが立地している。ルサカ中心部には各住区に向かうミニバスの発着点となるバスターミナルのほか、各都市に向かうバス会社のターミナルもあり、連日大勢の人びとで賑わっている。

人口は2018年時点で250万人を超え、人口密度は1平方キロメートルあたり約6千人である。人口増加率は年率、平均4・0%（2011〜17年）であり、これはサハラ以南アフリ

ルサカ中心部のカエンジュと高層ビル

カ各国の平均値である2・7%、ザンビアの全国平均の3・0%を大きく上回り、急激に人口の増えるアフリカ大陸においても高い人口増加率である。

ザンビア最大の都市であるルサカには、国内から多様な民族の人びとが集まっている。そんなルサカの街中では公用語である英語はもちろんのこと、ニャンジャ語が飛び交う。ニャンジャ語は73あるザンビアの現地語のうち主要な7言語のひとつであり、ルサカを含むザンビア東部で使用されている。また国外においてはマラウイに数百万人、ジンバブエでは33万人、モザンビークに50万人ほどのニャンジャ語話者がおり、時としてニャンジャ語は「ザンビアのリンガフランカ」と表現されることもある。これはザンビア国中ひいては国外から集まった人びとが、ニャンジャ語を現地語として捉えているというより、首都ルサカでビジネスを進めるためのコミュニケーション手段として、厳格な文法を意識せず用いているためである。

ルサカは、1900年代に入るまで農耕民レンジェの小さな村であった。「ルサカ」という名称は、かつて熟練したゾウのハンターとして名高かった、この村の村長の名前に由来すると言われている。1905年、ルサカから北へ約140キロメートルのブロークンヒル（現カブウェ）の鉱山地帯と国土南端のリヴィングストンとをつなぐ鉄道が開通した。この鉄道は、北はコンゴのカタンガ、南はジンバブエを通り、鉱山資源の輸送ルートである南アフリカまでつづいている。その中継地として北ローデシア植民地政府によって「ルサカ駅」が設けられたことを発端に、ルサカの都市開発は始まった。しかし、内陸国で輸送コストがかさむ北ローデシアに対して経済発展は期待されておらず、先に鉱山見つかった南アフリカへの労働力供給地としていわば「周縁国」と見なされていたため、1920年代後半頃まで北ローデシアの経済開発は本格的ではなく、ルサカの都市化はほとんど進まなかった。

この状況が変わったのは1930年代に入ってからである。ルサカは国土の中央に位置しており、北部の鉱山都市、南端のリヴィングストン、また他州の農村地域からもアクセスしやすく好立地であったこと、またその快適な気候がゆえに1931年に北ローデシアの首都候補地に選ばれた。そして1935年には、首都はそれまでのリヴィングストンからルサカに移り、それ以降ルサカは北ローデシアの首都、そして1964年以降にはザンビアの首都として発展してきたのである。

ルサカが交通の要衝であることは現在でも変わりない。ルサカ中心部のカイロ・ロードは、中央州、ムチンガ州を抜けて北部州、そしてタンザニア国境を通る、グレート・ノース・ロードと連絡している。また、ルサカ中心部から東へ走る幹線道路グレート・イースト・ロードを行くと30キロメートルほどでケネス・カウンダ国際空港があり、その先は東部州を通りマラウイに接続する。西部へはモング・ロードが西部州の州都モングまで走る。この道路は、先述の２つの主要道路と比べ重要だと見なされるのが遅く、初めて舗装されたのが独立以後の１９６９年、その後１９７０～80年代はメンテナンスが不足しており、十分に整備されたのは２００５年のことであった。この幹線道路は将来的にはアンゴラの高速道路との接続をめざしている。しかし、モングの西側10キロメートルにはザンベジ川が流れており、その上流域にはバロツェ氾濫原と呼ばれる広大な氾濫原が広がっている。バロツェ氾濫原は雨季にそのほとんどが水没するため、この氾濫原を横断するための技術的、経済的な課題がモング・ロードの延長を困難にしている。

また、２０００年代になって海外からの大規模な外国投資が目立ち始めた。全国各地で中国からの融資による建設が相次ぎ、ルサカにおいても空港内の建物や道路の建設、大規模な住宅や工業団地の開発を手がける中国資本の会社が現在、多く見られる。２０１１年には日本の日立建機がルサカ国際空港の付近にルサカ工場を起工し、起工式には当時のバンダ大統領が参加している。

このように宅地開発が進む一方で、郊外には低所得者層が多く暮らすコンパウンド（コラム４参照）に、ルサカ人口のうち約70％が居住している。このコンパウンドには１９７０年代の後半以降に、政府や地方自治体、国際機関によってさまざまな居住環境の改善プログラムが進められてきた。しかし、実際に歩いてみると、いまだ排水が未整備のエリアや、ゴミが散乱し衛生状態が悪い場所、夜間に治安が悪くなるエリアも存在する。そのようなコンパウンドでは、カイロ・ロードをはじめとする表通りだけからでは見えない、ルサカ住民の生活をつぶさに見ることができる。

（川畑一朗）

都市郊外の居住地区「コンパウンド」

川畑一朗
コラム4

首都ルサカや鉱山都市のキトウェ、ンドラ、各州の州都など、ザンビアの都市郊外には家屋の密集する居住地区が広がる。この居住地区は現地ではコンパウンド（compound）と呼ばれ、首都ルサカには現在35以上のコンパウンドが存在し、都市人口のおおよそ70％がこの居住地区で生活している。

コンパウンドは英語で「囲まれた場所」を意味する。ザンビアの独立以前、鉱山都市においてイギリス人入植者たちが自分たちの住む住宅と区別して、アフリカ人鉱山労働者用の住宅を「コンパウンド」と呼んだことから、南アフリカやナミビア、ザンビアなどの南部アフリカでこの言葉が使われるようになった。

入植者によって作られた首都ルサカは、都市計画によって整然とゾーニングされている。幹線道路の周囲には政府役人や外国人が住む高級住宅地が島状に形成され、その外側に中所得者向けの民間住宅や政府供給住宅、そのさらに郊外には低所得者が多く住むコンパウンドが広がっている。

コンパウンドでは、家屋の多くがレンガにトタン屋根のつくりであり、1軒の家屋に1世帯で暮らしている場合もあれば、生け垣とブロック塀に囲まれた土地に2、3軒の家屋があり、そこに拡大家族が10人ほどで暮らしていることもある。

コンパウンド内の太い道路の脇には露店が建ち並び、活気であふれている。青果店に加え、靴屋や古着屋、中古自転車屋といった小売店、料理店やナイトクラブなどの飲食店、その他にも雑貨店、薬局や金物屋、携帯電話の修理店、テントを張りSIMカードを売る店など業種はさまざまで、店を構えず路上で野菜や衣類を売る人びともいる。生活必需品のほとんどはコンパウンドの中で買いそろえられるのである。

コンパウンド内にはコミュニティ・スクールやコミュニティ・クリニックが見られる。これらは国内外のNGO、教会の支援によって運営されている。コミュニティ・スクールの学費は無料であることもあるが、多くは生徒から学費を徴収する形で成り立っている。

コンパウンドのマーケットの様子

ルサカのコンパウンドの多くは元来、農村から出稼ぎにやってきた労働者たちが不法占拠したスクウォッター地区であったが、1974年の住宅法（Housing Act）の制定によって現在では正規化され、自治体によるインフラの整備や開発が進められている。

近年になって、新たな問題が生じている。それは中・高所得者や外国資本による土地買収である。1995年の土地法の改正以降ザンビアでは個人・企業による土地取得に対しての規制が緩和された。この改正によって、コンパウンドの地価の安さや都市中心部に近い利便性などを求めデベロッパーが土地を買い上げ、宅地開発を進めている。こういった宅地開発は高級住宅地へのアップグレードと呼ばれることもある。近年、ルサカのコンパウンドでは急速に進むアップグレードによって、地上げの被害を受ける住民が多くいるのも事実である。

6

コッパーベルト

★鉱山バブルによる都市の発達★

「今日はソルウェジ・マバンガね」――わたしが滞在していた家で、母アイーダはある金曜日、夕飯の準備をしながら、少し嬉しそうにルンダ語で言った。直訳すると「ソルウェジの夕方」という意味だ。北西部州の州都ソルウェジで2000年代後半から、鉱山開発の好景気によって、人びとが夕方から街に繰り出し、夜通し遊ぶようになった様子を表現している。日本でいえば、バブル期に流行った「銀座の花金」に近いだろうか。

コッパーベルトとは、現在のザンビア中部とコンゴ民主共和国のカタンガ地方にかけて広がる銅鉱床地帯のことである。ザンビアでは1970年にコッパーベルト州という行政区分ができ、今では州域がコッパーベルトとして捉えられている。冒頭の北西部州ソルウェジは、遠隔地であることから、鉱山開発から取り残され、銅鉱床地帯の一部としてみなされてこなかった。しかし近年、ソルウェジとその周辺は「ニュー・コッパーベルト」と呼ばれ、鉱山開発によって発展し始めている。

ザンビアの銅鉱山の歴史をひも解くと、国内で初めて銅鉱脈が発見されたのは、ソルウェジ近郊だった。1899年、探鉱家のジョージ・クレイらが見つけ、1908年からカンサンシ

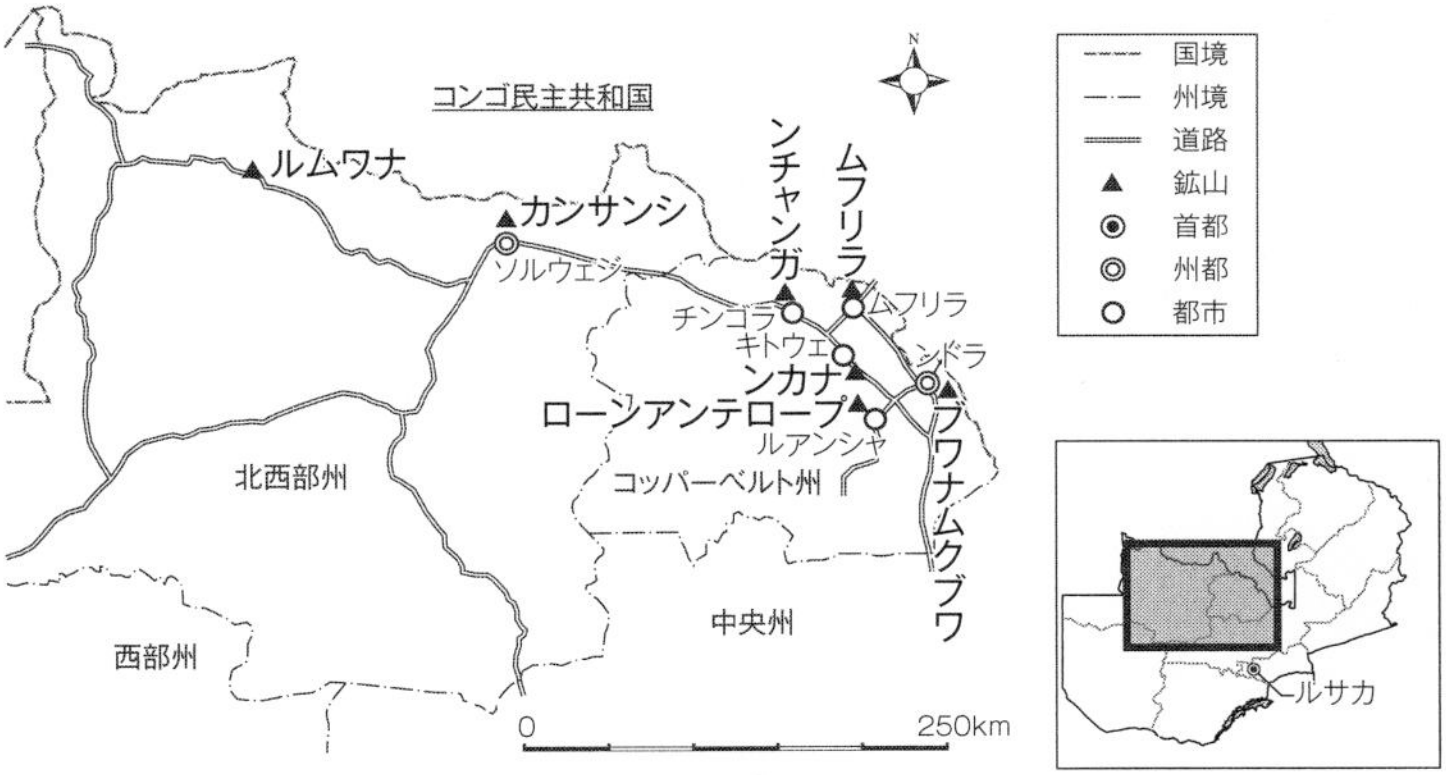

コッパーベルト周辺の鉱山と都市
出所：Bookworld Africa. 2018. *Primary School Atlas for Zambia*. Bookworld Africa. を基に筆者作成

鉱山として小規模に操業が始まった。しかし当時のソルウェジは整備された道路や鉄道から遠く、産出される鉱石の銅含有率が低かったため、利益が上がらず、操業と休止を繰り返した。カンサンシ鉱山は１９８０年代後半に停止したが、再注目されて２００５年にカナダ企業によって操業が再開された。また２００３年からオーストラリア企業によって、ソルウェジ近郊で新たにルムワナ鉱山が調査され、２００７年に操業し始めた。

２つの鉱山開発が軌道に乗った２００５年以降、ソルウェジの人口は増えつづけ、経済発展が著しく、街全体は鉱山バブルを迎えている。とくに２０１５年以降、それまでなかった大型ショッピングモールが２つ開業し、初めて信号機が設置され、昔にはなかった渋滞はひどくなる一方である。かつてソルウェジをはじめとした北西部州は、ザンビアの中心から遠く取り残された地域であった。人口は少なく、インフラも整備されず、経済発展は著しく遅れていた。銅鉱脈の発見から1世紀を経て、ようやくソルウェジは「ニュー・コッパーベルト」として世界から注目を浴びることとなった。

ソルウェジの市街地が発展しつづけていても、ザンビア経済の中心はコッパーベルトである。2010年の国勢調査によれば、コッパーベルト州の人口は197万人で全体の約15%を占め、ルサカ州についいで国内第2位の規模で都市人口率は81%だ。ルサカ州（85%）を除いた他の州では、都市人口率は10〜20%台なので、コッパーベルトでは都市部に人が集中していることがわかる。コッパーベルトに都市が発達し、人口が集中するようになった始まりは、19世紀末にまでさかのぼる。

1890年、イギリス南アフリカ会社はバロツェランド（現在の西部州）に従業員ロシュナーを派遣し、ロジ王国のパラマウント・チーフであるレワニカより、領土内の鉱物採掘権と商業権を取得した。実際にはレワニカはイギリスに対して庇護を求めており、会社に対する鉱物採掘権と商業権の取引という認識をもっていなかったとされている。しかしこのことが、イギリス南アフリカ会社による北ローデシアの統治に根拠を与えたことになり、鉱物資源の獲得を念頭に置いて領土が拡大された。この頃設立された探鉱会社のうちのひとつ、ローデシア銅会社の社員W・C・コリアーらが、1902年、現在のルアンシャ近郊で銅を含む緑色の鉱物マラカイトを発見した。コリアーがレイヨウ類のローンアンテロープを猟銃でしとめたときに見つけたことから、この地域はローンアンテロープと名づけられ、のちに鉱山の名前にもなった。同年コリアーらは、現在のンドラ近郊でも銅鉱脈を発見し、偉大なチーフを意味するブワナムクブワと名づけた。

1922年のブワナムクブワ鉱山の操業開始を皮切りに、1920年代後半までにローンアンテロープ、ンカナ、ムフリラ、ンチャンガなどの鉱山が大規模に開発され、それぞれに隣接するようにンドラ、ルアンシャ、キトウエ、ムフリラ、チンゴラの各都市がつくられた。鉱山会社と北ローデシア政府が関わりあいながら、鉱山で働く従業員の居住区や商業施設などの建設計画にしたがって鉱山都市の建設が進められ、現在のような都市に発展してきた。

現在のコッパーベルト州の州都ンドラは、北ローデシア時代に国内最大の人口規模を誇り、19世紀にはアラブ商人による奴隷交易の中継地として栄えた。1902年、ンドラに行政機能の集まる官庁街がつくられた。1907年には、南ローデシアからくる鉄道の終着駅ができ、ンドラはコッパーベルトの中心都市として発展していく。その後1928年、隣接するブワナムクブワ鉱山をはじめとした大規模鉱山の発展にともない、ビジネス街や白人向け住宅街の需要を受け、政府は格子状の街路を基本とした都市の拡大をおこなった。またキトウェは現在国内2番目の規模を誇り、隣接するンカナ鉱山の開発とともに建設された。政府による都市計画のほか、鉱山会社が主導して、鉱山に隣接するように労働者の居住区や商業施設が建設された。

コッパーベルトで大規模鉱山が開発されるまで、北ローデシアは周辺国へ労働者を送り出すだけだった。しかし鉱山開発が進んだ結果、1927年からの5年間で国内の労働者数は2倍の7万9千人に急増し、国内での出稼ぎが主流になる。とくに独立直後には、政府によるアフリカ人の移動制限の撤廃や銅価格の高騰、独立直後の解放感によって、多くの人びとが給与所得を得る都市生活にあこがれ、コッパーベルトをめざした。しかし1973年のオイルショック以降、銅の国際価格は下落し、1990年代までザンビア経済は低迷した。失業者は経済的な負担の大きい都市にとどまることなく、農村部に移住した。1991年に構造調整政策が本格的に再開されると、経済自由化が推し進められ、鉱山会社は民営化されて外国資本が流入した。

2001年以降、新興国での資源需要の高まりにともない、ザンビア経済は回復し、カナダやオーストラリア、中国などの外国企業による大規模な鉱山開発が進んでいる。インフラの整備や技術の進歩にともない、ソルウェジのように交通の不便さや銅含有率の低さから開発が断念されてきた地域で、鉱山の開発や再操業が始まっている。しかし2015年以降、銅価格の下落にともない、ザンビア経済はふたたび勢いを失いつつある。

ザンビアに生きる人びとの暮らしは世界経済、とくに銅の国際価格の動きに左右される。しかし彼らは、コッパーベルトの拡大や再来する鉱山バブル、たび重なる資源価格の下落などに振り回されながらも、「ソルウェジ・マバンガ」を楽しみに、力強く生きている。

（原　将也）

7

ヴィクトリア・フォールズ

—★巨大な滝とジグザグの峡谷はどのようにしてできたのか？★—

ヴィクトリア・フォールズは、ザンビアとジンバブエの国境を流れるザンベジ川の中ほどに位置する、幅が約１７００メートル、落差が１０８メートルの世界最大級の滝である。１９８９年には国連教育科学文化機関（ＵＮＥＳＣＯ）の世界遺産に指定されている。最寄りのリヴィングストン市内からは南へ約10キロメートル、車で15分ほどの距離にあり、周囲は国立公園となっている。ヴィクトリア・フォールズという名前は１８５５年にヨーロッパ人として初めて滝を訪れたデイヴィッド・リヴィングストンにより、当時のヴィクトリア女王にちなんで名づけられた。ザンビアではモシ・オ・トゥニャ（雷の鳴る煙という意味）と呼ばれる。ヴィクトリア・フォールズは流域の季節により流量が大きく異なることが特徴で、ピーク時（4月）の流量は毎秒３０００立方メートル、最も少ない11月には10分の１の毎秒３００立方メートルほどとなる。このため、流量の少ない乾季には滝の直上にある「デヴィルズプール」から、水が流れ落ちる滝を川の中から間近に見ることもできる。２０１９年の年末は干ばつの影響でとくに流量が少なく、滝が干上がるのではないかという報道もあった。

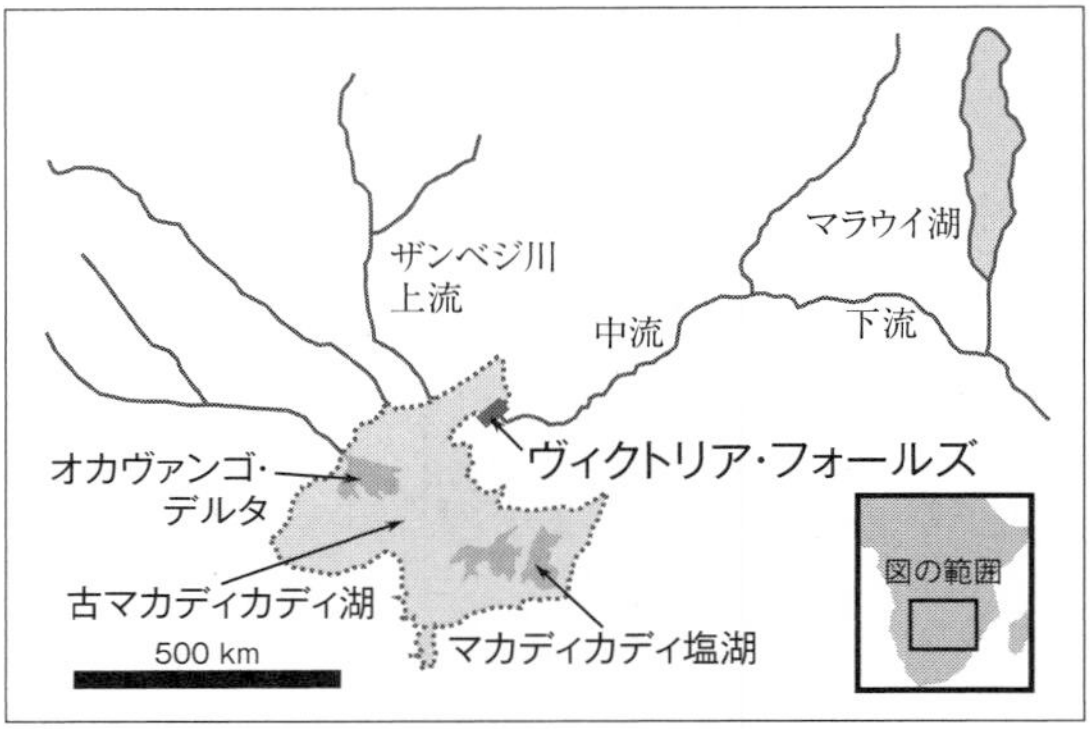

ザンベジ川とかつての巨大湖（古マカディカディ湖）

ザンベジ川は、ヴィクトリア・フォールズの上流側では川幅が約2キロメートルと広く、流れも緩いのに対し、下流側では玄武岩を刻むジグザグの峡谷で急流となっている。現在のザンベジ川はザンビア北西部の高地を水源とし、ザンビアとジンバブエの国境をたどりながら東に流れてモザンビークでインド洋に注ぐ。しかし、かつてのザンベジ川上流部は、南に位置するカラハリ盆地に流れ込み、現在のボツワナ、ナミビア、ジンバブエをまたぐ巨大な湖となっていた。ボツワナのマカディカディ塩湖はこの湖の名残である。また現在では湿地であり、カラハリ砂漠の中のオアシスとして知られているオカヴァンゴ・デルタもかつてはこの巨大な湖の一部であった。この「古マカディカディ湖」にはザンベジ川だけではなく、他の河川も流れ込んでいたが、流出口がなかった。湖が最も拡大したときに、その面積は日本の国土の約半分にあたる、17万5000平方キロメートルに達したと考えられている。

ザンベジ川の流路が変わったのは、この古マカディカディ湖の水量がとくに上昇したおよそ200万年前に、湖の北の端で大量の湖水が出口を求めて、湖の北の端から標高の低い東側に流れ出し、北側から流れ込むザンベジ川上流部と東へ向かう中流部がつながったからだと考えられている。ところが上流部と中流部には４００から５００メートルもの高低差があったため、川は急激に狭い谷を掘り下げ、これが徐々に上流側に広がっていった。この侵食の「最前線」がヴィクトリア・フォールズである。滝の下流側で谷幅の狭いジグザグの峡谷となっているのは、急激に進む河川侵食による下刻が、玄武岩の割れ目や断層に沿って弱いところから進んだ結果である。峡谷は滝の落下地点から順に第１峡谷、ヴィクトリア・フォールズ橋から始まる谷を第２峡谷、第３、第４、第５峡谷とつづき、

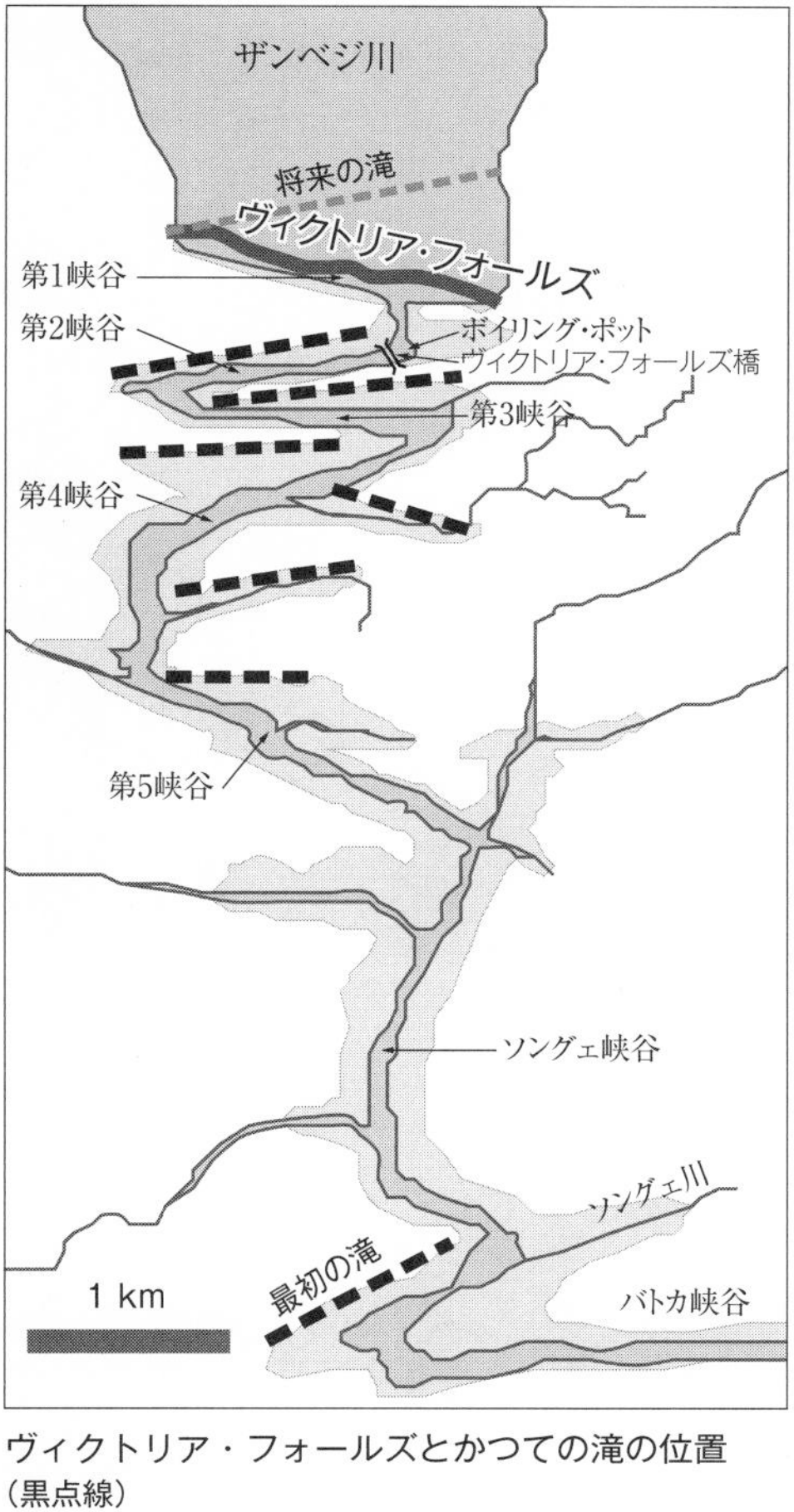

ヴィクトリア・フォールズとかつての滝の位置（黒点線）

流量の少ない乾季ながら水煙が立ち、虹がかかったヴィクトリア・フォールズ

ソングェ川の合流地点までをソングェ峡谷、これより下流側はバトカ峡谷と呼ばれ、約90キロメートルつづく。滝の直下の第1峡谷と第2峡谷のあいだは鋭角に折れ曲がるため、川の水が渦を作る「ボイリング・ポット」と呼ばれる箇所があり、近くの河床まで国立公園内の遊歩道に沿って降りていくことができる。

現在のヴィクトリア・フォールズの下流には、かつて滝であった場所が7ヵ所確認できる。最初に滝ができたのは、ザンベジ川上流部と中流部がつながったソングェ川との合流地点で、滝の上の玄武岩の侵食が進むにつれて、滝の位置が上流側へ移っていった。今後、現在の滝で侵食が進むと滝の位置はさらに後退して上流側に移っていくと考えられている。

（塚本すみ子）

II

歴史――内戦・紛争のないザンビア

8

先史時代

★石器の変遷★

アフリカで人類史に関わる先史時代というと、大地溝帯（グレートリフトヴァレー）にある、ケニアやエチオピアを思い浮かべるかもしれない。しかし、ザンビアを含むアフリカ中南部には現生人類（ホモ・サピエンス）だけでなく、その祖先のホモ・ハイデルベルゲネシス（ハイデルベルグ人）やさらなる祖先のホモ・エレクタスも多く居住していたらしく、ザンビアは彼らの作った石器の宝庫である。ハイデルベルグ人はアフリカではホモ・ローデシエンシス（ローデシア人）とも呼ばれる。言葉を使って意思を伝えたり、技術を要する道具を作ったりするなど、コミュニケーションやテクノロジーの発達の原始的な部分は、ハイデルベルグ人によって最初にもたらされたらしい。ハイデルベルグ人の化石の中で最も有名なもののひとつは、ザンビア中央部、カブウェのブロークンヒル鉱山で1921年に見つかった頭蓋骨で、カブウェ1と呼ばれる。この化石はロンドンの自然史博物館で一般に公開されている。ザンビアではリヴィングストン博物館にレプリカがあるのみだが、ザンビアはイギリスに対して返還の要求をしており、交渉がつづけられている。ザンビアでは、ヴィクトリア・フォールズ周辺や、北部のカランボ・フォールズ（コラム5参照）、ザンベジ川の支流であるルワンゴ川沿いで数多くの石器が見つかる。「数多く」と書いたが、これらの場所では目の前のすべての石が石器といっても大げさではないくらいなのだ。このため、ザンビアはアフリカ南部における石器の変遷を知るために重要な地域なのである。

石器はその製作技術や形態をもとに「文化」（英語ではインダストリー）に分類される。ザンビアで見つかる主な石器の文化で、最も古いものが約２５０万年前から約１２０万年までつづいた「オルドヴァイ文化」のものである。オルドヴァイ文化の石器は石と石を打ち付けて砕いた単純なものである。次に現れるのが石器の両面に加工を施した手斧（ハンドアックス）に代表される、「アシュール文化」である。オルドヴァイ文化とアシュール文化はともに前期旧石器時代にあたる。中期旧石器時代になると、石器は柄に装着して使われるようになった。この時期の石器は、重量のある石核（破片を剥がした原石）の石器を作った

カランボ・フォールズにて、アシュール文化の手斧を持つ筆者

中期旧石器時代に発達した柄つきの石器（レプリカ）
（ローレンス・バーハム氏提供）

サンゴ文化、尖頭型の石器を作ったルペンバ文化が栄えた。前期旧石器時代から中期旧石器時代へ移行した時期は地域によって異なるようで、アフリカ各地より約50万年前から20万年前の年代が報告されている。後期旧石器時代になると、剥片を使った細かい石器が作られるようになった。後期旧石器時代は約5万年前から1万年前までつづいた。

（塚本すみ子）

カランボ・フォールズ

カランボ・フォールズの先史人類

コラム5

塚本すみ子

　カランボ・フォールズはザンビア北部州、タンザニアとの国境を流れるカランボ川がタンガニーカ湖の南端に注ぐ直前にある。滝の高さは235メートルで、アフリカで2番目に落差の大きい滝である。カランボ川は滝の直上にある小さな盆地（カランボ盆地）に入ってから何度か大きく蛇行して、滝へ流れ落ちる。1953年に、イギリス人考古学者でリヴィングストン博物館を創設したジョン・デズモンド・クラークが、この盆地内に残る過去の川の堆積物に、さまざまな時代や種類の石器が保存されていることを発見した。滝の直前で川が盆地を通るため、盆地内が石器を含む堆積物のトラップのような働きをして、良い保存状態で残されたらしい。クラークはこの後も、1956年から1966年までのあいだに詳細な調査をつづけた。この調査の結果、カランボ・フォールズの周辺にはアシュール文化末期からサンゴ文化、ルペンバ文化、鉄器時代までの石器や遺物が保存されていることがわかった。また、アシュール文化の層からは、炭化した木材や種子などが見つかり、これが火を使用した跡だと考えられることから、アフリカで最も重要な遺跡のひとつとされた。

　最近になり、リバプール大学（イギリス）のローレンス・バーハムがカランボ・フォールズ

2019年の発掘風景

を含むザンビアの遺跡の再調査をおこなっており、筆者も調査隊の年代測定チームの一員として2006年と2019年にカランボ・フォールズを訪れた。石器の様式の変遷の中でも、ハンドアックス（手斧、前期旧石器）から柄に固定して使用する石器（中期旧石器）への移行は、人類の歴史の中で最も重要なテクノロジーの変化のひとつだと考えられている。この変化がいつ起こったかを知るために、河川の堆積物から石英の粒子を取り出して、実験室で光刺激を与えて発光を測定する、ルミネッセンス年代測定をおこなった。しかし、この移行期の年代は年代測定法の上限に近く、時代が古すぎるため、現在までのところ、カランボ・フォールズではこの変化の年代は30万年から50万年前のあいだのいつかということしかわかっていない。

カランボ・フォールズまでの道のりは、首都ルサカから北に約1000キロメートル、車では通常3日がかりの旅となる。最寄りの町であるムバラには、リヴィングストン博物館に次ぐ規模のモトモト博物館があり、ザンビアの歴史や民族についての詳しい展示を見ることができる。

9

植民地化以前のザンビア

★18世紀・19世紀を中心に★

有名な探検家リヴィングストンが「暗黒大陸」の奥地に分け入り、現在のザンビア南部国境線を流れるザンベジ川の周辺でヴィクトリア・フォールズを「発見」したことから、ザンビアはヨーロッパ人に秘境の地というイメージを与えた。実際この地域は、探検時代以前から海岸から伸びる交易路の終点であり、植民地時代にも開発進路の終点でもあった。

暗黒大陸、奥地というイメージは停滞や歴史的変化に乏しい状況を想起させるが、実際はそうではなかった。植民地化以前のエスニック集団の国家や社会は、中央集権的な王国から小規模な親族集団の緩やかな集合体まで、多様な規模と特徴を持っていた。各地域や集団は自然環境の利用においても多様であった。また植民地化以前の諸集団は移動や盛衰の過程にあるダイナミックで流動的な状況にあった。

現在ザンビアとなっている地域は、コンゴ民主共和国に広がる熱帯林地帯とジンバブエの草原サバンナ地帯の中間に位置し、ミオンボ林などの森林と草原が交錯する地帯である。ここには南北から人びとが移動してきた。18世紀頃には、現在のザンビア各地のエスニック集団の起源となった集団や国が出現するが、それらの王家やチーフの家系は、祖先が現在のコンゴ民主共和国、アンゴラやマラウイ湖方面から来たなど外部からこの地に来た来歴を伝える。またこの地域はインド洋、大西洋両岸からの象牙や奴隷の交易路の終点でもあった。西からはアンゴラ王国の交易路が入り込み、東からはインド洋沿岸のスワヒリ商人、アラブ商人などの交易路が現在のタンザニアやマラウイを経由して伸び、南東側にはポルトガル系の人びとがさかのぼってきたインド洋岸南部モザンビークからつづくザンベジ川が流れる。

現在、ザンビアの北東部と中部に居住するベンバ、レンジェなどのエスニック集団は、そのチーフの家系がタンガニーカ湖西側にいたルバ人と言われ、現在ザンビア東部州に住むピリ・クランもルバ人に起源を持つとされる。ルンダは、現在はザンビアの北西部州に住むエスニック集団のひとつであるが、同じ北西部州のルヴァレやンデンブも祖先はルンダ人と伝承する。ルンダ人は現在のアンゴラ南東部とコンゴ民主共和国西部一帯を起源とし、18世紀にはムワタ・ヤムヴォの統治下、ザンビア、コンゴ民主共和国、アンゴラにまたがる広大な地域を支配していた。ルンダの財政的基盤はアンゴラ沿岸のポルトガル人との交易であった。

ザンビアで最大の言語集団であるベンバはルバ人起源のチーフが支配する社会のひとつで、政治的には階層化したいくつかのチーフ領に分かれていた。17世紀末には2つのクランのチーフが有力になり、そのひとりがチティムクルと呼ばれる「パラマウント・チーフ」になった。ベンバは、ミオンボ林の森林におけるチテメネという独特の焼畑農耕と狩猟採集を生業としてきたが、戦士集団としても強力で、19世紀には度重なるンゴニ人の襲撃を撃退した。

西部のロジ王国は、ロジ人を頂点として複数のエスニック集団が階層的、空間的に配置された、この地域では最も中央集権化した帝国的国家であった。ロジ王国は、ザンベジ川中流に広がる広大な氾濫原という特有の自然環境を利用した農耕、牧畜、漁撈の複合を生産基盤とする中心部と、河岸段丘上の周辺部から構成され、さらにその周辺に緩やかな支配地域が広がっていた。王宮は中心の氾濫原と河岸段丘上を季節により移動し、宮廷官吏、戦士、職人、農民などによって支えられていた。周辺地域は軍事的に征服した後、貢納の支払いを義務づけて支配していた。

南部に居住するトンガ、イラと中部のレンジェはほぼ同じ言語を話すが、ルバの支配下に入ったレンジェがチーフ制社会となったのに対して、南部のトンガとイラはチーフのいない社会であった。トンガは12、13世紀頃からザンビア南部に居住していたと考えられ、この地域のバントゥ系住民では最も古いエスニック集団である。牛を多数飼養し、農耕・牧畜を営む高地トンガとザンベジ川に沿った低地で農耕、漁撈をおこなう低地トンガに分かれる。

19世紀には、この地域は外部からの民族の侵入と攻撃、支配にさらされた。東部へのンゴニ人の侵入と攻撃があり、西部へのコロロ人の侵入、そしてヨーロッパ人の侵入である。ンゴニの侵入はンゴニ人王朝の建設、コロロはロジ王国の王家の支配に至るが、結果的には征服者側が自己の言語を失うなど、被征服民に吸収された。

現在の南アフリカ共和国にあたる地域にいたンゴニ人は、1820年頃ズールー国の内乱の難を避けるため、北への民族大移動を始め、19世紀なかばに現在のザンビア、マラウイ、タンザニア南部一帯の地まで北上してきた。ンゴニの一隊は19世紀中ベンバをたびたび襲撃したが、最終的にベンバはンゴニを撃退した。ンゴニのうちムペゼニの率いる一隊はザンビア東部州にあたる地域にあったンセンガのチェワ人王国（15章参照）に侵入し、ムペゼニは1880年頃に王を殺してンゴニ人王朝を築いた。ンゴニは捕虜を戦闘部隊に加えたり、征服した土地の女性と結婚したりすることでンゴニとしての人口を増加させた。この過程から「雪だるま式膨張」国家と呼ばれる。しかしこの過程でンゴニは自己の言語を失い被征服者の言語チェワ語に替わった。征服者が自己の言語を失う現象はレンジェにも見られる。

コロロも現在南アフリカ共和国に位置する地域からの侵入者で、ソト人チーフであるセビトゥアネが率いる牧畜民の一隊であった。セビトゥアネは1823年に北進移動を始め、カラハリ砂漠を越えて、1830年代にカズングラでザンベジ川を渡った。現在のザンビア国内でトンガ人とイラ人の牛を略奪し、ンデベレ人との戦いに勝利した後、王位継承の内紛で混乱していたロジ王国に侵入し、王都を占領してしまう。コロロの指導者の地位はセビトゥアネの死後息子のセケレトゥに引き継がれたが、コロロはンデベレ人との戦闘やアンゴラ経由の大西洋岸象牙・奴隷貿易に重点を置き、征服したロジ王国の、氾濫原の生態系を利用した複合的土地利用を活用しなかった。

ンゴニとコロロ侵入の混乱がようやく落ち着いたところに侵入してきたのがヨーロッパ人であった。彼らの侵入は強力な銃火器を武器に、資源と領土の確保を求めるものであり、それまでの人びとの移動とは異なるものであった。北からベルギー王国が南進し、大西洋岸とインド洋岸からはポルトガルとドイツが挟み撃ちするように横断的に進出してきた。イギリスはドイツ、ポルトガルの横断の中間に楔《くさび》を打ち込み、同時にベルギー王国の南下を阻止するべく南アフリカから北上した。セシル・ローズの「イギリス南アフリカ会社」（BSAC）が、南アフリカから北上して、現在のジンバブエ、ザンビアを領土としていく。

（児玉谷史朗）

10

植民地時代

★南の白人勢力に支配された植民地★

植民地化以前のザンビアの一帯は、諸集団の南北方向の移動と、インド洋、大西洋両岸から伸びる東西方向の交易路が交差する十字路のような様相を呈していたが、イギリス領北ローデシアになってからは、白人入植者の政治力が強い南アフリカと南ローデシアから強い影響を受ける地域となった。現在の首都ルサカを南北に走る目抜き通りは「カイロ・ロード」という名前だが、これはケープタウン（南アフリカ）からカイロ（エジプト）まで大英帝国の領土にしようとしたセシル・ローズ（1853〜1902年）の野望の名残である。北ローデシアの名称にも名前を残すイギリス人のローズは、南アフリカに来てダイアモンドで財を成した後、「イギリス南アフリカ会社」（BSAC）を設立し、ヴィクトリア女王からの特許状により領土獲得と地下資源採掘権を規定する条約を結ぶ権限を与えられた（1889年）。BSACは南アフリカから北上して現在のジンバブエ、ザンビアまで領土を広げていった。カイロまで到達する夢は、コンゴを南下するベルギー王と東アフリカのドイツに阻まれた。ベルギーとはカタンガの産銅地帯をめぐって争って敗れたが、争奪戦の副産物として北ローデシアを領土化した。こうして北ローデシアは、南アフリカ拠点の会社が経営する植民地として出発し、イギリス政府直轄の植民地になったのはその30年後である。

一般的に植民地化とは、経済が奴隷と象牙の交易から植民地財政の維持に必要な鉱産物、農産物の輸出に変わり、アフリカ人がこれらの産品を生産する小農や労働者になることを意味した。

ザンビアには、国土を二分する二重構造的地帯分類がある。中央部を南北に走る鉄道（1975年にタンザン鉄道が開通するまで唯一の鉄道）の両側に広がる「鉄道沿線地帯」と、その背後、奥地にある「遠隔地」である。前者は鉱山都市や大農場が立地する近代産業社会の回廊であるのに対して、後者は農村、地方の伝統的世界である。独立後のカウンダ政権は、これを植民地時代に作られた地域格差の構造で、国民統合上克服すべきと考えた。しかし初期のBSACにとって鉄道沿線地帯はカタンガ争奪戦の名残であり、カタンガに到達する通路の意味しかなかった。1899年に北ローデシアは、「北東ローデシア」と「北西ローデシア」に二分された。前者の首都は現在のチパタ、後者の首都は初期を除いてリヴィングストンであった。2つの領土が合併されて再度「北ローデシア」になったのは1911年である。この時の首都はリヴィングストンであり、ルサカが首都になったのは1935年である。首都が領土の中心でなく、リヴィングストンやチパタのように領土の南縁、東縁の国境すぐ近くに位置する都市であったことは、北ローデシアが領土として実質化していなかったことを示唆する。

この間、南アフリカから南ローデシアまで来ていた鉄道は1904年にヴィクトリア・フォールズのすぐ下でザンベジ川を渡河してリヴィングストンに入り、1910年に現在のコンゴ民主共和国のカタンガ州の主都に到達した。この時点ではザンビア側では銅採掘はまだおこなわれておらず、北ローデシア自体も再合併前のためまだ存在していない。鉄道の目的地はカタンガであって、後の北ローデシア領土内は単なる通過地に過ぎなかった。またローズは「白人の国」論者ではあったが、BSACの白人入植政策の中心は南ローデシアであった。北ローデシアが二分された1899年に、イギリスの外交官ミルナー卿はザンベジ川を白人入植植民地化の北限とする見解を持っていた。勢力圏確保以外に北ローデシアの意義を見出すとすれば、他の植民地への労働力供給地ということであった。

イギリスはこの状況に対して、BSACの統治に代えて、「原住民」（アフリカ人）を優先した統治を本国からおこなうべく、1924年に北ローデシアを本国の植民地省直轄に移管した。植民地省直轄になったが、初代総督スタンレー（1924～27年在任）は南アフリカ出身で、「白人の国」政策推進論者であったため、かえって白人入植が推進されるという皮肉な結果になった。スタンレーの政策を引き継いで1920年代末に「原住民居留地」が設定された。一見アフリカ人の土地を保護する政策に見えるが、アフリカ人の居住を居留地内に制限し、それ以外の土地は白人入植、鉱山開発に利用できるようにする白人入植推進政策であった。この過程で6万人のアフリカ人が土地を追い立てられた。それにもかかわらず、白人入植者の流入は小規模にとどまった。マックスウェル（1927～32年）、メイビン（1938～41年）と西アフリカ勤務で間接統治方式を学んだ総督がつづいたこともあり、1947年には白人専用地の一部を「原住民信託地」として分類し直して、居留地に加えてアフリカ人用の土地に戻した。

他の地域への労働力供給地という地位を一変させたのが、植民地省の直轄化とほぼ同時期の192

0年代なかばに起きた銅鉱山の開発である。欧米における自動車産業と電気工業の発展による銅需要の増加と銅採掘技術の進歩に対応して、北ローデシア側でも銅鉱山の開発が進んだ。これにより北ローデシアは一転して大英帝国で最も儲かる植民地になった。銅鉱業はアングロ・アメリカン社（北ローデシアに1926年進出、28年創業）とセレクション・トラスト社（同1928年創業）の外資系企業2社による寡占体制となった。植民地時代の末期には、南アフリカの財閥である前者は7つの銅鉱山を、米国資本中心の後者は4つの銅鉱山を所有していた。BSACは、ロジ王国との「条約」を根拠に、植民地省直接統治後も鉱区権を保有しつづけたので、銅生産の収益は、税収が植民地政府・イギリス政府へ、ロイヤルティ（鉱区権料）がBSACへ、利潤が二大鉱山会社へ、労賃が労働者（人種別給与体系で分断）の賃金に分配されるという構造になった。1936年度の場合、鉱山会社2社の利潤300万、イギリス政府税収54万、BSACロイヤルティ22万の合計376万ポンドが北ローデシア国外に流出し、北ローデシア政府税収は54万ポンドのみであった。

鉱山都市の発展により、アフリカ人の労働移動先は南アフリカや南ローデシアから北ローデシア内のコッパーベルトへと変化した。1930年代になると植民地行政官が、ベンバ社会（16章参照）では都市への労働移動の増加が「部族社会」の解体を引き起こすのではないかと懸念するようになり、リチャーズなどの人類学者が関連するフィールド調査を実施した。

1953年に南北ローデシアとニヤサランド（現マラウイ）の三国で「中央アフリカ連邦（ローデシア・ニヤサランド連邦）」が結成された。「中央アフリカ連邦」は南ローデシアの白人入植者が主導し、北ローデシアの巨額の銅輸出収入とニヤサランドの豊富な労働力を活用して、南ローデシアの工業化、都市化、インフラ整備などの開発を進めるもので、南ローデシアの白人の利益を優先した政策で、北ローデシアの工業化は抑制された。当然北ローデシアとニヤサランドのアフリカ人には不評であり、連邦反対運動が起きた。北ローデシアでは好調な銅鉱業の収益を連邦政府の税として、事実上少数白人支配の南ローデシアに吸い上げられ、北ローデシアのアフリカ人が利用できないことに不満が高まった。税収の3分の2は連邦の収入となったのに対して、北ローデシアに配分されたのは5分の1に過ぎなかった。連邦の財政収入への北ローデシアの貢献と北ローデシアに配分される予算を比較すると、1959年に5千万ポンド、1963年に1億ポンド弱、北ローデシアにとって損失であった。連邦反対運動は連邦脱退、さらにイギリスからの独立を要求するナショナリズムへと発展していく。

中央アフリカ連邦時代に建設されたカリバダムは、もともとコッパーベルトの銅鉱山が必要とする電力を発電するために北ローデシア国内に建設する計画であったものを、南ローデシア側の要望で、連邦のプロジェクトとして、ザンベジ川に建設地を変更したのである。それにもかかわらず、ダム完成時には水力発電所は南岸の南ローデシア側にしかなく、1964年に独立したザンビアは65年に少数白人政権が「一方的独立宣言」をしたローデシアから電力を輸入しなければならなかった。面積5500平方キロメートル（琵琶湖の8倍）に及ぶ世界最大の人工湖カリバ湖の出現と、（1980年のジンバブエ独立までは）少数白人政権ローデシアとの関係悪化により、ザンビア側の人びと、とくに南部州と低地トンガ人（18章）は悪影響を被った。ダム建設前に両岸の低地トンガ人社会のあいだにあった通婚圏や社会的、経済的交流は途絶した。しかもダムは、低地トンガ人や南部州に灌漑、農村電化などの開発上の便益をもたらさなかった。

（児玉谷史朗）

11

カウンダ政権

★ひとつのザンビア、ひとつの民族★

ザンビアの政治体制は、複数政党制の第一共和制（１９６４～72年）、一党制の第二共和制（１９７３～91年）、複数政党制の第三共和制（１９９１年以降）からなる。独立から27年間はカウンダが大統領、統一民族独立党（ＵＮＩＰ）が政権与党であった。

カウンダ大統領は、演説するとき、「ひとつのザンビア、ひとつの民族」というモットーを唱え、聴衆に唱和させた。「ザンビアはわたしたちのものだ」という表現もよく使った。この２つのフレーズはカウンダ・ＵＮＩＰ政権の理念――国民統合と経済自立にもとづいた国民国家の建設――を象徴する。カウンダとＵＮＩＰはナショナリストとして、統一的国民国家の建設をめざしているとされた。このような独立運動の指導者にして独立後の統治者をナショナリストとして正統化する歴史観を「ナショナリスト（正統）史観」と呼ぶが、21世紀に入って、批判や見直し論も出てきている。

カウンダ・ＵＮＩＰ政権は、①統一的国民国家の建設、②経済自立と経済発展、③南部アフリカの少数白人支配、植民地支配の打倒を目標として掲げ、その達成手段として、④ヒューマニズムを国是とする一党制国家の樹立、⑤経済のザンビア人化と産業の国有化、⑥南部アフリカ解放闘争の支援を挙げた。ナショナリスト史観への疑問のひとつが、統一的国民国家建設と経済自立という「ナショナリスト的目標実現のためにカウンダとUNIPが尽力してきた」という図式への疑問である。ナショナリスト的目標とはむしろ、エリート（政府・与党の幹部）がめざす別の目的、すなわちエリートが権力を維持するという目的のために作った支配装置だったのではないか。

第二共和制への移行、すなわち上記④の一党制国家樹立をもって①の統一的国民国家の体制が確立したとされる。しかし第二共和制、イコール一党制国家は、国民国家を確立するための組織というより、権力の行使・維持のための支配装置であり、それは一党制だけでできていたわけではない。第二共和制の核心は、大統領に権力が集中し、法治を超えた「個人支配」がおこなわれる大統領による独裁体制であった。一党制は、中央集権的な行政、一元的に編成された独占的な国有企業群と並んで、カウンダ大統領による「個人支配」を支える三本柱のひとつであった。この支配体制は第二共和制の成立で、ひとつの完成形を示すが、第一共和制期からすでに構築の過程が始まっていた。

カウンダとUNIPには一党制国家を確立しようとする指向が独立直後から存在し、そう公言されていた。野党は活動を妨害されるか、非合法化された。最大野党アフリカ民族会議（ANC）に対しては独立前からたびたび、解党してUNIPに合流するよう呼びかけている。野党の多くは支持が限定された地方政党であったが、カウンダの期待に反して自然消滅しなかった。1971年には前副大統領のカプウェウェが率いる新党・統一進歩党（UPP）が結成され、UNIPからの離反者による結党のため、与党が分裂するおそれが出てきた。政権の危機を感じたカウンダは半年でUPPを非合法化し、さらに一党制国家樹立へ向かった。第二共和制が発足した直後である1973年の国政選挙の投票率は39%で、1968年の77%から大幅に低下した。

独立時の憲法で、国家元首兼行政府の長である大統領は、大統領府と内閣を拠点に強大な権力を持ち、その権力は1968年の改革でさらに強大化した。地方行政は、州担当大臣と大統領任命の県知事によりおこなわれた。国会の政府チェック機能は弱く、1970年の憲法修正により、政府財政のうち、国防、治安関係の予算・支出の詳細を国会に開示しなくてもよいことになった。第一共和制時代から大統領による個人支配の傾向が見られ、カウンダは産業国有化のような重要な政策を閣議にはからずに実施した。国家公式哲学の「ヒューマニズム社会主義」も、与党や政府の文書ではなくカウンダの著書という形式で公表された。

1970年前後におこなわれた経済改革は上記の②と⑤に相当する。経済自立と経済発展のためにザンビア人化、産業国有化を進めるとされたが、成立した国有企業群は、大統領の独裁を支える柱でもあった。国有企業群は、持ち株会社であるザンビア鉱工業会社（ZIMCO）の傘下に組み入れられて一元的に編成され、ZIMCOの会長である大統領が統制する体制が作られた。

ザンビア人化と国有化は次のように進んだ。(1) 鉱山会社に対する課税強化及びBSAC（イギリス南アフリカ会社）からの鉱区権買い取り。(2) 1968年のムルングシ経済改革で商業・運輸業をザンビア国籍所有者に制限。(3) 国有（国営）企業の拡大。主に外資系企業が国有化され、加えて中央アフリカ連邦の解体にともなうもの（ザンビア航空と国鉄）と国営組織の新設があった。国有化は正確には政府による株式の51%以上取得である。ムルングシ改革で26社の外資系企業について、1969

年マテロ経済改革により銅鉱山会社について、株式の51％を政府が取得した。産業開発公社（INDECO）、鉱業開発公社（MINDECO）などの部門ごとの持ち株会社が各企業の株式の51％を保有し、ZIMCOがINDECOなどの株式の51％を保有する2段階編成とした。ZIMCOは75年には公式部門経済の8割を占めた。

アメリカを訪問したカウンダ大統領（1983年、アンドルーズ空軍基地。アメリカ軍撮影）

国有企業は多くの場合、各産業や分野での独占体でもあり、対応する労働者や農民の組織の一元化もおこなわれた。カウンダ大統領は、国有化していた銅鉱山会社2社を1980年に合併させ、82年に「ザンビア統合銅鉱業」（ZCCM）という独占体を発足させた。ザンビアでは植民地時代以来労働組合が強い影響力を持ってきた。「ザンビア労働組合会議」（ZCTU）が法制上唯一の全国連合組織とされ、UNIPの傘下に置かれた。農業では、1969年に2つの農業流通機関を合併して、ナムボード（全国農業流通機関）という小規模農家を対象に農産物買い付けと化学肥料などの販売を独占的におこなう組織が作られた。農協については、ザンビア協同組合連合会（ZCF）が政府系全国組織として設立された。

国有化は経済自立にはマイナスだったという見方が一般的である。1970年代の国有化直後に銅の国際価格が暴落したのに加え、国有企業ゆえの経済効率を軽視する生産性の低下で、鉱山会社の採算は悪化し、GDPや政府財政への貢献は低下した。鉱山会社以外の国有企業も赤字経営が多かった。1977年にはINDECOは政府財政にマイナスとなった。国有化で一見、経済自立が進んだかにみえたが、政府による株式購入は負債を負うことであり、対外債務が累積する原因を作った。

これに対して最近の研究には、政治の影響によって経済成長が悪化するという現象は産業国有化の実施よりも前に始まっていたと主張するものがある。公式の制度を無視するカウンダ大統領の行動が政策を予測不可能にし、不確実性のリスクが高まって、投資家がザンビアへの投資を控えるようになったという。

南部アフリカ解放運動支援は、困難な地政学的条件のもとでおこなわねばならなかった。ザンビアは、歴史的経緯から南アフリカ、ローデシアに貿易輸送路や資本を依存していた。この状況下で少数白人支配と植民地支配からの解放をめざす闘争を支援することには制約があった。解放闘争支援はザンビアに経済的負担を強いたが、カウンダはローデシア、南アフリカ軍からの攻撃を理由に非常事態を宣言し、それを常態化させて反政府勢力の弾圧や大統領権力の拡大に利用した。このためこの非常事態宣言を、大統領独裁を支える柱のひとつとして加えることもある。少数白人支配からの解放の目標が実現したのは、カウンダの退陣後であった。

（児玉谷史朗）

コラム6

ケネス・カウンダ（初代大統領）

小倉充夫

ひとりの男の子が1924年に北ローデシアのチンサリ県で生まれた。ニヤサランド（現在のマラウイ）のスコットランド教会から派遣された宣教師の8番目の子どもで、ブチザ（思いがけぬものという意）と名づけられた。彼こそのちに、北ローデシアの、そしてザンビアの運命を左右することになるケネス・デビット・カウンダである。幼くして父を失い、母を助けながらの生活は苦しかったが、聖書を読み、賛美歌を歌うことを日課とする家族の一員として、ヨーロッパ人宣教師による教育を受けて育った。

カウンダの両親がニヤサランドの出身であったため、彼が独立運動で頭角をあらわすようになると、ニヤサランド人（ニヤサランダー）だと攻撃され、あるいはニヤサランドと民族的に近いザンビア東部州の人びとの仲間と見られた。他方で、彼はベンバ社会で生まれ育ち、家庭で使われる言語もベンバ語だった。ベンバは独立運動の指導者を多数輩出し、彼らの中には幼少時からの友達も少なくなかった。したがって彼はベンバに親近感を持つ者と見られた。こうした特徴によって、彼は政敵から疑念や批判を招く半面、特定の民族に結びつかない存在として、したがって民族的対立から距離をおく存在として、すなわち国民的な統合を可能にする存在として受け止められていった。彼がつねに「部族主義」に厳しい態度を取った理由は、彼の出自と深く関わっている。

カウンダは人種主義や植民地主義と闘う運動の指導者となり、その運動を非暴力で進めようとした。彼の非暴力主義にはキリスト教信仰やガンディーの影響もあった。くわえて彼は、北ローデシアが、非暴力による解放を可能とする状況にあると考えていた。他方で彼は、状況の

野党党首として選挙運動をするカウンダ（1996 年）

異なる南ローデシア（後のジンバブエ）や南アフリカでは、非暴力による解放は困難であると考え、武装闘争を是認し、それを積極的に支援した。

ザンビアは植民地時代以来、白人少数政権の南ローデシアや南アフリカに経済的に従属せざるをえない脆弱さをかかえていた。しかも南ローデシアや南アフリカによる破壊工作や妨害によって、独立後間もない国家は甚大な被害をこうむった。にもかかわらず、カウンダは南部アフリカ解放というパン・アフリカニズムの旗をおろすことはなかった。

カウンダは南部アフリカの武闘闘争を支援したが、他方で、ローデシアのスミス政権とも南アフリカの国民党政権とも交渉をつづけた。それはザンビアの立場の弱さによるだけではなく、できるかぎり流血を防ぐべきだという考えによっていた。そのためには「悪魔との取引」もいとわないと彼は述べた。このような妥協的な

ケネス・カウンダ（初代大統領）

姿勢は、批判を招くこともあったが、南部アフリカの現実、ザンビアの経済的・軍事的力の限界、そしてキリスト教と非暴力主義などを踏まえた彼の方針はゆるがなかった。

独立後の経済運営は困難を極めた。植民地支配の遺産である銅生産に依存した構造を転換できず、強まる経済危機に、先進国や国際機関からの援助でなんとか対応するという状況がつづいた。そのさいカウンダの特徴は、経済危機を不公正な国際経済秩序と関連づけはしても、新植民地主義や帝国主義という概念を用いて政策の失敗を理由づけようとはしなかったことである。

カウンダは南アフリカや欧米諸国に留学したことがなく、若い時にマルクス主義の思想に接した経験もない。彼の行動を導いたのは、キリスト教を別にすると、特定の思想やイデオロギーではなく、体験からえた信念であったといえる。その体験とは植民地社会における人種差別であり、イギリス政府の人種主義的対応であった。白人の肉屋でひどい扱いを受けるアフリカ人女性を目撃した彼は、四足動物を食べないと決意し、それを守りつづけた。北ローデシアの解放を主導し、独立時の１９６４年から１９９１年まで、大統領として君臨したカウンダはそのような人であった。

12

1990年代チルバ政権期

★前後の時代との違い★

第三共和制最初の政権であるチルバ・複数政党制民主主義運動（MMD）政権期（1991～2001年）は、新時代の序章であるとともに旧体制時代の最終章でもあるという二面的な性格を持っていた。第二共和制のカウンダ政権と第三共和制のチルバ政権は、一党制対複数政党制、国有企業中心の経済対自由市場経済、民主化前と民主化後と、制度上対照的である。1990年前後は世界史的にも、アフリカ政治史上も転換期で、ソ連、東欧の社会主義の崩壊、アフリカの民主化などが起きている。

ザンビアでも政治経済的な変化が起き、1991年に複数政党制が復活して民主化選挙がおこなわれ、MMDは国会の150議席のうち125議席を獲得した。MMDの大勝は、有権者が民主化を支持し、旧政権拒否を意思表示した反映であったが、皮肉なことに「一党優位」という民主化には不健全な状態を作り出した。MMDが憲法改正を含む法律制定を単独でできる国会議席3分の2以上を占める状況になった。実際に憲法見直し委員会（1992～93年任命）の作成した憲法案に沿って1996年総選挙では大統領選挙立候補者資格に国籍条項を導入して前大統領カウンダの立候補を阻止した。野党6党が弾圧だとして選挙をボイコットしたことも手伝って、１９９６年国会議員選挙ではＭＭＤは１３１議席を獲得した。強大な権力を持つ大統領による「個人支配」も変わらなかった。第三共和制は、１９９１年カウンダ政権最後の年に設置されたムヴンガ憲法改正委員会の草案にもとづいてＵＮＩＰ一党の国会が可決した憲法修正法案によっている。草案の段階で、行政府の長としての大統領に強力な権限を与えること――非常事態令の発令、国防・治安・外交に関する拒否権、国会を解散する権限を含む――が規定されており、政権奪取前のＭＭＤは「大統領を独裁者にする」として批判していた。しかしＭＭＤとチルバが政権に就くと、独裁者になったのはチルバであった。チルバは、カウンダによるメディアの統制、非常事態令の悪用を非民主的だと非難していたが、自身が大統領になると同じ手法に頼った。

２０００年までのザンビア経済は停滞と長期低落傾向の代名詞、援助の失敗の典型と言われてきた。銅生産量は１９７０年代前半には70万トンを誇ったが、76年以後四半世紀にわたって低落をつづけ、２０００年には26万トンまで落ち込んだ。開発経済学者イースタリーの計算結果では、「ザンビアが１９６１～94年に受け入れた援助がすべて生産的に投資されていれば、１９９４年の１人あたり所得は６０００ドルではなく2万ドルのはずだ」という。

１９８０年代、90年代は、世界銀行・国際通貨基金（ＩＭＦ）が構造調整という経済改革をアフリカ諸国に迫っていた時期にあたる。アフリカ政治研究の権威、ヴァン・ダ・ワルは、構造調整はアフリカ諸国政府に「部分的改革症候群」を蔓延させたという。この病気にかかった政権は、援助資金はもらって改革を一部だけ実施してお茶を濁すという対応をつづけ、結果として改革は進まず、政権は延命される。カウンダ政権、チルバ政権ともに、大枠ではこの症候群に当てはまるだろう。このようにチルバ政権は、経済停滞、長期トレンド、構造調整の実施で前の時代との連続性と類似性が認められる。

一方、構造調整問題として見たとき、両政権は「部分的改革症候群」など共通点もあるが、改革実行の程度および達成した実績には差がある。カウンダ政権時代には経済改革は初期的段階であったのに対して、チルバ政権期には本格的構造改革であった。主食トウモロコシの流通改革、補助金問題では、カウンダ政権時代には公定価格は維持されたままであったが、生産者価格を引き上げ、消費者価格を引き下げる政治的圧力などのため補助金が増加する傾向にあった。1991年11月にチルバ政権が発足すると12月にはトウモロコシ粉の補助金撤廃が発表され、その消費者価格は2倍～3・5倍に値上がりした。また数年で農業関連の流通を全面的に自由化した。

雇用関連の政策の実施でも両政権は異なる。公共部門改革、雇用に関しては、カウンダ政権は「計画だけ立てて実行しない」、「雇用は維持して実質賃金は低下するにまかせる」という対応をした。政権末期の1979～90年に公務員合理化計画を4度にわたって策定したが、1度も実施しなかったので、ヴァン・ダ・ワルの著書で「部分的改革症候群」の代表例とされているほどである。カウンダ政権は公式部門（フォーマル・セクター。登録、公認された労働部門。路上の物売りや露店、屋台などを除く）の雇用者数は維持したが、実質賃金は1975年を100として91年に30と大幅に低下した。

これに対して、チルバ・MMD政権は実質初年度の1992年に「民営化法」を成立させ、専門の独立行政法人「民営化機構」を設置した。280社が民営化の対象としてリストアップされ、1995年末までに約100社が民営化されるか、あるいは閉鎖された。1996年選挙が近づくと、選挙対策で公営住宅を払い下げしたり、ザンビア統合銅鉱業（ZCCM）の民営化を先延ばししたりして、部分的改革症候群を見せた。ＺＣＣＭの民営化は１９９２年の世界銀行・ＩＭＦの構造調整融資の条件とされ、実際に完了したのは２０００年であった。しかし最終的にはＺＣＣＭも含め対象の国有企業の9割の民営化、解体を実施した。90年代に公式部門雇用者数は1割以上減少し、都市部失業率は14％から26％に上昇した。これらは労働組合出身のチルバにとっては、かつての盟友、支持層に打撃を与えるもので身を切る改革であった。

カウンダ政権では一時は農業流通補助金削減や外貨入札制の実施という評価される成果をあげながら、トウモロコシ粉の値上げが暴動を引き起こすと値上げを撤回しただけでなく、民間製粉会社を国有化し、改革に逆行したうえ、ＩＭＦと決別して構造調整を放棄してしまった。

チルバ政権も、事実上の化学肥料補助金の復活などで農業流通自由化を逆行させたりして「部分的改革症候群」を示すが、同時にトウモロコシ粉の消費者補助金や価格統制は復活しなかった。このように、改革の実施という点ではチルバ政権の方が徹底していた。とくに、ＺＣＣＭの民営化にこぎ着けたことは２０００年代に生きてくる。ただし、民営化などによる雇用の削減、実質所得の低下、民営化で外国企業に与えられた優遇措置など、国民に与えた痛み、犠牲も大きかった。こちらも後遺症となって２０００年代に負の影響を残すことになる。

２０００年代は第三共和制、ＭＭＤ政権の第2章であり、１９９０年代との連続性が想定される。しかし両年代は政治面でも経済面でも対照的と言えるほど異なっている。社会経済的には、１９９０年代は経済の停滞、銅生産の3分の1減少、公式部門の雇用の1割以上減少、就学率や子ども死亡率などの全分野で社会経済指標が悪化するという「失われた10年」であったが、２０００年代は一転して、経済成長、銅生産量は3倍に、輸出は8倍にそれぞれ増加し、債務、社会指標は改善した。

政治的にも、2000年代は、MMDの一党優位状態だった1990年代とは様変わりした。与野党の伯仲した状況は2000年代を通じてつづいたが、もうひとつの重要なこの年代の特徴として、有力政党としての野党の登場あるいは成長があった。これは、有力野党が不在のため政権選択が事実上不可能であった1990年代との決定的な違いである。

1990年代の一党優位は、1991年と96年にチルバが大統領選で得票率約75％、MMDが国会で125、131議席を獲得した結果であるが、野党が弱体だった結果でもある。複数政党制が復活した後、国政選挙に参加した政党の数は、1991年に5、96年に11（ただし6党がボイコット）、2001年に18、06年に15と増加する傾向にある。しかしチルバ政権期には野党の大部分は弱小政党で、国会に議席を獲得した政党は少ない。選挙で国会に議席を獲得したMMD以外の政党は、1991年はUNIPのみ、96年は3政党のみであった。90年代前半にMMDからの離党者によって国民党（NP）の勢力が拡大したが、96年選挙では国民党は5議席にとどまった。つまり複数政党制により多党化は進んだが、国会レベルでは多党化は進まず、政権担当できそうな力のある野党が出現しなかった。このため有権者には選挙で政権選択が不可能だった。

1990年代後半にはMMDの一党優位も陰りが出てくる。MMDは96年の国会議員選挙で131議席も獲得したが、これは有力野党の不在で小選挙区制の恩恵を被った結果で、同党国会議員候補者の得票は91年の95万票から96年の75万票に2割以上も減少し、得票率も75％から61％へ低下した。

（児玉谷史朗）

13

2000年代のザンビア

★ムワナワサ、バンダ大統領と野党の戦い★

1991年に就任したチルバ・複数政党制民主主義運動（MMD）政権は、複数政党制の第三共和制最初の政権として、民主化と経済自由化という「二重の移行」に取り組んだ。しかしチルバ政権はMMDの一党優位と維持された大統領の強大な権力を基盤に与党独断的な個人支配をおこなった。自由化指向の経済改革をすすめたが、経済停滞と銅生産低落の長期傾向を止めることができず、雇用の悪化、インフレなど改革の痛みで国民の生活苦は増すのに、政権幹部には汚職と不正蓄財が絶えなかった。

「二重の移行」に2000年代の大統領、ムワナワサとバンダはどのように対応したのか。またこの時期に重要な存在になった野党はどうしたのか。ムワナワサとバンダは前任者たちほどカリスマ的な指導者ではなかった。ムワナワサはチルバの最初の副大統領（1991～93年）で、バンダはそのムワナワサの副大統領であった。ムワナワサが任期中の2008年に死去したので、バンダは大統領代行となり、同年10月の大統領補選で大統領になった。いわばナンバー2のナンバー2であった。ムワナワサは弁護士で、大衆組織での活動や官職の経験はほぼ皆無だった。むしろ野党指導者の方が華々しい経歴を持っていた。愛国戦線（ＰＦ）党首のサタは、カウンダ政権、チルバ政権で閣僚を務めたベテラン政治家であり、国家開発統一党（ＵＰＮＤ）のマゾカは財界を代表する実業家であった。サタ以外の２０００年代の政治指導者がやや影が薄い印象を与えるのは、ムワナワサ大統領が在任中の08年8月に死去し、ＵＰＮＤのマゾカも06年5月に急逝してしまったことも影響しているだろう。

退任時にチルバ大統領は、ザンビア統合銅鉱業（ＺＣＣＭ）の分割民営化と、大統領三選問題によるＭＭＤ分裂という2つの分裂的置き土産を残した。この置き土産は、２０００年代の経済と政治の基本方向を決めた。ＺＣＣＭの民営化はその後の欧米先進国による援助の継続と外国民間投資がおこなわれる前提をなすものであり、２０００年代には鉱山会社による復旧投資、銅生産量・輸出量の急速な回復増加につながった。銅の国際価格高騰などの国際的環境条件の好転と相まって、ザンビア全体の輸出額増加、持続的経済成長をもたらすことになる。この土産は「優遇措置」という魅力的なおまけ付きの箱に入っていた。それは、法人税とロイヤルティの引き下げ、鉱山設備などの輸入に対する関税の免税、電気代消費税の免税などであった。ＺＣＣＭの民営化の際の売却条件は、経済改革の痛み、負の側面の後遺症と合わさり、雇用削減、非正規雇用拡大などを通じて格差や不平等の問題を生んでいく。

ＭＭＤ分裂というチルバの2つ目の置き土産は、ムワナワサ政権を冒頭から与野党の伯仲、少数与党状態という厳しい政治的環境に置いた。憲法の条項を改正して、在任延長を目論んだチルバの試みは党内外の反対にあって挫折した。退任するチルバが意外にもムワナワサ元副大統領を後継者に指名したことが、より有力な後継者候補たちの離党、ＭＭＤの分裂という展開を招いた。２００１年選挙はＭＭＤが文字通り「四分五裂」した争いだった。01年大統領選のムワナワサの得票率29％は歴代大統領で最低の数字で、２位のマゾカに2ポイント差まで迫られた。国会議員選挙でもＭＭＤは半数に届かない69議席にとどまり、憲政史上初の少数与党になった。01年総選挙では参加政党数が18に増えただけでなく、ＭＭＤ以外に7党が国会に議席を獲得した。１９９０年代には見られなかった国会レベルでの多党化が一挙に実現した。10議席以上獲得を有力政党化の目安とすると、ＵＰＮＤとＵＮＩＰ、民主発展フォーラム（ＦＤＤ）の野党3党が有力政党となった。

与野党伯仲、少数与党状態は２０００年代を一貫した特徴となる。01年選挙で見られた小党分立傾向はその後変化し、ＭＭＤ、ＰＦ、ＵＰＮＤの三党鼎立《ていりつ》あるいは三極化となる。この変化は次のように起きた。①ＭＭＤが分裂の打撃を克服し、農村部に農業補助金を分配する政策によって党勢の立て直しに成功した。②ＰＦを除くＭＭＤ系新党および旧政権党ＵＮＩＰの衰退。ＭＭＤ系新党は、ＭＭＤから自党を差別化する政策的新味がなく、ＭＭＤを汚職腐敗などで批判すれば、チルバの閣僚だった自党の幹部にも累が及びかねないということで、勢いを失った。③野党連合の失敗とＵＰＮＤの伸び悩み。ＭＭＤ系新党のうちＦＤＤは、実業家率いる南部州基盤のＵＰＮＤ、旧政権党ＵＮＩＰという性格も歴史も異なる3政党の野党連合を試みたが、成功しなかった。結果として、ＵＰＮＤは伸び悩み、ＵＮＩＰとＦＤＤは衰退した。④サタとＰＦの路線、戦略転換と２０００年代中盤からの大躍進。

①を補足すると、ムワナワサ大統領にとって、チルバが遺した経済改革の成果が銅鉱業の復興、輸出の増加として現れ始めていたが、十分でなかった。国際的政治経済環境の条件が好転するのは２０

０６年頃になってからであった。２０００年代前半には対中国貿易を含め、貿易収支は赤字であり、債務返済の負担もあった。この状況では世界銀行・ＩＭＦと欧米先進国（＋日本）からの援助と債務救済（帳消し）が不可欠であった。援助や債務救済を受けるには「良い統治」と「自由市場経済」で優等生であることが必要であったが、これはチルバ政権の路線を半分受け継ぎ（経済自由化、民営化路線）、半分修正する（構造調整から貧困削減へ、与党独断政治から野党宥和《ゆうわ》政治へ）ことを意味した。少数与党の状況では、もともと与党独断政治はとれなかったので、ムワナワサ大統領は宥和的で、和解的なスタンスをとった。チルバ前大統領の在任中の汚職、公金横領容疑に関しては、国会の追及に協力する姿勢を見せ、汚職撲滅を重点政策のひとつに掲げた。ジンバブエのムガベ政権による白人農場の接収に関しては、追い立てられた白人農場主をザンビアに受け入れた。しかし自国では経済改革の後遺症と民営化政策により、ジンバブエ系白人大農場主や中国人企業を含めた外国企業だけが便益を受けているという不満がザンビア人のあいだに広まった。

　これに対応するためにムワナワサ大統領が打ち出したのが、構造調整から貧困削減へのシフトと農業重視であった。農業振興六大政策が発表されたが、中でも前政権時代に設立された食料備蓄機構（ＦＲＡ）を事実上全国農業流通機関として復活させることと、２００２年に設立された「化学肥料支援事業」（ＦＳＰ）が重要である。ＦＳＰは90年代初めの流通自由化で撤廃された化学肥料補助を復活するもので、補助金率は当初25％、のちに60％。ムワナワサ、バンダの両大統領はこの２制度を選挙対策に使った。選挙の年の06年にＦＲＡが買い付けた量は小規模農家のトウモロコシ出荷量の６～８割を占めた。ＦＳＰの受給世帯数は、２００２～05年度が12～15万戸に対して、06年度は21万戸に跳ね上がった。08年大統領補選時には、バンダ大統領代行の遊説開始に合わせて政府がトウモロコシ買付価格の22％引き上げを発表し、バンダ代行はＦＳＰ受給世帯の拡大と補助率の引き上げを公約した。

２０００年代に大躍進したのは、路線転換をはかり、対象、政策、戦略を明確化した④のサタとＰＦであった。サタは新党ＰＦを立ち上げ、01年選挙で惨敗後、野党的なポピュリズム路線に転換した。大衆的目線に立ち、都市の貧困層や経済改革の敗者をターゲットに定め、貧困対策、社会政策、労働政策を重点政策として、彼らのニーズ、要求に具体的に応える戦略をとった。都市部、低所得層居住区を重点地区に定めて選挙運動を展開し、サタのカリスマ性・反エリート主義を強調し、政策の主張・公約は付加価値税反対や水道敷設など具体的かつ明確なものとした。06年の選挙では、経済進出してきた中国人（企業）を非難の矛先に挙げて都市大衆のナショナリズムに訴え、都市部選挙区で票を獲得した。大統領選挙でのサタの得票率は01年の３％から06年の29％に跳ね上がり、ＰＦの国会議席も1から43になって、野党第一党に躍り出た。08年大統領補選ではサタは得票率38％でバンダに２ポイント差に迫り、11年選挙では同42％で大統領当選、ＰＦは60議席で第一党になった。

政党の得票パターンに関する２０００年代の大きな変化はＭＭＤが都市部で勝てなくなり、代わって都市部がサタとＰＦの牙城になったことである。カウンダ政権期、チルバ政権期には都市部とベンバ人はＵＮＩＰかＭＭＤの支持基盤であった。ところが、01年の大統領選挙ではムワナワサは首都ルサカの低所得者居住地域のほとんどで、得票率３位に終わった。ルサカ県の都市部において、06年の大統領選挙、08年の大統領補選の得票率ではサタが58％、61％に対してムワナワサは21％、バンダは27％にとどまった。

（児玉谷史朗）

コラム7

存在感を増す中国

伊藤千尋

わたしがザンビアを初めて訪れた2006年と現在とでは、大きく変わったと感じることがある。それは、中国の存在感である。街を歩けば、スーパーマーケットで、道路工事の現場で、さまざまなところで中国人を目にするし、中国語の看板を見ないことはない。日本人が歩いていれば、「ニーハオ」と声をかけられるのも日常茶飯事だ。農村部でも、道路工事で訪れている中国人をよく目にする。ザンビアの玄関口であるルサカの国際空港でも、新しいターミナルを建設しているのは中国企業だ。もはや「China」は、ザンビアの都市、農村、モノ、会話など、ありとあらゆるところに現れる。これは2006年には想像できなかった光景である。

いったい何が起きたのだろうか？　近年、中国がアフリカ諸国との関係を強めていることは、日本のメディアでもよく取り上げられている。ザンビアの場合、1975年に中国の援助により完成したタンザン鉄道などに中国との関係をさかのぼることもできるが、やはり両者の関係がよりフォーマルで確固たるものへと深化してきたのは2000年以降であろう。中国政府は、2000年に「中国アフリカ協力フォーラム（Forum on China-Africa Cooperation：FOCAC）」を創設し、中国にアフリカ諸国のトップを招いて議論を交わしている。また、胡錦濤前国家主席や習近平国家主席がアフリカ諸国を外遊するなど、中国にとってアフリカが戦略的に重要であるということを内外に示してきた。最近でこそ、日本においても「援助より投資」という機運が高まっているが、中国は早くからアフリカをビジネスチャンスの宝庫であると捉えてきた。

経済成長により資源の消費国へと転じた中

コラム7

存在感を増す中国

ルサカにある中国系の食品がそろう市場

国は、とくに石油や鉱物資源が豊富な国々への関与を強めており、ザンビアもそのひとつである。政府の強力なトップセールスと莫大な資金力を背景として競争優位に立つ中国企業は、鉱山開発を中心に、インフラ整備などのあらゆる分野に参入し、ザンビアのさまざまな地域・分野での影響力を強めている。中国の影響は、空港やスタジアムなど都市のランドマークの建設や、中国人移住者の増加など、わかりやすいものばかりだけではない。たとえば、わたしが調査している漁業の分野では、中国製の安価なエンジンや集魚灯が容易に入手できるようになったことで造船の初期費用が低下した。これにより、カペンタ漁に新規参入する者が増加し、資源管理にも問題が生じている。

ザンビアのあちこちに中国の影響力がちらつく中、中国企業や中国政府を対象にしたデモやストライキ、銃撃を含む事件も絶えない。また、成長傾向にあったザンビア経済であるが、対外債務は膨れ上がっている。中国への債務返済の代わりに電力公社を譲渡するのではないかという報道までなされており、ザンビア経済の行く先は依然として不透明である。そして中国の政治・経済システムにも不確実性は存在する。今や中国との関係は、ザンビアの命運を左右するほどの影響力を持っており、今後もその動向から目が離せない。

III

民族と言語

14

ザンビアの民族と言語

★多様な民族と言語が共存する国★

ザンビア政府の公式な資料によると、ザンビアには73の民族がいる。W・V・ブレルスフォードは、1950年代の国内の民族分布を調べて地図化した（107ページ参照）。その地図を見ると、地域ごとに民族が異なることがよくわかる。現在でも、地域ごとに特定の民族が多数派を占めている。

わたしはザンビア北西部州のS区という農村で調査しており、そこはカオンデ（20章参照）という民族の領域である。初めはあいさつといった基本的な言葉すらもわからないので、とにかく世話になっている家主について回り、見よう見まねで畑仕事を手伝った。夕方になると、わたしのことをおもしろがった子どもたちが、矢継ぎ早に言葉を教えてくれたので、わたしは1語でも逃すまいと、必死になってノートにメモした。このときわたしが習ったのは、ルンダ語である。

1ヵ月ほど経つと、ルンダ語の単語を覚え始め、ごく簡単なあいさつや一問一答に対応できるようになった。しかし、S区のすべての住民にはルンダ語が通じず、不思議に思っていた。実は調べてみると、S区にはカオンデの人が半数、そのほかにルンダ、ルヴァレ、ルチャジ、チョークウェという民族の人びとが暮らしていた。地域における共通語はカオンデ語であるが、5民族が混住し、日常的に5言語が飛び交うマルチリンガルな社会であった。

とはいっても、国内の至るところが多民族空間というわけではない。もちろん、首都ルサカ、コッパーベルト州の都市ンドラやキトウェ、観光都市リヴィングストンなどには、国内外から多くの人びとが集まっていて、実にさまざまな民族の人びとが生活している。しかし農村部では、今でも地域ごとに民族のまとまりがある。

ザンビアは独立する1964年まで、イギリスによって北ローデシアとして統治されていた。イギリス南アフリカ会社や北ローデシア政府は既存の統治システムを利用して、広大な北ローデシア全土を治めた。たとえばベンバ（16章参照）やロジ（17章参照）のように、植民地支配以前より強大な王国を築き、パラマウント・チーフを頂点とする集権的な統治構造を持つ民族では、既存の統治構造をそのまま利用した。既存のチーフを利用して人びとを統治するという、間接統治のかたちをとったのである。トンガのように、きわだった政治リーダーのいない社会、すなわち無頭制社会の民族では、植民地政府によって牧師や長老、英語を話せる人などが地域を治めるチーフに任命された。

地域・民族ごとに任命されたチーフは、植民地政府の末端に組み込まれ、地方行政や司法、地域開発を担うこととなった。ザンビアの独立後にもチーフの存在は残り、チーフが村ごとの住民登録や土地の管理をおこなって実質的に地方行政や司法を執りしきり、チーフの民族にあわせた行政サービスが提供されている。植民地時代以降、こうした地域の統治のしくみが継続され、地域と民族が結びついた社会が維持されてきたといえる。

民族は植民地支配の過程で恣意的につくられた分類だという指摘があり、民族のカテゴリーと言語集団は必ずしも一致するわけではない。しかしザンビア政府は、73の言語が使用されていると発表している。公用語として、旧宗主国の言語である英語が指定されているほか、ニャンジャ語とベンバ語、トンガ語、ロジ語、カオンデ語、ルンダ語、ルヴァレ語の7つの言語が地方公用語として定められている。国営局の放送するテレビやラジオでは、英語に加えて、これら7つの地方公用語でニュースが放送されている。ザンビア政府が2010年に実施した国勢調査では、7つの地方公用語を日常的に最も使う人口は、全体の70％に達する。7言語のうち、最も多くの人びとが使用する言語はベンバ語で33・5％である。逆に最も少ない話者数の言語はルヴァレ語で1・5％である。

これらの7言語は、初等教育において教授されている。すべての児童が全7言語を習得するわけではなく、地域によって学習する地方公用語が1つだけ決められている。つまり、その地域を治めるチーフ、またはその地域に近接する多数派民族の地方公用語が選ばれているのである。基本的には北部州やムチンガ州、ルアプラ州、コッパーベルト州ではベンバ語、南部州ではトンガ語、中央州や東部州ではニャンジャ語、西部州ではロジ語、そして北西部州ではカオンデ語かルンダ語かルヴァレ語が使われる。地方公用語は、路上の広告や店舗の看板に使われることもある。ザンビア全土で通用する言語はないに等しく、地域によって主流の言語は異なる。そのため多くのザンビア人は、わたしの調査地S区の人びとのように、2言語以上を理解するマルチリンガルである。

ザンビアの各言語は、ニジェール・コンゴ語族のベヌエ・コンゴ語群のバントゥ諸語に分類される。バントゥ諸語どうしの類縁性は高く、共通する語彙が多いことで知られている。バントゥ諸語は、ほ

第14章

ザンビアの民族と言語

1950年代北ローデシアの民族・言語集団の分布

出所：Brelsford, W.V. 1956. *The Tribes of Northern Rhodesia*. Northern Rhodesia: The Government Printer. を基に筆者作成

とんどの言語で「人」を意味する語彙「ｂａｎｔｕ」から名づけられている。ザンビア大学の言語学者ムバンガ・カショーキは、国内の言語において語彙の共通率を調べている。地方公用語の7言語を例にすると、ルンダ語とルヴァレ語を除いて、それぞれ別の言語グループに分類されている。その中でベンバ語とカオンデ語の共通率が最も高く、56％の語彙が共通している。ベンバ語話者のザンビア人は、「カオンデ語を話すことは難しいが、相手が話す内容をだいたい理解できる」と説明してくれた。逆に最も語彙の共通していない言語は、ロジ語とルンダ語で19％の共通率である。7言語間の語彙の共通率をみると、ほとんどが30％以上である。

ザンビアに居住する民族の多くは、15世紀にコンゴ盆地南部にあったルンダ王国とルバ王国から派生したと言われている。こうした各民族の歴史は、初等・中等教育の歴史の教科書で取りあげられ、ほとんどの国民はみずからの民族以外の歴史についても、共通して理解する。初代大統領ケネス・カウンダが掲げた「ひとつのザンビア、ひとつの国民（One Zambia, One Nation）」というスローガンが、現在まで国民のあいだで共有され、ザンビア国民は民族に関係なく、みな平等であるとされている。また近年では、異なる民族間の通婚も多く、都市だけでなく農村でも、多様なルーツをもつ人はめずらしくなくなった。多民族・多言語国家であるザンビアでは、独立以降、各民族・言語集団の共存がはかられながら、国民形成がおこなわれてきたといえる。

（原 将也）

ランバ語と日本語に見られる類似点

コラム8

牧野友香

コッパーベルト州と中央州で話されているランバ語は、ニジェール・コンゴ語族に属するバントゥ諸語のひとつである。北で国境を接しているコンゴ民主共和国オウト・カタンガ州にも話者がおり、世界中の言語についての情報を記載したウェブサイトであるエスノローグによると、話者数は19万8000人である。

まず、バントゥ諸語の特徴として、名詞が複数のクラスに分けられるという点が挙げられる。ランバ語では名詞の構造に応じて1から18までの番号が割り振られており、名詞修飾語や動詞はその番号に応じて形が決定される。動詞は、動詞語根《ごこん》（「走る」、「寝る」といった内容を表す要素）に主語や目的語を表す接辞、テンス（時制）・アスペクト（相）を表す接辞、肯定・否定を表す接辞などが、日本語でいう助詞や助動詞のように膠着《こうちゃく》することで構成される。バントゥ諸語によって、名詞クラスの数や語彙などに違いが見られる。動詞語根に膠着する接辞にも、この個別性を見出せる。

ランバ語は、日本語とは話されている地域も系統もまったく異なるが、両者には類似する点がある。たとえば、日本語の「テイル」と、ランバ語でそれに相当する形式が担う機能である。日本語の「テイル」には、「結婚している」や、「砂漠は乾いている」といったように状態を表す機能がある（「テニスをしている」など進行中の動作を表す「テイル」もあるが、ここでは割愛する）。ランバ語ではそれぞれ次ページの(1)、(2)のように表される。各単語の左には、それぞれの意味や上述の割り振られた番号、接辞の種類を示す。

(1) ichíßusa　chanji
7.友人　7.わたしの
chi-**li**-ikal-**ile**
7.主語接辞-完了-座る-完了語尾
「わたしの友人は座っている」

(2) impata
9.砂漠
i-**ø**-um-**ile**
9.主語接辞-現在-乾く-完了語尾
「砂漠は乾いている」

「座っている」とは、「座るという動作をしたのち、そのまま着席した状態にある」ということであり、何らかの出来事によってもたらされた結果の状態が一時的に継続しているということである。この「テイル」は(1)のようにランバ語では接頭辞 *li-* と完了語尾 *-ile* の組み合わせ（以下これを *li-* 形式と呼ぶ）によって表される。

一方で「砂漠は乾いている」の「テイル」は、普遍的あるいは恒常的な状態を表しており、この場合ランバ語では(2)のように接頭辞 *ø-* と完了語尾 *-ile* の組み合わせ（以下これを *ø-* 形式と呼ぶ）によって表される。

また「その人は父親に似ている」の「似る」のように、日本語には「テイル」形を用いたほうが表現として自然になる動詞がある。「誰かに似ている」というのは本来生まれ持った性質であり、そのため、この「テイル」は、先に何らかの出来事があってその結果「似ている」状態になったといったような、(1)の「座っている」の「テイル」と同じ解釈をすることはできない。しかしながら、ランバ語において「似ている」は、(1)と同じように *li-* 形式によって表される。それが次の(3)である。

(3) u-li-pal-ile
二人称単数主語接辞-完了-似る-完了語尾
βááwiiso
2.父親
「あなたは父親に似ている」

(1)~(3)における日本語の「テイル」は、表面上は同じであるものの、すべて種類が異なる。

一方ランバ語では、(1)と(2)からは、何らかの出来事の結果つづいている一時的な状態は*-ile*形式によって、普遍的あるいは恒常的な状態はø-形式によって表されるといった使い分けがあるように思われた。しかし*-ile*形式は一時的な状態だけでなく、(3)のように普遍的な状態も表すことができる。つまりランバ語の*-ile*形式は、一時的な状態と、恒常的あるいは普遍的な状態のどちらも表すことができるという点において、日本語の「テイル」と類似している。ヘルシンキ大学の言語学者テーラ・M・クレインによれば、ランバ語のほかに、西部で話されているトテラ語の完了語尾*-ite*にも、日本語の「テイル」と類似した機能があるという。言語の対照研究においても大変興味深い現象だと言える。

15

チェワ

★マラヴィと呼ばれた王国の末裔たち★

みずからの民族集団をチェワもしくはアチェワと呼ぶ人びとは、現在、ザンビア東部州からマラウイの中部、モザンビーク北部にかけて居住している。3ヵ国を合わせての人口は、200万人を優に超えると推計される。

チェワの人びとは、15世紀前後にコンゴ盆地（旧ザイール）のルバ王国の勢力下からマラウイ湖周辺に移動したと考えられ、17世紀のポルトガル人の記録にマラヴィの名で登場する。このうち、マラウイ湖から東のザンビア東部にかけての地域に拡大した集団が、チェワと呼ばれるようになった。マラヴィ起源の集団には、チェワのほか、マンガンジャやニャンジャと呼ばれる集団があるが、これらの集団の言語はいずれも、いわゆるバントゥ系言語 —— ニジェール・コンゴ語族に分類される言語のうち、人間のことをバントゥやアントゥ、ワントゥなどと呼び、きわめて近縁の言語群 —— に属し、ニャンジャ語（チニャンジャ）と総称される。ただし、現在では、圧倒的に話者数の多いチェワ語の呼称チチェワが、そのままニャンジャ系言語の総称としても用いられるようになっている。

チェワの主な生業は、トウモロコシを主作物とする農耕であるが、多くの男性は、その生涯の一時期に都市での出稼ぎを経験している。農村部においても、男性の大半は、毎年の収穫後、都市部へ出稼ぎに出て賃労働に従事する。都市での活動を抜きにして、現在のチェワの人びとの生活は語れない。

男性が村と都市部を頻繁に往き来するのに比して、女性の中には、生涯、自分が生まれた村の周辺から外へ出たことがないという人も多い。このことは、チェワの社会が母系制の社会であることに起因している。

この社会では、夫婦のあいだに生まれてきた子どもは、母の所属する親族集団に属し、父の親族集団には属さない。子どもに対して最も大きな発言力を持つのは、母の兄弟、つまり母方のオジであり、地位や財産も、母方のオジからその姉妹の息子へと伝えられる。一方で、結婚後の居住規制は妻方居住が原則になっている。この結果、男たちは、自分の出身村落とは別の、妻とその姉妹が集まって居住している村落に移り住んで結婚生活を営むことになる。そこで共に暮らす自分の子どもの扶養義務は、本来、母方のオジが負う。したがって、たとえ父親がいなくても、子どもを養うという点だけでいえば、さしたる支障がない。この社会には、女性の定着性と男性の移動性を支える原理がもともと備わっているといえそうである。

もちろん、現在のザンビア政府の法制度や施策は、基本的に、旧宗主国であったイギリスに由来する父系出自・夫方居住を想定したものが基本となっている。このため、結婚後、一時的な妻方居住をおこなった後、妻の親族集団に対して一定の代償を支払うことで夫方居住に移行するという例も増えてきている。ただ、その場合でも、夫婦間に生まれた子どもは母の出身村で、母方の祖母のもとで育てられることが多い。大きな変化の中でも、チェワ社会における母系原理の強さはそのまま維持されているといってよい。

政治の面についていえば、チェワの社会は、植民地化以前の時代から、いくつかの王国によって構成されてきた。それぞれの王国は、王を頂点とし、その下に領域を分有する地方チーフ（マンボ）が配され、各チーフ領におのおの村長（ムフム）をいただく数十から数百の村が内包されるという構造を持つ。

現在、ザンビアに住むチェワの人びとは、ガワ・ウンディを王として仰いでいる。ウンディの王国は、チェワの中に築かれたいくつかの王国の中でも、18世紀に最大の勢力を誇るようになり、南はモザンビーク北部、西は現在のザンビア東部州一帯から東はマラウイ湖にまで至る広大な領域を支配下に収めたとされる。そのウンディの王国も、19世紀に入り、南アフリカからザンベジ川を越えて移動してきた牧畜民ンゴニの侵入占領により急速に弱体化する。1898年、イギリスの軍隊がンゴニを制圧し、イギリス植民地政府による支配が確立するとともに、チェワはンゴニの支配下から脱した。ザンビア（当時の北ローデシア）では、チェワの人びとにチェワ・リザーブ（居留地）としてンゴニとは別の土地が与えられ、今日に至る居住域が確定した。1937年には、当時の王ウンディが植民地政府から北ローデシアのチェワ全体の「パラマウント・チーフ」に任じられる。一方、マラウイ（当時のニヤサランド）やモザンビーク（当時のポルトガル領東アフリカ）では、そのような域内のチェワを「パラマウント・チーフ」の下で統合するという政策はとられなかった。このため、現在においても、マラウイやモザンビークのチェワの人びとは必ずしもザンビアのガワ・ウンディを自分たちの王とは認

第15章
チェワ

クランバの祭。左の東屋の中に王ガワ・ウンディが座っている。
(2007年、ムカイカ)

識していない。

　このチェワの社会では、男子は13歳から15歳程度の年齢に達すると、原則として全員が、ニャウと呼ばれる仮面結社に加入する。葬送儀礼で仮面舞踊を演じるのが、このニャウの役割である。一方、女子は初潮の際に、チナムワリと呼ばれる成人儀礼を受ける。男たちが仮面結社の活動中に見聞きすることは男たちだけの秘密とされており、女たちがチナムワリの儀礼で教えられることは女たちだけの秘密とされている。互いの知識を秘密化することで、チェワの社会は性の別によってきわめて明瞭に構造化されているといってよい。

　１９８４年、「伝統を始めよう」を合言葉に、本来は葬儀の際に踊られる仮面舞踊と、女性の成人儀礼チナムワリの際に踊られる女たちの踊りを、それぞれの地域のチーフが王ガワ・ウンディに奉納するという、クランバという名の新たな祭りが創り上げられた。わたしは、その第1回のクランバに参列した。その折、村人たちと、あと50年もして人類学者がやってきたら、きっとこの祭りがチェワの伝統的な祭りだと思い込むだろうなと、笑いながら語り合ったものである。それから三十数年、すでにクランバは「チェワ伝統の祭りクランバ」と称されて、定着するに至っている。

2007年にはさらに、画期的な展開がみられた。きっかけになったのは、仮面結社ニャウの舞踊「グレ・ワムクル」が、2005年、ザンビア、マラウイ、モザンビークにまたがってみられる文化遺産としてユネスコの無形文化遺産に登録されたことである。それを受けて、2007年のクランバの祭りに、これら3ヵ国の元首、大統領がこぞって参列したのである。祭りの中では、それぞれの大統領に引き連れられるかたちで、ザンビア以外のチェワのチーフたちも、自分たちの地域の仮面の踊り手を帯同し、仮面の踊り手たちは順にザンビアのチェワの王ガワ・ウンディの前で踊りを披露するというかたちで、式次第が組まれた。この年のクランバの祭りを通じて、チェワのひとつの王国としての一体性、ひとつの民族としてのアイデンティティが初めて表明されたことになる。（吉田憲司）

コラム9

チェワ社会の仮面結社ニャウ

吉田憲司

わたしは、1984年以来、ザンビア東部に住むチェワの人びとの社会でフィールドワークをつづけてきている。

このチェワの社会では、男子が13歳から15歳の年齢に達すると、原則として全員が仮面の結社に加入する。この結社はニャウと呼ばれるが、仮面をかぶって登場する踊り手もまたニャウと呼ばれる。葬送儀礼、とくに喪明けの儀礼に際して、仮面舞踊を演じるのがこのニャウの主な役割である。

ニャウの仮面には、踊り手の頭部に装着される覆面や仮面と、踊り手がその中にすっぽりと入るかぶりもの型の動物の仮面の2種類が存在する。覆面や木製仮面をかぶる踊り手は死者の霊の化身とされ、動物のかぶりものは、森からやってきた野生動物そのものだといわれる。

ニャウの踊り手が男たちの変装したものだという事実は、ニャウの結社のメンバーでない女性や子どもたちには、秘密にされているのである。

わたし自身、仮面の調査を目的に村に住み込んだものの、村入りから1年間は、女性や子どもと同じ扱いを受けつづけた。わたしが加入儀礼を受け、ニャウの正式のメンバーになったのは1985年5月25日。村入りから、すでに1年以上がたってからのことであった。

チェワの社会の喪明けの儀礼は、女たちの手による酒造りと並行して進められる。この酒造りの期間中、男たちは森にこもって、木の枝や草を編み、大きなかぶりもの型の仮面を製作する。ライオンやハイエナなど、野生動物をかたどったものが大半であるが、近年では、その中に、自動車やヘリコプターの形をしたものもみられるようになっている。自動車やヘリコプターもまた、野生動物と同様、チェワの人びと

死者の家の前で踊る、カモシカをかたどったかぶりもの型の仮面カスィヤ・マリロ（1985年8月、カリザ村）

にとっては、森のかなたからやってきたものにほかならないからだという。

儀礼の最終段階、酒ができあがる日の前夜に、村の中で徹夜の仮面舞踊が繰り広げられる。この夜には、さまざまな仮面をかぶった踊り手が登場するが、夜明け前になると、男たちが森にこもって作り上げた何体かのかぶりものが登場してくる。中でも、ひときわ大きなカモシカをかたどったかぶりものは、カスィヤ・マリロ「死者を送り届けるもの」と呼ばれている。カスィヤ・マリロは、死者の家の前へ行き、ひたすら旋回を繰り返す（写真）。そうすることで、埋葬後もまだ地上に残っていた死者の霊をその身の中に取り込むのだという。踊りを終えたカスィヤ・マリロは、他のかぶりものとともに森に姿を消す。森に入ると、すべてのかぶりものにいっせいに火が放たれる。そこから立ち上る煙が空に消えるとき、死者の霊は祖先の世界に赴き、将来、死者の子孫の中に生まれ変わって

コラム9

チェワ社会の仮面結社ニャウ

くるとされている。

このニャウの儀礼も、今、大きな変化の波にさらされている。HIV／エイズやたび重なる大干ばつのために死者が続出した1980年代末以降、チェワの社会で爆発的な規模でキリスト教への入信が進み、多くの男たちが、仮面をかぶって踊るのをやめ、教会に通うようになったからである。そのような動きの中で、一時は仮面の伝統が絶えるのではないかとも心配された。だが、90年代も後半になると、人びとは状況に応じてきわめて柔軟に行動を選択するようになる。親族集団の中で死者が出た場合、遺族は一時的に教会を離脱し、仮面舞踊をともなう伝統的な儀礼を催したあと、時期を見て教会に戻るといった行動をとるようになったのである。キリスト教の広がりが、ニャウの仮面結社の活動や、チェワの人びとの伝統的な死生観・再生観そのものに根本的な変化を迫るということはなかったように思われる。

2005年、そのニャウの舞踊「グレ・ワムクル」（大いなる舞踊の意）がユネスコの無形文化遺産に指定された。チェワの人びとにとってごく当たり前の実践に「文化遺産」という新たな意味が付与され、人びとにみずからの文化を「再発見」することを要請する力が、今、働き始めている。

16

ベンバ

★ミオンボ林の恵みを享受する達人たち★

ザンビアの北部州とムチンガ州に広がる疎開林は、ミオンボとよばれるマメ科の樹種からなっている。ここに住むベンバの人びとは、焼畑を中心に、狩猟・採集を組み合わせた多彩な生業によって、ミオンボ林の豊かな恵みを受けとってきた。バントゥ系農耕民であるベンバの源は、現在のアンゴラ・コンゴ民主共和国の国境近くに繁栄したルンダ・ルバ王国にある。16世紀からその一部が東に移動し、17世紀に現在のザンビア北部州のカサマに拠点をかまえた。ベンバはアラブやポルトガルとの対外交易で力を増し、19世紀までに周辺諸民族集団を支配下にするベンバ王国を創りあげた。19世紀末から20世紀初頭にかけてもさらに勢力を拡大し、良質の象牙や塩を産出するムピカ県など北部州とムチンガ州の大半をベンバの領域とした。

この歴史を反映して、ベンバ王国は1人のパラマウント・チーフを頂点に、2人のシニア・チーフと15人のジュニア・チーフからなる中央集権的な政治組織をもつ。シニア・チーフが移住当初からの由来をもつのに対して、ジュニア・チーフはベンバが勢力を拡大していく過程で新しく創設された地位である。20世紀初頭にイギリスがこの地域を植民地化すると、この

第16章
ベンバ

政治組織は植民地行政の末端として利用され、独立後も現在までひきつがれている。

人びとは誇り高く「われらベンバ」という意識をもつ。わたしが住み込み調査を始めたのは１９８０年代初頭だったが、当時は、植民地時代を経験した人びとがまだ健在だった。彼らは、植民地政府の理不尽な政策を、当時のベンバがいかに堂々と回避したかを語ってくれたものだ。長老たちが好んで語る逸話には、当時のチーフと宗主国だったイギリスの女王とのこんなエピソードがある。かつてベンバのパラマウント・チーフがイギリスに招集され、エリザベス女王に謁見した。晩餐会で彼は臆することなく女王から供された酒を断り、逆に自身が持参したベンバのシコクビエ酒をふるまって、イギリス人の尊敬を集めたというのだ。「だから、われらベンバは礼節をわきまえ、誇りをもって他者に接するのだ」――村の長老はよくこう語って、あいさつに始まるベンバの礼儀を教えてくれた。

中央集権的にみえる政治組織に対して、人びとが暮らすのは10世帯から１００世帯に満たない小規模な村である。母系制で妻方居住の慣習をもつベンバの村は、同じ母から生まれた兄弟姉妹の世帯を中心に構成される。村長になるのは年長の男性だが、祖霊を祀る村の儀礼や村の世論をまとめるには姉妹の協力が欠かせない。女性は基本的に結婚後も同じ村に住みつづけ、男性が妻の村に移住する。移住してきた男性には妻の両親の焼畑を伐採する婚資労働の義務があり、働きが悪いと結婚を解消されることもあったという。

焼畑を伐採する作業は、男性としての力量をはかる指標でもあった。たとえば、わたしが住み込んでいた村の少女と結婚したいと思いつめていた隣村の青年は、結婚を認めてもらうために一計を案じた。まず、少女の両親や親族がよく通る道の近くに自分の焼畑を開くことにし、自分の伐採作業が彼らの目にふれるようにした。さらにこの村の共同労働にもわざわざ顔を出し、自分がいかに上手な伐採手かをアピールして少女の両親から信頼を得て、無事少女との結婚にこぎつけた。

チテメネシステムとよばれるベンバの焼畑は、ミオンボ林の生態に合わせて精緻に発達した農法である。その特徴は開墾の方法と輪作体系にある。開墾では、男性が木にのぼって枝葉だけを伐採する。

樹上伐採する男性。伐採の最後に、最も高く伸びた枝を一撃で伐りおとすのが理想形だといわれる。

第16章
ベンバ

それが適度に乾燥すると、女性が乾燥した枝葉を組み合わせて束をつくり、それを伐採地の中央まで運んで高さ1メートルほどの円形に積み上げる。この枝葉の堆積だけに火入れをして耕地を造成するので、火がかからない外側の伐採域では新しい葉がめぶき始める。枝葉の堆積は高い温度で長時間にわたって燃えるので土が柔らかくなり、作物に必要な栄養も蓄えられる。害虫や雑草の種子が死滅するので、施肥や除草の必要もなくなる。開墾1年目に主食のシコクビエを栽培したあと、数年間でラッカセイ、キャッサバ、インゲンマメを輪作し、休閑期間に入る。

休閑地に再生した二次林は野生動植物の住処となる。ダイカーなどの小動物のほか、カミキリムシやコオロギなど多様な昆虫が食用にされる。食用昆虫の中でもチプミとよばれるイモムシは数年に一度大発生し、地域一帯を大騒ぎに巻き込む。チプミが大発生すると、村びとは1〜2週間分の食料をもってミオンボ林の奥地に野営し、チプミの採集活動にあけくれる。採集するそばから処理・乾燥させ袋に蓄える。野営中の食事はふだんよりもずっと贅沢だ。チプミを中心に、ミオンボ林の小動物や川魚がおかずになる。乾燥したチプミは保存がきくので、村に帰ってからも長期間にわたって楽しむことができる。

さらに村びとを興奮させるのは、イモムシを買いつける商人たちが野営地に店を出し、処理済みのイモムシと引き換えにあらゆる品物を売ることだ。イモムシさえ十分にあれば、ふだんはとても手が出ない嗜好品が口に入るだけでなく、新しい衣類、靴、ベルト、鍬や斧などの農具、はては自転車まで手に入れることができる。

なぜこんなに食用イモムシが売れるのだろう。それを知るには、植民地政策に始まる鉱山開発に遡らなければならない。地下資源もなく農業にも適さない北部州やムチンガ州は、鉱山労働力の供給地と位置づけられ、多くの若者が鉱山出稼ぎに従事した。そのまま出稼ぎ先に住みついたり、出稼ぎ先を転々として首都のルサカで商売を始めたりしたので、現在ではコッパーベルトにもルサカにも多くのベンバが住んでいる。食用イモムシは出稼ぎ1世にとってはなつかしい故郷の味だし、都会生まれの2世3世にもそのルーツを彷彿とさせる季節の味なのだ。こうした需要に支えられて地方農村でのイモムシ採集が活況を呈している。タンパク質含有量が多い食用イモムシは、輸出品としても珍重されるようになり、流通量が近年とみに増えているという。

ベンバの暮らしはミオンボ林を多様な方法で循環的に利用することで成りたち、広い社会関係に支えられた食物の分かち合いが生活の安定をもたらしている。祖霊たちの住処でもあるミオンボ林は「みんなのもの」として扱われ、ベンバの生活の基盤となってきた。しかし、１９９０年代なかば以降、換金作物栽培の拡大や土地制度改革、２０００年以降の経済構造改革などを契機に、ミオンボ林の切り売りや土地の私有化が進んでいる。ミオンボ林から恵みを受け取る暮らしが岐路にさしかかっている。

（杉山祐子）

コラム10

「お母さん」がたくさんいる?

杉山祐子

わたしの母系社会との出会いは、ベンバの村での住み込み調査に始まる。頼まれもしないのに勝手に住みつく人類学者は、相手から見ればヘンな人だ。だから住み込み当初はできるだけ村びとのそばにいて、こちらがどういう人間かを知ってもらう。こちらも相手の名前と顔をおぼえ、そこの人どうしの関係を知る。

仲良くなった子どもに「あの人はだれ?」と聞くと「お母さんだよ」と答える。「隣にいる人は?」と聞くと「お母さんだよ」……その後ろにいる人も「お母さん」なのだという。うそでも聞きまちがいでもなく、「お母さん」が複数いるのだ。母系社会のベンバでは自分を産んだ母もその姉妹（母方オバ）も、生みの母と同じ「母」に分類される。

祖先からの系譜を頼りに集団を作るとき、父方をたどる社会を父系社会、母方をたどる社会を母系社会とよぶ。母系社会の基本的なルールでは、子どもは母親の集団に帰属し、母親の兄弟の庇護を受ける。世界的にみると母系社会は父系社会よりも少ないが、ザンビアには人類学者たちが母系ベルトと名づけたほど、多くの母系社会が散在している。同じ母系社会でも、結婚後に夫が妻方に移住する妻方居住婚と、妻が夫方に移住する夫方居住婚では日常生活の組み立てが違う。

妻方居住制をとるベンバにおいて、居住集団である村は、同じ母をもつ兄弟姉妹の世帯を中心に構成される。政治的なリーダーは男性である。村長の地位や財産は、村長と同じ母系親族集団の男性に受け継がれるので、次期村長の資格をもつのは村長の姉妹の息子たちである。しかしベンバでは、村長の世代交代が起きる時期には、村長候補の男性はすでに妻方に移住して

若い女性の出産後の儀礼に向かう同じ母系親族の女性たち

いる。男性が次の村長になるには自分の出身村に戻る必要があるが、それには妻の賛同が欠かせない。だから、妻子を連れて自分の出身村に戻る男性は、妻を納得させるだけの人間的な力量をもつ人物だとみなされる。

男性の結婚と移動が複雑なのに対して、女性は結婚しても自分の出身村に住み、母方親族との絆を保つ。日常の農作業や家事は母方親族と共同でこなすし、年長女性は母系親族集団の祖として尊敬を集め、社会的な権威をもつ。女性たちは食物も分かち合う。もめごとがあっても母方親族が味方になってくれる。子どもたちは母親と同様に母の姉妹を「お母さん」と呼んで頼ることができ、母方の祖母やその姉妹にも親しく接する。食事を祖母や母方オバの家でとったりもする。その結果、子どもたちのあいだにも親密な関係が生まれ、母系の強い絆に結ばれた子ども集団ができる。母方親族との親しい関係とは逆に、父方の親族とは一定の距離をもって接するよう教えられる。

妻方居住制をとる母系社会では、一般に離婚率が高い。ベンバの生計活動は、両親とその子どもたちから成る世帯を単位としているが、わたしが住み込んだ村ではつねに4割近い世帯主が女性であった。また一生涯でみると、成人女性の8割くらいが離婚経験をもっていた。女性の立場からすると、離婚しても夫が村を出ていくだけで、自分や子どもたちの生活環境は大きく変わらない。離婚した女性の世帯は男手がないので焼畑の開墾に困るが、母系親族の援助を受けて男性労働力や食料を確保し、経済的な困窮を避けることができる。

子どもの養育や食料確保が安定しやすい条件をもつ母系社会は女性の地位が比較的高く、女性が生きやすい社会だともいわれてきた。一方、近代化とともに父系化が進むことも指摘されており、農業の商業化や土地法の変化などの近代化の中でどのように変化するかが注目されるところである。

17

ロジ

★交流と統合を生きる人びと★

ロジは、西部州の主たる民族集団である。現在の西部州に建国されたロジ王国の中心的な人びととして語られているが、もともと王国を創成したのはコンゴ民主共和国東部に建国されたルンダ王国の一派であり、ルンダ王国のパラマウント・チーフ、ムワアント・ヤアヴに関係する人びとが中心であった。これらの人びとは当時ルイ、またはルヤナとよばれ、ザンベジ川の上流部にある氾濫原にまで南下し、17世紀終わり頃にはロジ王国の原形を築いたと考えられる。この起源からルヤナの人びとは「真のロジ」ともよばれる。王国は、リトゥンガとよばれるパラマウント・チーフを頂点として、周辺の民族集団を徐々に傘下に収め、全盛期には現在の北西部州からコッパーベルト州、南部州、ナミビア北部のカプリビ地域やアンゴラ東部まで領土を拡大して多民族国家となった。

やがてロジは、南アフリカ東海岸部で支配を拡大していたズールー王国のシャカ王の圧政から逃れたソト語系のコロロとよばれる集団から侵略を受けた。コロロを率いたのはセビトゥワネで、その強大な軍事力で1838年にロジを制圧し、ロジの王権を奪った。1863年、セビトゥワネの後継である息子のセケルツが死去したことを契機として、コロロが掌握していた王権は1864年にロジによって再度奪回された。その奪回にあたり、コロロの男性はほぼすべてロジによって滅ぼされたが、コロロは当時のロジ社会にさまざまな影響を与えた。その例をあげると、それまでロジ社会で用いられていたルヤナ語はソト語系のコロロ語に置き換わり、これが現在のロジ語となった。その他にもロジの政治組織は、コロロの政治組織から影響を受けて今日に近いものに変化したといわれる。

1878年には、レワニカがロジ王国の王位に就き、1916年まで王国の再建に取り組んだ。レワニカ王は、1878年以降のパリ福音伝道教会によるキリスト教布教活動や、1887年の同教会による西部州での学校開設など、積極的に西欧人と交流したのである。このため彼は、ロジ王国初の近代的な王とされた。

1890年になると、セシル・ローズにより設立されたイギリス南アフリカ会社がロジ王国領土におよび、同年このイギリス南アフリカ会社は、ロジ王であったレワニカとロシュナー協定を結んで1900年に鉱業権を獲得している。ただしこのとき、イギリス南アフリカ会社が鉱業権を得た地域にバロツェ氾濫原一帯は含まれていなかった。また、この協定によって、イギリス南アフリカ会社はロジ王に対して鉱区使用料を支払うとともに、レワニカとその住民を外敵から保護するといった義務を負った。やがて1902年には、鉱業権譲与地域の中で銅埋蔵の可能性が明らかとなり、1925年には本格的な銅開発が始められるに至った。

このロジ王国の歴史と併行して、1911年にザンビアの前身である北ローデシアが成立した。イギリス植民地政府は、ロジ王国の伝統的な寡頭政治体制に対して他の地域よりも寛大であり、王国の

ザンベジ川氾濫原（2月洪水期）

土地やそのほか自然資源に対する権利も認めた。また植民地政府はロジ王国にイギリス植民地政府の保護領バロツェランドという特別な地位と名称を与えるなどの優遇措置をとった。

１９４０年には、南アフリカのヨハネスブルクにある鉱業会議所の労働調達機関ＷＥＮＥＬＡ（ウィットウォータースランド原住民労働協会）が現在の西部州の州都モングに事務所を設けた。その後１９６０年代にかけて、労働調達機関は年平均で５０００から６０００人もの男性を西部州から雇用した。ロジ王国で近代教育を受けた人びとは南アフリカの鉱山だけでなく、北ローデシア各地でも仕事を得るようになっていった。

しかし、１９６４年のザンビアの独立後、ロジ王国はその特権的地位を失うこととなった。植民地期とは異なり、独立後のザンビアでは地域主義・分離主義の存在が国民国家の形成、すなわち国家形成の遅れを示す後発国のインディケータとして把握されていた。それゆえロジ王国の近代国家への吸収が進められ、独立後にロジ王と中央政府が交わした、バロツェランド協定が廃止された。1964年に交わされたバロツェランド協定は、同地域の特権的地位を持つバロツェ州としてロジ王国の伝統的体制を保持することを約束するものであったが、そのわずか数年後、中央政府は他地域とのバランスをはかるために同協定を廃止した。

西部州はその後もロジ王国の伝統的政治体制が残ってはいるものの、特別な公的権力は有していない。王国の伝統組織は、西部州がザンビアの商工業の中心地域からも遠い後開発地域となったことも関連づけ、しばしばかつての王国の独立を主張し、ザンビアの他地域とのあいだに新たなトライバリズム的対立を生み出している。2011年は州都モングにおいて、ビラまきなどを通じバロツェランド独立運動を謳うプロパガンダ的運動が展開された。とくに1月に起こった死亡者を出すほどの暴動以後、伝統の復活ではなく、低開発で政治経済の中心から大きく取り残されている西部の状況への不満や懸念が報じられた。また、近年では野党UPND（国家開発統一党）の支持者が多い地域として、2017年の野党党首らがロジの伝統的なクオンボカ祭りでの大統領車両の妨害事件に関与したと報じられた。

（村尾るみこ）

コラム11

クオンボカ祭り

村尾るみこ

クオンボカ祭りは、ロジの人びとの伝統的な祭りとして、毎年雨季の終わりにザンベジ川が氾濫し、水位が最も高くなる3～4月頃に、西部州の州都モング付近で開催される。世界的に著名な観光ガイドブック、ロンリープラネットにも掲載されており、観光客にも有名である。

クオンボカとは、ロジ語で「水の中から乾いた場所へ出る」ことを意味する。西部州のほぼ中央を縦貫するザンベジ川は毎年、雨季の12月頃に増水を始め、4月上旬頃まで氾濫する。東西幅50キロメートルにおよぶこのザンベジ川氾濫原の中にある高台のひとつには、ロジ王が住む王宮リアルイがあり、雨季の終わりに王がこの王宮からさらに氾濫原周縁のリムルンガとよばれる地域にある王宮へと移る際に、大統領をはじめ多くの要人たちが招かれてクオンボカ祭りが盛大に執りおこなわれる。

クオンボカ祭りの見どころのひとつは、祭り当日の朝に、王がリアルイを出発するときである。戦闘時の伝統的なドラムとされるマオマやムタンゴ、木琴シリンバなどの奏者らロイヤルバンドとともに王がナリクワンダとよばれる船に乗り込む。王の船につづくのが、女王ナロロが乗る船である。さらに最大の見どころは、氾濫原周縁の王宮近くの川岸に、王を乗せたナリクワンダが到着する瞬間である。それを一目見ようと、国内外の報道陣やさまざまな人びとがおしかける。

現在のクオンボカ祭りは、ロジの歴史とともに少しずつ変化してきたものとされる。クオンボカ祭りの始まりは、ナカムベラという名前の男性が昔、王とその家族、そして牛などを氾濫した王宮から避難させる必要があることを思いついたことに端を発するとされる。その後、ム

コラム11

クオンボカ祭り

クオンボカ祭り

ランブワという王が、王の船を木材と現地の樹木の根、王国各地から集めた素材で王の船ンジョンジョロを造成したのが、今日の王の船ナリクワンダがさまざまな材料で造成されるもとになったと言われる。

さらに、祭りで王の出発地点となる王宮リアルイは、イギリス植民地期に在位したレワニカ王が、ロジの王宮として公式に認めたものである。ザンベジ川の氾濫が収まるまで、王が滞在する氾濫原周縁の王宮はレワイカ王の在位以降につくられている。現在のようにリアルイからリムルンガへ移動するようになったのは、20世紀後半になってからである。

王がリムルンガの川岸に到着すると、ロイヤルバンドとともに王宮の外に設置された台座へ歩いて移動する。赤い帽子に、イギリス植民地期にイギリス女王から贈られた正装を身にまとった王と、ロジの女性の正装であるドレス・ミシシを着た女王の姿は華やかである。王たちが台座に座ると、王の側近やチーフらによって祭りが進行され、ロジだけでなく全国各地から人が集まり各民族の踊りがその後、数日間をかけて順に披露される。

リムルンガの王宮の周辺には、クオンボカ祭りの絵や船の模型といったお土産を売る商人たちが沿道にならび、行き交う観光客に声をかける。揚げパンやビスケット、飲料などを売る子どもや女性たちもあちこちで忙しそうに売りさばく。

クオンボカ祭りは、ロジの伝統組織として機能するバロツェ王国会議によって数ヵ月前から準備がなされる。それは日取りや招待客、祭りのプログラムに始まり、ロジのチーフらの招集、費用の算段など大掛かりなものである。雨季になるとナリクワンダが移動するのに十分な雨量が見込め、ザンベジ川の水位が上昇しているか確認がおこなわれ、祭りが予定通りに執りおこなえるかを判断する。ナリクワンダで移動できないと判断された雨不足の年には、クオンボカ祭りの中止が決定されることもある。ザンベジ川を舞台におこなわれる壮大な祭りは、ザンビアで一見の価値があるだろう。

18

トンガ

★豊作を願い感謝の祈りをする、雨乞いの民★

「名前はムチンタです。ルウィンディ家から来ました」。首都ルサカにいるとき、わたしは初対面の人にはいつも、世話になったモンゼ県の村でもらった名前であいさつをする。ザンビアで自己紹介するときの、わたしの十八番だ。このあいさつに、誰もが笑い、わたしを覚えてくれる。「南部州のどの辺から来た？」と決まって返され、会話の糸口がつかめるのも便利である。多民族が暮らすザンビアの都市では、人の名は、その人の民族や出身地、ルーツをさぐる手掛かりとなる。

ムチンタは、ザンビア南部に暮らすトンガに固有の名前で、「チェーン・ブレーカー」、つまり、子どもが息子つづきの家に生まれた女の子につけられる。あるいは、娘つづきで待望の男子、という逆パターンもある。つまり、ムチンタという名前は、男性、女性、どちらにもつけられる。わたしが名乗ると、兄ばかりで、待望の女子につけられたということになる。

姓のルウィンディは、トンガ語で、神に捧げる「豊作を願う感謝の祈り」を意味する。農耕を主な生業としているトンガには、耕起のルウィンディ、播種のルウィンディ、除草と鳥追いのルウィンディ、収穫のルウィンディといったように、農作業の各段階でその都度、ルウィンディと名のつく祭祀をおこない、地酒を祖霊に捧げて踊り、厄除けと豊作を祈念する慣習がある。そのおいしい酒の原料となるトウモロコシは、かつては決まって、アフリカ原産の穀物、モロコシやシコクビエだった。

トンガはモロコシやシコクビエの移動耕作を伝統的に営んできた人びとで、現在のザンビアとその周辺国にまたがって暮らす。その多くは、ザンビアの南部一帯に住んでいる。南部州は、国土面積のおよそ10分の1の広さがあり、2012年時点の人口は160万人ほどであり、その8割程度がトンガ語を母語とする人だという推定がある。宣教師としてこの地にやってきた探検家のリヴィングストンに彼らが初めて「発見」されたのは19世紀なかばのことで、それ以前の記録はないものの、15〜16世紀にかけてこの地に最初に移住してきたバントゥ系農耕民である。

農耕と並行し、トンガは古くから大規模なウシ牧畜を営んできたことでも知られる。結婚に必要な婚資や、儀礼の際の供犠として用いられるウシは、彼らにとって最も重要な財産のひとつである。ウシのような財産の相続や地位の継承は、母方のオジからその姉妹の息子へといった母系のラインにしたがっておこなわれる。母系社会であるが、婚姻形態は夫方居住で、一夫多妻のこともある。

ザンビアの国土の大部分の標高は1000メートルを超えるが、トンガが暮らす南部州にも、バトカ高原と呼ばれる丘陵地が広がる一方で、国名の由来ともなっているザンベジ川の中流部、ジンバブエとの国境には、グウェンベ峡谷と呼ばれる標高500メートル前後の低地がある。この2地域に暮らす人びとは、その地形をとって、それぞれ高原トンガとグウェンベ・トンガと呼ばれる。言葉や文化に大差のない彼らがあえて分けて語られるのは、彼らが経験した歴史的な背景のちがいによるとこ

トンガの高床式穀倉ブタラ。トウモロコシを取り出すのは子どもの手伝い。

ろが大きい。

高原トンガが暮らすのは、植民地時代に建設された鉄道の沿線地域である。20世紀の初めに、植民地政府によって国内北部が銅の産出地として開発され、鉄道が開通すると、南部州の沿線地域では、鉱山都市で働く労働者に対する食糧供給地として、白人入植者による商業農業が展開された。人びとは、白人の大農場で働いたり、キリスト教ミッションの農業指導を受けたりして牛耕を学び、改良品種のトウモロコシ栽培を主とした集約的農業で、増えつづける国内需要を満たす食料供給を支えてきた。宣教師が否定した一夫多妻婚は皮肉にも、彼らが奨励した牛犂農耕のための労働需要の増加によってさらに増えた。高原トンガは多くの家族労働力とウシを元手とした農業収入により、ザンビアの地方の中でも相対的に豊かな暮らしを築いた。しかし、1980年代以降はウシの伝染病やヒトの感染症（HIV／エイズ）などの影響もあり、雨の少ない干ばつ年には自給用のトウモロコシをまかえない世帯も多い。

一方で、グウェンベ・トンガが暮らす渓谷地域は、低地で気温が高く、降水量も少ない。高原トンガに比べて厳しい自然環境に暮らしながらも、雨季のザンベジ川の洪水によって運ばれてくる肥沃な土壌を生かし、トウモロコシと、より強い耐乾性のあるモロコシやトウジンビエを組み合わせた農耕を営んできた。ところが、こうした生活を一変する出来事が生じた。1950年代に、当時のローデシア・ニヤサランド連邦が、水力発電による電力確保を目的として、両国の国境を流れるザンベジ川流域に、巨大なダムを建設することとなった。これにともない、この地に暮らしていた人びとの居住地が水没し、より厳しい環境の土地へと強制的な移住がすすめられた。

トンガは隣の民族ショナの言葉で「独立」を意味するように、もともと王もチーフももたず、独立した家族で成り立つ無頭制社会だった。現在では、植民地時代につくられた複数のチーフが治める。ルウィンディの多くは時代とともに廃れたが、チーフ・モンゼの領地でおこなわれるルウィンディ・ゴンデは、高原トンガとグウェンベ・トンガという2つのトンガが集う一大祭りとなった。祈りを捧げる祠の場所を指すゴンデには、歴代のチーフ・モンゼたちが眠っている。初代チーフ・モンゼは、干ばつが常襲するこの地で、未来を読み、人びとや動物の病を根絶できると拝された雨乞い師だった。その伝説の数かずは現在でも、生き生きと語り継がれている。

（成澤徳子）

19

ルンダ

★交易を通してキャッサバを取り入れた民族★

ルンダはかつて強大な王国を築き、コンゴ盆地の南部一帯を支配した。ルンダの人びとは、民族と王国のもつ長い歴史に誇りをもち、みずからの生業や文化的な慣習について、「ルンダの伝統」という言葉で説明する。ルンダの居住域は、植民地時代にベルギーとポルトガル、イギリスの3ヵ国によって分断された。ヨーロッパ諸国が画定した国境のまま、コンゴ共和国（現在のコンゴ民主共和国）とアンゴラ、ザンビアとして独立したため、ルンダの領域は分かれたままである。植民地支配以降、ルンダは居住する国によって、異なる統治構造のもとで生活することになった。現在でもルンダの伝統といわれる事柄は3ヵ国で共通することが多いが、本章ではザンビアに居住するルンダについて取り上げる。

２０１０年の国勢調査によると、ザンビアに居住するルンダはザンビア人口の３・５％、約44万人であり、主にルアプラ州と北西部州の2ヵ所に分かれている。北西部州に暮らすルンダの中には、ンデンブという民族名で呼ばれる人びとがいる。ンデンブとは、現在のコンゴ民主共和国南部に定着したルンダの自称である。現在では、ルンダとンデンブをまとめてルンダとするのが適切であるといわれている。

ルンダ全体を治め、その統治システムの頂点に立つパラマウント・チーフは現在コンゴ民主共和国におり、その名をムワタ・ヤンボという。ルンダは強大な王国を築き上げたことで知られ、王国史の中で最初の王として記述が残されているのは、1486〜1515年に君臨したムワクである。その後17世紀後半から18世紀にかけて、ムワタ・ヤンボ1世となる王が登場し、ルンダ王国は東西に勢力をひろげていく。19世紀の中頃まで、少しずつ周辺の他民族を取り込み、その過程でルンダの統治構造が拡張した。

ルンダの政治体制では、臣民の統治をおこなう役人が徴税役と土地管理役の2つに分かれていた。徴税する役人は必ず王国の中央から派遣されていたが、土地を管理する役人は地域住民の中から選出された。また地域を治めるチーフや村長は、ルンダ王国による支配後にもそれまで通り世襲された。ルンダの政治体制について研究したボストン大学のエドアルド・ブスティンは、ルンダの統治によってその地域が保持する伝統や価値観が壊れることはなく、多様な民族が混在する王国が維持されていたことを指摘している。

18世紀にはルンダ王国は現在のアンゴラ北部の商人とつながり、ポルトガル人商人との交易に積極的に携わっていた。ルンダ王国は奴隷と象牙を提供する代わりに、布やタバコ、銃、火薬などを手に入れ、内陸部にもたらした。ルンダ王国の勢力が拡大する18世紀初頭にイシンデとカノンゲシャ、ムソカンタンダという3人のチーフが、それぞれ現在のアンゴラ南部と東部、ザンビア北西部に移動し、現在のようなルンダの居住域になったといわれている。

第19章
ルンダ

ルンダの人びとはバントゥ諸語のルンダ語を話し、母系社会を築き、夫方に居住する。ルンダ研究の第一人者である人類学者のヴィクター・ターナーは、1950年代にザンビア北西部ルンダの社会構造を丹念に調べ、貴重な記録を残している。彼はその後、ルンダ社会において長年にわたって儀礼の研究に取り組んだ。ターナーによれば、ルンダは親族を中心とした10世帯程度の比較的規模の小さな村を形成する。現在でもこの傾向は強く、基本的には父を村長とし、その息子世帯で構成されるルンダの村がほとんどである。

ルンダは焼畑農耕を中心に営み、狩猟や漁撈をおこなうこともある。ルンダ語でムンテマという焼畑を造成し、主食作物としてキャッサバを栽培する。そのほかトウモロコシやシコクビエといった穀物、サツマイモやカボチャなどが混作される。またザンビア北西部州のムウィニルンガ県では、換金作物としてパイナップルの栽培も盛んである。20世紀に宣教師がパイナップル栽培を広めた。

キャッサバは南米原産の熱帯低木であり、地中で肥大する塊根のイモが主食として、葉は副食として食される。ルンダの人びとはイモをそのまま食べることもあるが、基本的にはイモを製粉してシマと呼ばれる主食の練り粥にして食べる。キャッサバには有毒成分である青酸配糖体が少なからず含まれており、製粉前に毒抜きを施す必要がある。キャッサバはポルトガルとの交易の中で、アフリカ大陸にもたらされた。植民地支配の前から、ルンダはキャッサバを主食として栽培する。その背景として、ポルトガルとの交易に携わる過程でキャッサバを入手し、利用するために必須である毒抜きの処理や栽培方法を獲得していった可能性が示唆されている。

古くからキャッサバを栽培してきたルンダの人びとは、周辺に居住する民族と比較しても、キャッ

キャッサバのイモの部分収穫（クハトラ）

サバに関する知識を豊富にもつ。たとえばルンダ語には、キャッサバにまつわる単語が多く存在する。他民族との違いを検討するうえで、とくにわたしが注目しているのは「キャッサバの種茎《たねくき》」という単語である。キャッサバは種子ではなく、短く切り分けた種茎を地中に植えつけて栽培する。種茎を確保できなければ、キャッサバを栽培することができないため、種茎は非常に重要な資源である。キャッサバの種茎をルンダ語でンディンブと呼び、1単語で表現される。キャッサバを栽培する周辺の他民族では、「キャッサバ」という単語に「（木の）枝」という単語を組み合わせ、2単語以上で表現されることが多い。わたしは、ルンダがキャッサバ栽培で最も重要な種茎を1単語で表現していることに対して、キャッサバとの強いつながりを感じている。

年間を通じて雨が降る熱帯地域では、キャッサバの植えつけからイモの収穫は1年以内におこなわれる。しかしザンビアでは乾季が長く、キャッサバの生長に時間がかかる。ザンビアに暮らすルンダの人びとは長い乾季に適応し、キャッサバのイモの収穫方法を確立してきた。種茎を植えつけてから2年が経った3年目、肥大したイモのみを選択して収穫する「クハトラ」をおこなう。クハトラでは小さなイモを残し、ふたたび土を被せる。4年目にはすべてのイモが大きくなるので、株ごと引き抜く「クブイタ」をおこなう。キャッサバの生長が遅い環境のもと、できるだけイモを大きくして安定的に食料を確保しようとして、ルンダの人びとは2つの収穫技術を実践している。

強大な勢力を誇り、多くの民族を支配下に収めてきたルンダは、他民族やポルトガル人商人といった外部者と接してきた。現在、ルンダの人びとが「ルンダの伝統」と誇らしげに語るひとつひとつの事柄は、長い歴史の中で、多くの民族や外部者と接することでつみあげられた累積の結果であるといえる。

（原　将也）

コラム12

たき火を囲んで語り継がれる昔話

原　将也

夕飯を食べ終わり、すっかり日が暮れた頃、ルンダの子どもたちは大人たちのいるたき火の周りに集まる。最も年上の長老が、おもむろに昔話を語り始める。ときには、カレンディという親指で鉄製の弦をはじく「親指ピアノ」を弾きながら語ることもある。毎晩、子どもたちは大人たちの語る冒険話や武勇伝、村の歴史、過去の農耕や漁撈、狩猟の話、民族で語り継がれる口頭伝承やことわざなどに耳を傾け、胸を躍らせる。子どもたちは大人から昔話を聞き、暮らしにまつわる知識や民族の歴史などを覚えていくのである。

ルンダにおいて、世代をわたって語り継がれる話の中で最も有名な昔話が、ルンダとカオンデの冗談関係に関する口頭伝承だ。冗談関係とは、侮辱的な冗談を言い合う関係のことで、そこに悪意はなく、むしろそうふるまうべきだと考えられている。ルンダとカオンデは、現在まで冗談関係にあると認識され、その関係性にもとづいて、互いに葬儀を手伝いあったり、互いの民族のことを嘲笑しあったりする。たとえばカオンデが好んで野草をおかずとすることに対して、ルンダは「カオンデは雑草ばかり食べる」と嘲笑する。こうした冗談関係にもとづく行動は、いわば定番のやりとりだ。この冗談関係のきっかけが、ルンダの歴史の中でも重要なできごととして語り継がれている。

昔ルンダには、ルウェジという名の女王がいた。彼女はいつも屋敷の中で、ひとりで過ごしていた。

チビンダ・ムタータータというカオンデの男が、野生動物の狩りをしていた。彼は大きな動物をしとめ、その肉を持ち帰る手伝いをしてくれる人を探そうとしたが、林の中で道に迷ってしまった。

　湿地にたどり着くと、ひとりの女性が水を飲んでいた。彼はその女性に「水をください」と頼んだ。すると女性は「どこから来たのか」と尋ね、彼は「道に迷ってわからない」と答えた。女性はチビンダ・ムタータータに水を与え、彼は水を飲み干した。すると、彼は疲れ果てて動けなくなってしまった。

　女性は彼を運ぶため、男を呼びに村へ戻った。

カオンデの葬儀にキャッサバを提供するルンダの女性たち。カオンデとルンダには冗談関係があり、助けあうのだという。

助けに来た男たちは、チビンダ・ムタータータをルンダの女王ルウェジの屋敷に運んだ。ルウェジがチビンダ・ムタータータに食事や水を与えると、彼はその日のできごとを話し始めた。ルウェジはチビンダ・ムタータータに寝る場所をあてがった。

その夜、ルウェジが王の証であるブレスレットを外し、チビンダ・ムタータータに見せた。彼は、そのブレスレットを自分の腕にはめてしまった。ルウェジは、チビンダ・ムタータータに対してブレスレットを返すように言う。しかし彼は、ブレスレットをはめたまま寝てしまう。

翌朝、チビンダ・ムタータータは、持っていた銃を空に向けて撃った。ルウェジの兄弟は銃声を聞き、あわててルウェジの屋敷に向かった。チビンダ・ムタータータは、駆けつけた兄弟に対して、みずからの腕にはめたブレスレットを見せ、「わたしはルウェジと結婚する」と言った。そして「わたしは王になる」と宣言した。ルウェジの兄弟は、チビンダ・ムタータータに対して怒り、どなり始めた。チビンダ・ムタータータも、それに応答するようにどなり始めた。このやりとりから、ルンダとカオンデは互いにどなりあう関係になった。

このどなりあう関係が冗談関係なのだという。人によって話の細部に違いはあるが、ルンダの女王とカオンデの猟師が婚姻関係にあった伝承は、ルンダの人びとのあいだで広く共有され、必ず話される昔話である。子どもたちは大人から話を聞き、カオンデとの冗談関係について学ぶ。そして、冗談関係にもとづくふるまい方を習得し、ルンダの大人へと成長していく。

20

カオンデ

★未開発地域における急速な開発と生活様式の変化★

カオンデという民族の人びとは、北西部州のソルウェジ県やカセンパ県、ムウィニルンガ県、ムフンブウェ県に居住し、バントゥ諸語のカオンデ語を話す。現在のコンゴ民主共和国のカタンガ地方に位置するルバ王国が祖であるという伝承を持つ。ルバ王国は15世紀から16世紀の初頭にコンゴ南部のルアラバ川流域に形成され、領域内に豊富に存在する銅や鉄を利用する以外に、製塩にも従事していたという。ルバ王国の一部の人びとが19世紀から20世紀初頭にかけてクラン（親族集団）を単位とする小さな集団で、現在のザンビア北西部州一帯に南下し、カオンデという民族集団を形成したとされる。コンゴから移動してきた人びとはキセミと呼ばれ、その当時を語ることができる長老がいたが、その人数はわずかになってしまった。

カオンデ社会には現在、13人のチーフがいるが、北部のベンバ王国や西部のロジ王国のようにパラマウント・チーフを頂点とするような集権的な社会構造をとらず、親族集団の長がチーフとなり、分節的な社会構造を持っている。チーフのあいだには、上下関係は明確ではない。チーフ・カセンパはキノコ・クランの長、チーフ・イングウェは野犬クランの長、チーフ・チゼラはサル・クランの長、チーフ・ムメナはライオン・クランの長といった具合である。カオンデのチーフは植民地時代の1930年代から40年代にかけて、統廃合が繰り返されたという経緯がある。

それぞれの親族集団は野犬、イヌ、ヤギ、サル、ゾウ、ヒョウ、ライオン、ヘビ、トリ、シロアリ、ハチ、キノコ、水といったトーテムを持っている。カオンデの人に「あなたのムコワ（トーテム）は何ですか？」と聞けば、その相手はとても驚きながら、この質問に気軽に答えてくれるだろう。カオンデの社会では、同じトーテムを持つ男女は結婚することができない。

この親族集団どうしにはブヌングウェと呼ばれる冗談関係がある。その関係はイトコどうしのようだとたとえられる。冗談関係の根拠の説明のされ方が、おもしろい。水はすべての生物に必要なので、水クランの人びととすべてのクランの人びととのあいだには冗談関係がある。シロアリは枯れた物、死んだ物をすべて食べるので、シロアリ・クランと他のクランには冗談関係がある。キノコはシロアリ塚から発生する、ハチとヘビは同じ穴に住む、ゾウはシロアリ塚に寄りかかるので、冗談関係がある。お互いのそんな共生関係が根拠になることもあれば、ライオンはヤギを食べる、サルはキノコを食べる、ヒョウと野犬は会えばケンカするということで冗談関係になるのだとも説明される。敵対する関係も、冗談関係に転換しようとする、人びとの心性がうかがえる。冗談関係にある者たちは日頃からころころと笑いあっていることもあるし、葬式のときに「段取りが悪い」「食事が足りない」など、正直なことを率直に言える間柄となる。

カオンデの人びとは両親が中心となり、既婚の息子と娘、孫たちの世帯とともに7世帯ほどの小さな村を形成する。村の名称は創始者の名前であることが多い。現在のコンゴ民主共和国から移住して

雨季における森林の中のカオンデの集落。7世帯以上になると、村は分裂することが多かった。

きた祖先の名前がつく村はコラと呼ばれ、由緒ある村だといわれる。カオンデ社会は母系制であるため、上記のトーテムは母から娘、息子に継承される。また、村長の息子は村の正当な継承者とはならないが、年長男性の多くは自分の息子や娘と住みたがり、自分の村を持とうとする。両親と息子の嫁、娘の婿《むこ》とは忌避関係にあり、日常生活の中で一緒に食事をとってはいけない。村長である父親が逝去すると、母系制にもとづく継承ではないが、同居する長男がつぎの村長となることが多い。父も母も亡くなったとき、次男や三男たちは兄と一緒に住みつづけるか、あるいは、自分の子どもを連れ、独立して村を創設することもある。

雨季には森林の中に居住し、両親の家とともに息子や娘たち夫婦の家が円形にならぶ。住居の周囲に広がる森林を切り開き、ブジミと呼ばれる焼畑が開墾される。広域で生態調査を実施したトラップネル（コラム2参照）によると、カオンデの人びとは伐採した樹木の枝葉を方形に積み上げ、火入れするのでブロック・チテメネという学術的な名称がつけられている一方で、ベンバの焼畑は枝葉を大きな円状に積み上げるため大円チテメネ、中央州に居住するララは枝葉を多地点の小さな円状に積み上げ、火入れすることから小円チテメネと区別されている。男性の主な農作業は樹木の伐採であり、3年に1度だけ伐採作業に従事し、気まぐれのように女性の農作業を手伝う程度で、十分に暮らすことができた。カオンデの主食は、ブジミで栽培されるモロコシであった。モロコシは鳥類による食害を受けやすく、家族が総出でシロアリ塚のうえから畑を見渡し、鳥が来れば、子どもがドラムをたたき、そして畑に下り走っていき、鳥を追い払った。

人びとはモロコシを杵と臼で粉にし、お湯の中に粉を入れ、練り粥にして主食とした。6月から10月までの乾季は農閑期となり、人びとは農具や家財道具を持って、道路沿いに集住する。お酒を飲んだり、家を訪問しあって隣人との交流をあたためた。乾季になると、男性は積極的に森林の中へ狩猟に出かけていった。日帰りで行くことが多いが、2泊3日や1週間かけ、泊まりがけで狩猟に行くことも多かった。女性たちも子どもを連れて、川で魚やカニを捕まえ、これらは貴重なタンパク源となった。おかずを確保し、大人も、子どもたちも楽しそうな表情をしていた。木の実やキノコ、そしてハチミツもたくさん採取でき、畑の収穫物や森林のめぐみは小さな集落の中で分配され、みながその恩恵にあずかることができた。住居の周囲に焼畑の開墾適地が少なくなると、人びとは居住地を移動し、新しい家屋を建築した。そのときには同居するメンバーが変わることもあり、人間関係は更新された。この地域には舗装道路が通じておらず、乗り合いバスで行くのも大変で、物資の流通もなく、現金もなかったが、楽しいひとときだった。

そんな生活が2010年頃を境に、急速に変化し始めた。まず、子どもたちが平日、小学校へ通うようになった。親は子どもの学費を工面し、学校の教師に農産物を支払った。森の中に住むことはなく、道路沿いに定着することで子どもたちが鳥追いをすることはなくなり、家族が総出で収穫期の畑を見張ることもなくなった結果、モロコシの栽培とブジミという焼畑は衰退した。銅の国際価格が高騰し、好景気によって雇用が創出されたことで、村から銅鉱山や都市へ出稼ぎに行く男性が出始めた。

この地域に舗装道路の建設が進み、長期にわたり中国の建設会社に雇われる男性もいる。また、高圧電線を通すために森林を伐採する出来高払いの仕事――ピースワークに従事する男性も増えた。近隣の村々から一挙に100人の男性が雇われた。両親や祖父母の畑では、子や孫は無償で働くのが当たり前だったが、いつしか、賃金労働に変わってしまった。若者たちだけでなく、村びとたちは森林の中での生活を好まず、道路沿いに定着するようになった。

舗装道路の開通とともに、政府が化学肥料を供給し、道路沿いではトウモロコシが生産されるようになった。商人が村に来て、農家からトウモロコシを買い上げた。村びとたちがみずから国境を越えてコンゴ民主共和国に行き、高値で農産物を売りさばくこともある。焼畑を開墾する世帯は、ごく少数となり、大規模なトウモロコシ畑を開墾する世帯も存在する。練り粥の材料はモロコシからトウモロコシへと変化し、製粉には臼と杵ではなく、村の中心に設置された製粉機が使われるようになった。狩猟はレンジャーによって取り締まられ、かつての名手は森に出かけることがめっきり減った。

村では、開発や発展を意味するウブカモという言葉が頻繁に使われるようになったが、隣人を賃金労働で雇う富裕者と、日々の食料にも困る貧乏人が生まれ、親族どうしといえども、世帯間で格差が拡大している。わたしを世話してくれる三兄弟の長男は、わたしに言った。「かつて、男性の仕事はおかずを集めてくることでしたが、今では現金を稼ぐことに変わりました。焼畑の開墾はやめました。伝統は終わったのです」。そう、明るく話す彼の顔には、まったく屈託がなかった。カオンデの人びとの心性にもよるのだが、ザンビアの中で、開発が最も遅れていたと言われる北西部州であるがゆえに、今まさにカオンデの人びとは急速な変化を経験しているのである。

（大山修一）

21

ルヴァレ

★少年の通過儀礼ムカンダ★

ルヴァレという民族は、コンゴ盆地の南部にあったルンダ王国から派生したとされ、社会構造や文化的な慣習、生業形態などがルンダと類似している。現在ではザンビア北西部や西部のほか、アンゴラ、コンゴ民主共和国南部にも居住する。2010年の国勢調査によると、ザンビアに暮らすルヴァレはザンビア人口の2・2%、約27万5千人であり、ザンビア国内の民族の中でも人口規模は小さい。話者数は少ないが、ルヴァレの人びとが使用するバントゥ諸語のルヴァレ語は地方公用語に指定され、主に北西部州にあるルヴァレのチーフが治める地域の小学校で教授されている。

ザンビアの中では、ルヴァレは主に北西部州の最西部の町、ザンベジ周辺に居住している。ザンビアが独立するまで、現在のザンベジの町は、当時ルヴァレを意味したバロヴァレと名づけられていた。ザンベジ県にはルヴァレとルンダが居住し、両者の居住域はかなり明瞭に分かれている。ザンベジ川をはさんで西側にはルヴァレが、東側にはルンダが暮らす。実はザンベジに暮らすルヴァレとルンダは、長いあいだ対立してきた。北ローデシアの県長官が残した報告書によると、1892年にル

第21章
ルヴァレ

ヴァレとルンダのあいだで紛争が発生し、それ以降両者の関係は緊張している。北ローデシア時代には、川の東岸のルンダ領に住むルヴァレの子どもが、学校教育で不利益を被ることがあった。また東岸に住むルヴァレが、ルンダのチーフに対して納税を拒否したことも記録されている。ルヴァレとルンダの人びととのあいだでは、過去の記憶が受け継がれており、いまだに両者のあいだには少なからずわだかまりが残っている。

かつてルヴァレは、近隣の民族とともにまとめて記述されることが多かった。それはザンビア北西部や西部に居住する多くの民族の人口規模が小さく、みなルンダ王国から派生したとされ、共通点が多かったためである。とくにザンビア西部のロジ社会では、ルヴァレとその近隣民族はアンゴラから来たとされ、ロジ語で「西から来た人びと」を意味するマウィコとしてひとくくりにされた。マウィコの人びとは自然資源利用の制約を課され、ロジ社会において差別的に扱われていた。

ルヴァレ社会は母系制で夫方居住を基本とし、中央集権的なチーフ制を築いた。政治組織としては、ムワンガナと呼ばれるチーフが、最高権力をもつパラマウント・チーフである。その位は母系で継承される。ルヴァレの中心的な居住域であるザンベジ県には、3人のルヴァレのチーフがいる。その名はンドゥングとクチエカ、チンニャマ・リタピである。ルヴァレ全体をとりまとめるパラマウント・チーフはアンゴラにいるため、ザンビアに暮らすルヴァレにとって、ンドゥングが実質的な最高指導者である。これらのルヴァレのチーフたちは、現在でも伝統的な指導者として人びとに崇められている。ザンビアのルヴァレの最高指導者であるンドゥングを祝う祭典リクンビ・リャ・ミゼが、1年に1度チーフの宮殿で開かれる。この祭典は、ルヴァレのチーフの地位と威信を高める重要な機会となっている。

ルヴァレ社会では、母系親族から構成される村が基本的な単位である。この村はルヴァレ語でリンボと呼ばれ、1ヵ村あたり平均すると10～25人程度で構成される。チロロと呼ばれる村長とその母系親族、その配偶者と子どもが構成員である。ルヴァレは小河川沿いを主な居住地として農耕を営みながら、狩猟や漁撈、牧畜、採集などを組み合わせ、複合的な生業を営んできた。17世紀にルヴァレの人びとは、コンゴ川流域からザンベジ川流域までキャッサバをもたらした。彼らはもともとトウジンビエを栽培し、キャッサバを補助的に栽培していたが、現在では主にキャッサバを主食作物として育てて利用している。

ルヴァレ社会を構成し、最も重要な文化的慣習が、ムカンダと呼ばれる少年の通過儀礼である。ムカンダは乾季の8～9月に始まり、6～13歳の少年たちに割礼を施し、一定期間にわたり、林に建てられた小屋に隔離する儀礼である。この儀礼では、少年たちは後見人の男性とともに生活し、大人の男性としての心得を学ぶ。ムカンダという言葉は、割礼の儀礼のみを意味するわけではなく、割礼後の少年たちが隔離され、寝泊まりする林の小屋を含め、儀礼が執りおこなわれる場のことも表している。

小屋での隔離期間は、現在では割礼手術によるペニスの傷が癒えるまでの1ヵ月程度であるが、かつては1年にも及んだ。隔離期間の短縮は、学校教育の導入によるところが大きいと考えられている。ルヴァレ社会にいる専門の割礼師によって、林の中で割礼手術がおこなわれていたが、近年では町の病院で、医師による割礼手術を受ける少年が増えている。病院での手術後にはそのまま入院することもあれば、小屋に隔離され、傷が癒えるまでそこから通院することもある。

　ムカンダの小屋は、かつては村から遠く離れた林の中にあったが、近年では村のそばに建てられることが多い。しかし女性や割礼を受けていない子どもなどの部外者が近づかないよう、小屋の周りは高さ２・５メートルほどの草わらや枝で囲まれ、外から内部をうかがい知ることはできない。小屋での隔離は、すべての少年たちの傷が癒えるまでのあいだおこなわれる。隔離生活のあいだ、少年たちは日課として毎日のように歌を歌う。「食事儀礼の歌」、「飲み水を運ぶ歌」など、毎日おこなわれる生活の所作に関する歌が多い。これら以外に来客を迎えるときや叱責されるときなど、特別な機会にも歌が歌われる。

隔離生活を送るムカンダの少年たち

　ムカンダには少年たちを教育する目的があると報告されてきた。ルヴァレの男性たちも教育の目的を強調して語ることが多い。近年では、ムカンダの中で少年たちに教えられる事柄はあまりなく、学校で学ぶことのほうが多いという。形を変えながらも継承されてきたムカンダは、ルヴァレの男性たちにとって社会的な結束を育むものとして、現在でも重要である。男性たちは「同じムカンダを卒業した者たちは、一生涯にわたり争ってはならず、互いに信頼しあわなければならない」と語る。隔離生活をともにした仲間との連帯は、いくつになってもつづくものである。ムカンダを通して、ルヴァレの男として生きる自覚が育まれていくのである。（原　将也）

よみがえった先祖の霊マキシ

コラム13 原　将也

　乾季の夕暮れ、北西部州のルヴァレの村。子どもたちが大きな声をあげながら走りまわっている。おそるおそる様子をうかがうと、泣き叫ぶ子どもが大勢いて、なにやらただごとではない。中には大人の女性も混ざっている。どうやら、みなマキシから逃げ回っているようだ。

　マキシ（単数形ではリキシ）とは、独特な仮面を被って仮装した踊り手のことである。このマキシは男性が扮したものであるが、ルヴァレ社会では、死者の世界からよみがえった祖霊であると信じられている。ルヴァレ社会のほか、ザンビア西部や北西部、アンゴラ東部、コンゴ民主共和国南部に居住するチョークウェやルチャジ、ンブンダ、ルンダなどの民族社会にもマキシが存在する。マキシによる踊り、すなわちマキシダンスは、2005年にユネスコの「第3回　人類の口承および無形遺産の傑作」に採択されている。

　仮面と仮装をするマキシ（リキシ）にはさまざまな種類のモチーフがあり、その数は数十種類にもおよぶ。抽象的な意味をもつリキシのほか、ライオンやハイエナのような動物やチョウのような昆虫、ヘリコプターといった近代的な乗り物を表すリキシも存在する。たとえばカトトラというリキシは、祖霊と強いつながりをもち、狂暴な性格をもつリキシである。またリキシ・リャ・ムワナ・ペーボというリキシは、若い女性を模しており、3メートルもある棒に登ってアクロバティックな演芸をおこなう。

　これらのマキシはムカンダという男子割礼の儀礼で、たびたび現れる。ムカンダでマキシは歌や踊りを披露するだけでなく、割礼を受けた少年たちを外部者から守る役割を担う。ムカンダの中でマキシが登場する場面をみていこう。

よみがえった先祖の霊マキシ

カウヤニャと呼ばれるチョウを模した仮面のリキシ

まず割礼手術の当日の明け方、2人のマキシが現れ、村の中を踊りながら暴れまわる。その後、少年たちは割礼師による割礼手術を受ける。手術後にはペニスの傷が癒えるまでのあいだ、1ヵ月ほど割礼小屋に隔離される。この隔離生活のあいだ、割礼を受けた少年たちはマキシの踊り方や歌、仮面の作り方などを教わる。村の男性たちはムカンダのために、樹皮や小枝を用いてマキシの仮面と衣装をこしらえる。このとき毎日夕方になると、マキシが村々を訪ね、隔離された生活に必要な食料や生活用品などを村人にねだる。マキシは女性や子どもが近づいてくると大声で威嚇し、手にした木の枝を地面にたたきつけながら追い払う。冒頭の場面はこのときの様子である。

1ヵ月が過ぎて割礼の傷が癒えると、少年たちは隔離生活を終え、母親や親族の女性たちに会うことができる。少年たちが小屋を出た数ヵ月から2年後に、ムカンダの終了を意味する儀式を開く。この儀式は、正式にムカンダを終了させるためにおこなわれ、最も大きな祝いの儀式である。儀式では3人のマキシが中心となり、熱狂的な歌と踊りが夜を徹して披露される。

マキシによる踊りや演芸は、ムカンダのほかリクンビ・リャ・ミゼという1年に1度開かれるルヴァレのチーフの祭典で披露される。数多くのマキシが登場し、チーフを祝うためさまざまな歌と踊りを披露する。祭典に訪れた観客たちは、マキシの熱狂的なパフォーマンスに大盛り上がり。近年ではこうした機会のほか、ザンビア独立記念日の祝賀会や政治家によるパーティー、学校行事、NGOが開催するイベントなど、さまざまな場面でマキシダンスが披露されるようになっている。マキシダンスを踊って稼ぐ舞踏家も存在する。本来、それぞれのマキシがもつ精神的な意味合いが失われつつあると危惧する声もある。

IV

産業と開発

22

経済開発の課題

★銅依存と不平等★

1964年の独立以来、ザンビア経済の変わらない特徴は、その銅への依存である。ザンビアのような産業基盤の狭い途上国の経済は、輸入への依存なしには成り立たない。そのために不可欠なのが、外貨を稼ぐ輸出である。ザンビアではその輸出の大半が銅なのである。

独立当時、ザンビア経済で近代的技術を取り入れた産業のめぼしいものは、鉄道やヨーロッパ系農家の商品作物生産を除けば、銅産業に限られていたと言ってよいだろう。それ以来近年まで、ザンビアの輸出において、銅およびその副産物であるコバルトが、輸出額の約9割を占めてきた。そのために、この国の経済と社会は、銅産業の動向に大きく振りまわされてきた。

独立後の最初の10年間、先進諸国の需要が拡大し、銅産業は活況を呈した。人びとは銅山地帯（コッパーベルト、6章参照）での雇用を求めて都市に集まった。銅鉱山や精錬所で雇用を得られた者は、農村に住む多数の人と比べてはるかに高い収入を得ることができた。その生活は、農村の若者のあこがれの的になり、彼らにつづこうとする人があとを絶たなかったのである。

1970年代なかばには、ザンビアの都市人口の比率は35%と、サハラ以南アフリカの平均20%を大きく上回っていた。

しかし、すべての人が銅産業などの近代的産業で職を得られたわけではない。多くの人は都市の低所得者居住地域（コンパウンドなど、コラム4参照）に住み、近代的産業の波及効果で生まれた低賃金労働に従事しながら、よりましな就業機会がめぐってくるのを待つしかなかった。こうして、少数の近代的産業従事者と、その他の都市住民・農民のあいだに大きな貧富の格差が生じた。

こうした状況を受けて、社会主義政策のもと、銅鉱山会社を国有化したカウンダ政権は、銅の収入を元手にして財政支出を拡大した。その例が、食料や肥料の補助金である。食料補助金は食料増産を図り、膨張する都市人口を養うため食料を安値で供給するための政策である。補助金政策のもとで農家から高値で買い取られたトウモロコシは、製粉された後に都市住民などの消費者に、市場価格よりも安く販売される。また肥料の補助金は、主にトウモロコシの増産を後押しするためのものだった。この政策は、政府に財源がある限り、トウモロコシ農家を潤し、都市の人びとの食欲を満たしてうまく機能するはずだった。その主な財源が、銅産業の収入だったのである。

ところが、1970年代なかば以降、2度の石油危機を経て、銅の主な買い手だった先進国の経済が長期の停滞に陥った。これは政府の主要な財源である銅産業に大きな打撃となった。財政赤字が膨れ上がり、1980年代なかばにはザンビアは債務危機に陥った。国際通貨基金（IMF）、世界銀行（世銀）に代表される債権国・機関は、カウンダ政権に対して食料・肥料等の補助金の撤廃、国営化した企業の民営化、規制緩和、対外的な市場開放を内容とする構造調整政策を求めた。しかし、構造調整はカウンダの社会主義的理想に反していたし、都市住民と農家の生活に重要な意味を持つ補助金を廃止することは、政治的に困難だった。カウンダはこれらの要求を拒否し、債務の支払いを一方的に拒否した。債権国・機関側は、新規の資金供与の停止でこれに報いた。

銅収入が低迷し、外国から借金もできないのだから外貨が不足し、輸入がとだえがちになった。1992年に筆者はカウンダ政権が倒れた直後のザンビアに数ヵ月滞在した。折からの深刻な干ばつやHIV／エイズの蔓延もあって、経済状態の悪さが肌で感じられた。首都ルサカの政府官庁の建物では、備品は古く、ひびの入った壁、割れたままのガラス窓などが目についた。政府職員の移動手段が足りないので、行政活動は不活発だった。幹線道路はアスファルトがはがれるなど、インフラに劣化が目立った。都心部のビルやアパートの多くの外壁は汚れ、建設途中で止まってしまった巨大なビルがうら寂しい。外貨がなかなか手に入らず、輸送手段が弱っているため、商店で必要なものがなかなか手に入らない。日本人滞在者のあいだでは「昨日どこそこのスーパーで久しぶりに玉ねぎを売っていた」などの情報交換が毎日のあいさつ代わりになった。人びとは経済危機を背景とした治安の悪化を嘆いていた。彼らの不満はカウンダ政権への反感へと凝縮していった。独立の父カウンダが支持を失ったことの背景には、こうした経済の混迷があった。

前年に複数政党制への移行後初の国政選挙でカウンダを倒したチルバ政権は、1992年以降、IMF・世銀の求めに応じて構造調整政策を進めていった。これにより、多額の新規貸し付けなど援助が供与され、ザンビア経済は極端な不振を脱した。一方で鉱山会社は民営化され、食料・肥料の補助金が廃止されるなど、社会主義経済路線は放棄されることになった。

チルバ以降の各政権は銅依存経済からの脱却のため、経済と輸出の多様化を掲げた。また構造調整

第22章

経済開発の課題

高度成長下で広がったキャベツの生産
(2006年、西部州モングにて。宍戸竜司氏 撮影)

を通じた市場経済化によって成長を加速させることをめざした。たしかに、補助金の撤廃によって、農業生産の多様化が進むなど一定の成果はあった。しかし、実際にザンビアの高度成長を本格化させたのは、21世紀になってからの中国をはじめとする新興諸国での銅への需要の拡大という外部要因だった。２００５年までに援助国や国際機関への債務が帳消しにされたことも状況の改善に寄与した。１９８０年代後半から20世紀末までのザンビアの年平均ＧＤＰ成長率が１・７％だったのに対して、20世紀になってから２０１０年代なかばまでは年平均６・６％に上昇した。高度成長時代の突然の訪れだった。

　この間、輸出収入が急激に拡大するとともに、消費ブームが起こり、外国からの投資や貸付が増えた。外資系スーパーマーケットが進出し、都市にはショッピングモールが開かれた。輸出用のタバコ栽培が増加し、商品作物の多様化が進展し生産量も増えた（前ページ写真）。政府の財政状況も一時的に改善し、肥料補助金が復活した。

しかし、こうした高度成長の恩恵は、多くの人びとにはいきわたらず、むしろ貧富の格差は広がり、ザンビアは世界でも最も不平等な国のひとつとなっている。さらに、銅やコバルトの輸出に占める割合は依然として約7割もあり、経済全体がその変動に左右される状況がつづいている。2010年代のなかばに世界的な資源ブームが終わり、銅など一次産品の価格が下落するにつれて成長率が低下した。ザンビアの2015年から18年までのGDP成長率は3・5％へと落ち込んだ。憂慮すべきことに2006年に比べて2018年にはザンビアの対外借入は約8倍にふくれ上がり、債務危機が再燃しつつある。かたよった部門に依存せずに生産と輸出を拡大し、それを通じて幅広い人びとの雇用と所得向上の機会を開く。それはザンビア経済の古くて新しい課題である。

（高橋基樹）

鉱山開発の功罪

コラム14　中田北斗

首都ルサカから北に約130キロメートル、20万人超の人口を抱えるカブウェという中核都市がある。街の中心から南に数キロメートル進むと、1キロメートル四方ほどの広さの土地に積み重ねられた赤褐色や茶色などの堆積物の山が見える。奥の方に目をやると、ブラックマウンテンと呼ばれる、ひときわ高くて黒い山が目につく。1902年にこの土地で鉛・亜鉛の鉱床が見つかってから、1994年の閉山までの約90年間、この街は鉱山街として栄えてきた。市街地や市場は鉱山地区を中心に広がり、鉄道も鉱山地域の中心部を縦断するように敷かれており、鉱山がこの街の発展を促していたという事実は現在の街の状況からもうかがうことができる。

アフリカ有数の鉛鉱山として名を馳せた過去とは異なり、現在のカブウェは鉛に関する別の理由で国際社会の注目を浴びている。環境汚染である。鉛採掘が莫大な経済的利益をもたらした反面、汚染対策が不十分であったために環境汚染が進行していたのだ。資源採掘や産業活動に起因した周辺環境の汚染は、日本の四大公害病に代表されるように多くの先進国が過去に経験してきた。同様の事例は途上国各地で現在繰り返されており、カブウェの鉛汚染はその典型例である。資源のもたらす利益や利便性を企業や消費者が享受する裏で、採掘や製錬の現場における労働者あるいは周辺地域の住民は汚染の被害を被っている。鉛は加工や製錬が比較的容易なために人類の生活に欠かせない金属として長年にわたり重宝されてきたが、一方で人体に対してさまざまな毒性を示し、とくに子どもにおける神経発達遅延などの影響が大きいことが近年懸念されている。

カブウェの民家とブラックマウンテン。ブラックマウンテンからわずか100メートルの距離に多くの住民が暮らしている。

2017年からの約2年間、鉛汚染の実態解明とその克服をめざしたプロジェクトの現地駐在研究員として、わたしはこのカブウェの街に滞在した。研究者が短期間の渡航で汚染地域のサンプルやデータを採取することは一般的であるが、現場に住み込むというのは極めて稀である。さらに付け加えて言えば、妻と娘も現地で一緒に滞在した。汚染地域に一緒に来てくれた家族には感謝してもしきれないのだが、この駐在経験はわたしの考え方に大きな影響を与えた。

それ以前にも汚染地域への渡航経験があり、汚染が住民に与える影響や、環境の改善を渇望する住民の気持ちも人並み以上に理解しているつもりであったが、実際には圧倒的に理解が足りなかった。自分や家族が汚染地域に住む当事者となったとき、それまでにはない恐怖や不安を強く感じた。環境課題の解決には事前調査や関係機関との調整、手法の検討などに長い時間がかかるが、それでは自分の家族にとってはすでに手遅れかもしれない。経済的な理由などで引越しがかなわずに長年この地で生活する人びとの本当の気持ちを、任期付きのわずか数年の滞在で理解したというのはおこがましいが、見えない何かに家族の健康が日々脅かされている住民の感覚や気持ちを、少しだけ、確かに感じることができた。

実際、わたしが家族とともにカブウェに住んでいることを知ると、住民たちはこれまで以上に本音を語ってくれた。何でもいいから今すぐ何かしてほしい、子どもだけ他の地域に住む親戚の家に預けることを考えている、そんな声をいくつも聞いた。一方で、現状は変わらないし鉛に毒されて死んでいくだけだという悲嘆にくれた人びとも多くいた。

わたしと家族は首都ルサカに生活の拠点をすでに移し、生活環境に比較的恵まれていたこともあり、みずからが鉛の影響を受けることはなくカブウェでの生活は終わりを迎えた。ただ、現場から離れたオフィスや研究室での仕事、あるいは短期間の訪問だけでは決してわかり得なかったあの感覚を忘れてはいないし、おそらく今後も一生忘れることはない。カブウェのブラックマウンテンは、資源採掘や産業開発、環境配慮のバランスをどのように取っていくのか、わたしたちに今日も問いかけつづけている。

23

ザンビアをめぐる地域統合と経済圏

★内陸国のチャレンジ★

「地域統合」というと、一見非常にマクロな世界のことで、島国で育った日本人にとっては今ひとつ理解できない言葉だと思う。辞書を引くと、広義では複数の主権国家が、平和的手段で統一体を形成していく過程と書かれている。その過程には、①自由貿易協定（FTA）、②関税同盟、③共通市場、④共通通貨、⑤政治統合というプロセスがあり、このコンポーネントを各国代表の合意のもとに推し進めていく作業が地域統合である。簡単に説明すると、加盟国間の関税や非関税障壁（NTBs）がなくなり、非加盟国に対しても共通の関税政策が導入され、ヒト・カネ・モノが国境を自由に行き来できるようになり、そのモノの交換が同じ通貨でおこなわれ、これらの経済活動をひとつの政治母体が統制していくことになる。一番身近なところでは、イギリスの離脱（ブレグジット）が話題になったヨーロッパ連合（EU）がある。EUは、1951年にスタートしてから約70年あまりの歳月を経て現在27ヵ国が加盟しており、アフリカの地域統合はこのEUをモデルとしている。

さて、ザンビアをめぐる地域統合の話をするまえに、アフリカ全体の地域統合について概観したいと思う。1991年に、アフリカ連合(AU)の前身であるアフリカ統一機構(OAU)の首脳会合でアブジャ協定が採択され、アフリカ地域統合のロードマップが明確に示された。現在、AUが認可した8つの地域経済共同体(RECs)を中心に、上記の①〜④までのプロセスを段階的に推進し、最終的には2028年までにアフリカ経済共同体を形成することを目標としている。アフリカでは⑤の政治統合は視野に入っていない。

ザンビアは、表(次ページ)が示す8つのRECsの中で、南部アフリカ開発共同体(SADC)と東南部アフリカ市場共同体(COMESA)の2つのRECsに属している。SADCには16ヵ国のメンバー諸国が含まれており、域内で関税率を引き下げるFTAは2008年に発効済み、域外に共通の関税を課す関税同盟に関してはボツワナとレソト、ナミビア、エスワティニ(旧スワジランド)、南アフリカの5ヵ国を対象に南部アフリカ関税同盟(SACU)が1970年に発効されているが、SADCの関税同盟はいまだ発効されていない。COMESAにおいては、2000年にFTA、2009年に関税同盟が発効済みとなっている。

この「発効済み」というのは、この時点で域内の関税がすぐに引き下げもしくは撤廃されるということではない。通常、FTAや関税同盟は、加盟国間で交渉を経てまず大筋合意のかたちで妥結したのちに署名、自国議会での批准(条約に対する国家の確定的な同意の手続き)を経て発効するというのが一般的なプロセスである。発効後、詳細な内容について合意が形成されて優遇された税率の利用開始となるのだが、最終的な目標税率に達成するまでの移行期間が設定されることになる。

地域ブロック内での統合に加え、地域間及び大陸レベルのFTAも進んでいる。2015年に、COMESA、EAC、SADCの3RECs間でFTAの発効にかかる合意がなされた。2020年

アフリカにおける地域統合の進捗

地域共同体（RECs）名	加盟国（数）	設立年	FTA	関税同盟	共通市場	通貨同盟
1 東アフリカ共同体 (East African Community: EAC)	ケニア、ウガンダ、タンザニア、ルワンダ、ブルンジ、南スーダン (6)	1967/2004	●	●	●	△
2 南部アフリカ開発共同体 (Southern African Development Community: SADC)	タンザニア、ザンビア、ボツワナ、モザンビーク、アンゴラ、ジンバブエ、レソト、エスワティニ、マラウイ、ナミビア、南アフリカ、モーリシャス、コンゴ民主共和国、マダガスカル、セーシェル、コモロ (16)	1992	●	△	△	△
3 東南部アフリカ市場共同体 (Common Market for Eastern and Southern Africa: COMESA)	ブルンジ、コモロ、コンゴ民主共和国、ジブチ、エジプト、エリトリア、エチオピア、ケニア、リビア、マダガスカル、マラウイ、モーリシャス、ルワンダ、セーシェル、スーダン、エスワティニ、ウガンダ、ザンビア、ジンバブエ、チュニジア、ソマリア (21)	1994	●	●	△	△
4 西アフリカ諸国経済共同体 (Economic Community for West Africa States: ECOWAS)	ベナン、ブルキナファソ、カーボヴェルデ、コートジボワール、ガンビア、ガーナ、ギニア、ギニアビサウ、リベリア、マリ、ニジェール、ナイジェリア、セネガル、シエラレオネ、トーゴ (15)	1975	●	●	△	△
5 中部アフリカ諸国経済共同体 (Economic Community of Central African States: ECCAS)	アンゴラ、ブルンジ、カメルーン、中央アフリカ、コンゴ、コンゴ民主共和国、ガボン、サントメ・プリンシペ、赤道ギニア、チャド、ルワンダ (11)	1983	△	×	×	—
6 政府間開発機構 (Intergovernmental Authority on Development: IGAD)	ケニア、スーダン、ウガンダ、エチオピア、エリトリア、ジブチ、ソマリア (7)	1996	—	—	—	—
7 アラブ・マグレブ連合 (Arab Maghreb Union: AMU)	リビア、アルジェリア、モーリタニア、モロッコ、チュニジア (5)	1989	△	×	×	—
8 サヘル・サハラ諸国国家共同体 (CEN-SAD)	ベナン、ブルキナファソ、中央アフリカ、コモロ、コートジボワール、ジブチ、エジプト、エリトリア、ガンビア、ギニア、ギニアビサウ、ガーナ、リビア、リベリア、マリ、モロッコ、ニジェール、ナイジェリア、セネガル、シエラレオネ、ソマリア、スーダン、チャド、トーゴ、チュニジア、ケニア、モーリタニア、サントメ・プリンシペ、カーボヴェルデ (28)	1998	×	×	×	×

出所：各 RECs のウェブサイト、tralac のウェブサイト、及び RECs 関係者からの聞き取り調査より筆者作成
凡例　●：発効済み　△：準備中　×：進捗なし　－：計画なし

2月時点でメンバー諸国27ヵ国のうち22ヵ国が署名済みであるが、そのうち8ヵ国しか批准しておらず、いまだ発効には至っていない。加えて、2019年5月にアフリカ大陸自由貿易圏協定（AfCFTA）が発効された。これは、AUが承認するアフリカ55ヵ国を対象とし、関税／非関税障壁の削減・撤廃や投資拡大がメインだが、将来的にはヒトの移動の自由化や共通通貨の導入、単一アフリカ航空輸送市場の設立もめざす。実現すれば、90％の品目で関税が取り除かれ、12億人の人口とGDP総額3兆4000億ドルを持つ世界最大級の自由貿易圏が誕生することになる。現段階では、ザンビアを含めた54ヵ国が署名、30ヵ国が批准しており、2020年7月の運用開始をめざしていたが、新型コロナウイルス感染症（COVID-19）の影響で2021年以降に先延ばしとなっている。また、大陸内で関税が完全に撤廃されるには少なくとも10～15年の移行期間が必要だとされている。

上述のような地域統合の深化にともない、ザンビアの消費者は多様で安価な輸入品を入手できるようになることが見込まれるが、現状では競争力のある国内産業が育っていないこと、また内陸国という立地条件から物流コストが高くつくことで、消費市場においてはFTAの効果が実感しづらい状況にある。国連貿易開発会議（UNCTAD、2019）によると、アフリカの域内貿易比率は2016年時点で15・4％と、EUの61・7％、NAFTA（北米自由貿易協定）の40・3％、ASEAN（東南アジア諸国連合）の23・3％と比較しても非常に低いが、SADCの域内貿易は21％と8RECsの中では一番高い比率となっている。その要因のひとつは、近年の南アフリカ企業の南部アフリカ諸国への進出である。南アフリカのシンクタンクである貿易法律センター（tralac）の報告によると、2018年時点でのザンビアの域内輸出率は貿易全体の20％、輸入率は52・6％であり、輸入品の半数以上が

ザンビアで増えている南ア資本のショッピングモール

域内（主に南アフリカ）で調達されている。写真はザンビアにある南アフリカ資本のショッピングモールである。筆者が2018年まで住んでいた南アフリカとほぼ同じ商品が店頭に並んでおり、近年現地調達の増加は見られるものの、商品によっては4~5割増しの値段で販売されている。

ザンビアは積極的に地域、地域間、そして大陸レベルの経済統合プロセスに参加しているが、複雑な適用関税率や貿易ルールに準ずるFTAや関税同盟の効果はいまだ限定的である。とくに、ザンビアのような8ヵ国と国境を接する内陸国の場合、トラックや貨物列車が国境を越えるたびに、出国側と入国側それぞれの国で審査、税関、検疫などの手続きが必要なため、多くの時間と労力が必要になる。またインフラが十分に整備されていないために、モノが港に到着してから目的地に到着するまでに時間がかかり、輸送費や人件費がかさみ物価の高騰につながるなどの問題が生じてくる。ザンビアは、これらの非関税障壁を取り除くためにアフリカで第1号となるワンストップボーダーポスト（OSBP）と呼ばれる国境円滑化のための施設をチルンド国境に建設した。OSBPとは、両国の国境施設をひとつに統合し、どちらか一方の国に手続き場所を設けるなど、出入国手続きを効率化する越境・通関業務の運営方式であり、現在アフリカで80以上のプロジェクトが計画・実施段階にある。ザンビアのような内陸国が最終的に地域統合からの恩恵を享受できるようになるには、このような貿易円滑化にかかるさらなる努力が必要となってくる。

（徳織智美）

24

トウモロコシ農業小史

★銅、二重構造そして化学肥料とのはざまで★

1991〜92年頃、首都ルサカを起点に東西南北の幹線道路を何度か車で数十キロメートル往復したことがある。道の両サイドに大規模農場をみかけたが、アフリカ人が営む小規模農業は間近にみえてこなかった。国土面積は日本の約2倍だが、当時の人口は1千万足らずで、ルサカから少し離れると、農村に住む人びとはひっそりと暮らしているように思えた。2000年代なかばには、飛行機がルサカの国際空港上空で着陸態勢に入ると、眼下にセンターピボットという灌漑装置を備えた、円形の圃場《ほじょう》が点々とみえるようになった。その後グーグルアースの衛星画像でチェックすると、このような圃場が増え、全国の広域でみられるようになった。

ザンビア農業の特徴のひとつは、大別すれば多数の小規模農業と少数の中・大規模農業で、前者が在来農業、後者が近代農業という二重構造である。これはまさに負の植民地遺産といえるもので、北ローデシア時代に少数のヨーロッパ系白人が入植し、交通の便の良い肥沃な土壌の地域に大規模農場地帯が形成された。歴史的、政治的、社会的、そして経済的に背景の異なる農業から成り立っている。現在でもこの構造は大きく変わっ

センターピボットを備えた大規模農場

ていない。1920年代に銅をはじめとする鉱物資源が発見されてから、ザンビア農業は鉱山労働者や都市住民に食料をいかに安定的かつ安価に供給するかが常に重要な課題となってきた。

このような構造のもとで白色のトウモロコシは植民地期、独立を経て今日まで主食として重要な位置を占めるようになった。このトウモロコシ中心の農業が第2の特徴である。政府も農家もトウモロコシ増産のために改良種子と化学肥料をいかに調達し、利用できるかが一大関心事であった。植民地期の前半、1940年代頃までは白人による大規模農業が食料生産の役割を担っていた。アフリカ人が住む農村は鉱山や都市に労働力を提供する役割を持った。そのため若い男性の貴重な働き手が流出したことで農村に住む女性の労働負担が増え、食料生産が不安定になったといえよう。しかしその後、トウモロコシ生産の主力はアフリカ人に移っていった。

第3の特徴は、雨季と乾季が明瞭だという自然条件がこの国の農業生産に大きく影響していることである。地域にもよるが、年平均の降雨量は1000ミリメートル程度、雨季は12月から4月まで、それ以外は乾季であり、このあいだに雨はほとんど降らない。乾季に作物を栽培しようとすれば、灌潤が必要となる。各地域の自然は多様性に富んでおり、もともとは自然条件に適した作物が栽培され、各地で多様な農業が営まれていた。

今日ではザンビアの国民食、食文化の基本をなす主食、シマはトウモロコシの粉が原料である。トウモロコシが全国で広く栽培されるようになるまで、およそ百年の歴史がある。16世紀にポルトガル商人が南部アフリカに持ち込んだトウモロコシはフリント系で色も多様であったが、収量は低かった。18世紀末頃までにトウモロコシは主食のひとつになっていたようだが、その栽培はモロコシやシコクビエ、カボチャ、ラッカセイといった作物との混作によるものであった。１９２０年代初め、鉱山労働者の食料としてトウモロコシの需要が増えた。増産のために南アフリカやアメリカから輸入した白色デント系の品種は自然交配によるものであった。この品種は収量が高いので普及したが、一方フリント系の在来種は次第に消えていった。１９２０～30年代、トウモロコシは主に白人農場が市場に出荷していた。

この間アフリカ人、とくに南部州のトンガ（18章参照）などは自給用作物としてトウモロコシをすでに栽培していたが、やがて商品作物として栽培面積を広げ、市場への販売量が増えていった。そのため、植民地政府は１９３６年にトウモロコシ統制条令を制定し、同時にトウモロコシ統制局を設置してアフリカ人農民との競争から白人農場を保護した。しかしその後もトンガはトウモロコシを増産し、出荷量を増やしていった。この背景には、スキによる牛耕、運搬用の牛車やソリなど、牛をすでに飼育していたトンガがこれらの新技術を積極的に受け入れたことが増産の一要因である。

独立後にも政府は外国政府や国際機関の支援を得て、トウモロコシの品種改良や栽培技術の普及に力を入れてきた。1970～80年代、政府はトウモロコシと化学肥料の全国均一価格、一括買い上げや輸送費補助などの政策によりトウモロコシの増産を進めた。そのため莫大な財政赤字を抱えることになったが、消費地からかなり離れた遠隔地でもトウモロコシ生産が拡大し、より一層トウモロコシ作に偏ることになった。その典型例が北部州でみられたトウモロコシの増産である。ここでは伝統的な焼畑耕作のチテメネ農法が広くおこなわれていたが、化学肥料を用いた定着農業によってトウモロコシが栽培されるようになった。

1994年から構造調整が本格的に始まり、トウモロコシと化学肥料の流通自由化が実施された。化学肥料は基本的に市場価格となり、トウモロコシ価格と比べて相対的に値上がりした。トウモロコシ生産をとくに重視する農民は必死に化学肥料を求めた。だが、ハイブリッド種子を含む改良品種や化学肥料の増産効果は果たしてどの程度なのか、疑問に思う。というのは、政府が奨励する栽培技術を実行していない農民、とくに小規模農民が多くみられたのである。ハイブリッドの種子は毎回更新しなければならず、施肥についても元肥と追肥の時期が決まっている。だが、前に収穫したものを種子に使う農民が多くいる。雨季に入って種子を蒔き、時期をみて肥料を施すものの、その後雨がしばらく降らないこともある。逆に、施した高価な肥料が激しい雨水で流されてしまうこともある。リスクを避けるためにトウモロコシが確実に育ってから肥料を与えるのだ。

1990年代後半には、融資制度で種子と化学肥料が農民組合を通じて入手できるようになった。政府からの補助率は変化しているものの、融資制度は今日までつづいており、政府の財政負担を重くしている。なぜこのような制度がつづいているのか。トウモロコシが不作になると都市や鉱山労働者

小型ポンプの導入でトウモロコシ２期作が可能になった

に安定供給できなくなる。大規模農業にトウモロコシ生産をすべて委ねれば、小規模農民、とくに消費地から離れた遠隔地の農民には他に有望な商品作物が乏しい。肥料は政治財だという見方もあるが、この制度は銅の輸出で得た富を、一部の農民に対してではあるが、農村に分配する一種のメカニズムとして作用している。また、化学肥料による貨幣の浸透が農村における市場経済化を測るひとつの指標なのかもしれない。

雨に左右される農業だが、２０００年代なかばから一部の農民が小型ポンプを導入し、乾季にトウモロコシを栽培するようになった。地下水位の高いダンボという湿地における小さな「緑の革命」もみられる。乾季でのトウモロコシ作は市場価格と燃料費などの生産費との関係で左右されるが、新しい栽培技術を用いた革新的な農業の芽が生まれている。

（半澤和夫）

25

農業開発の可能性

★ザンビアは「アフリカのパンかご」になれるのか★

ザンビアは、比較的恵まれた自然条件（降雨量や土壌、1、2章参照）のもと国土の58％が耕作に適した土地とされているが、耕作適地のうちのわずか14％が農地として活用されているに過ぎない。また、南部アフリカ地域の水資源（表流水及び地下水）の40％がザンビアに存在するといわれるが、灌漑適地とされる275万ヘクタールのうち5・7％が灌漑されているのみである。一方、全人口のうち56％が農村部に居住し、15歳未満が45％を占めている（2018年）。このように広大な未開発地と豊富な水資源、若い労働力を有するザンビアは、農業開発の大きなポテンシャルを有しているといえよう。

では、農業開発を進めるうえでの課題は何だろうか。まず「トウモロコシ偏重の農業生産」が挙げられる。ザンビアの主食はシマと呼ばれるトウモロコシ粉の練り粥であるため、日本のコメと同様にトウモロコシの作付けが多いのはある意味当然である。問題は生産量の年ごとの変動が非常に大きいこと（次ページ図）と、ザンビアの独立以来の補助金体質にある。

トウモロコシ生産の9割を担う小規模農家が灌漑設備を持たず、雨水に頼っていることは生産を不安定にしている。最近

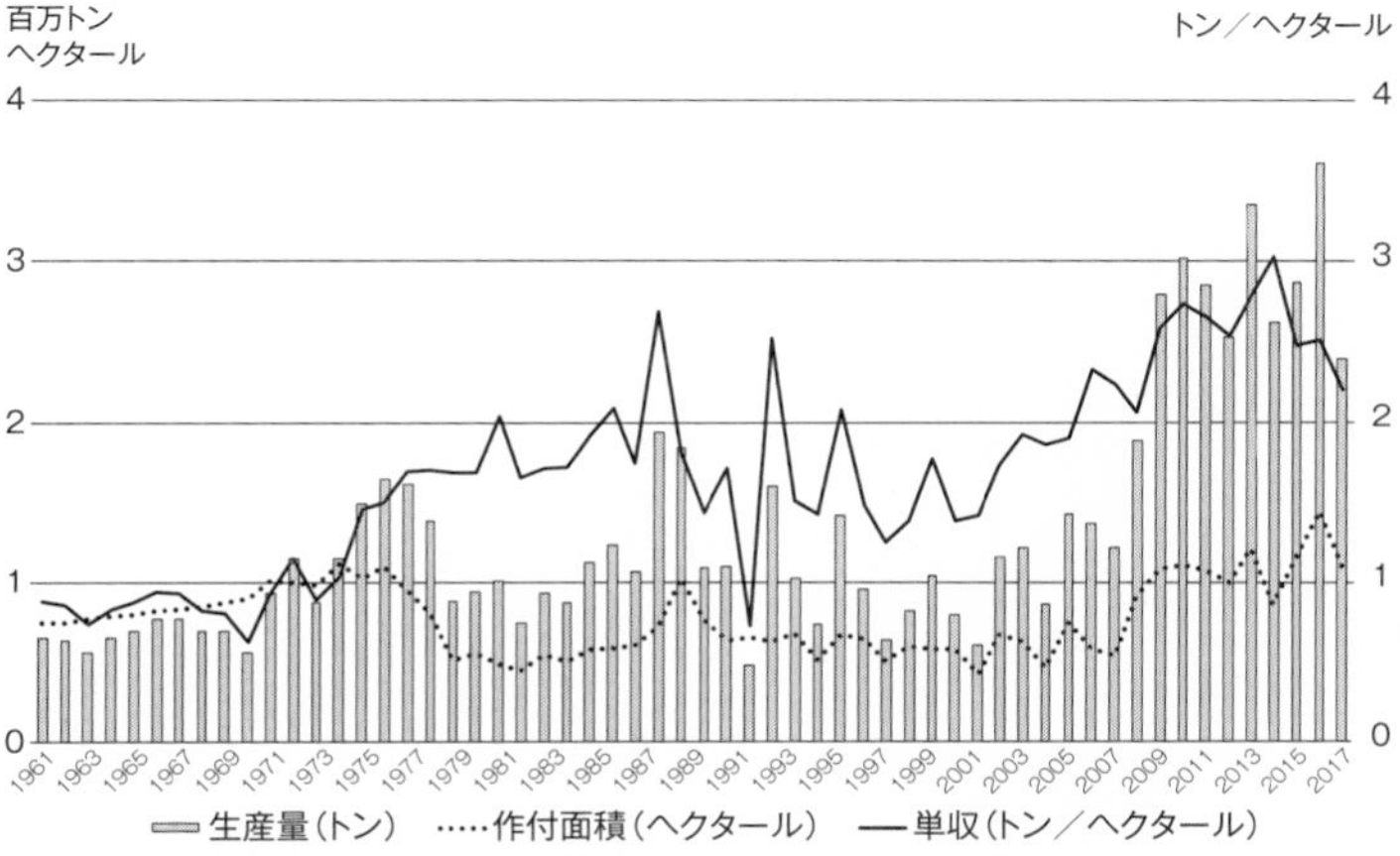

トウモロコシ生産量、作付面積、単収の推移（1961 ~ 2018 年）
出所：FAOSTAT データより筆者作成

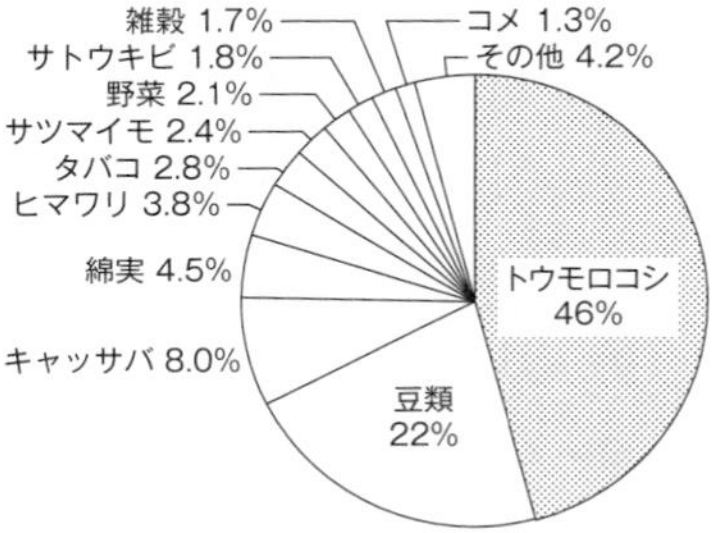

主要作物の作付面積割合（2018 年）
出所：FAOSTAT データより筆者作成

では２０１８年から２０１９年にかけて干ばつに見舞われ、トウモロコシ生産量は前年度に比べて16％減となった。その結果、南部の農村部を中心に食料不足が深刻化するとともに、都市部ではトウモロコシ粉の市場価格が急騰した。政府は、農家によるトウモロコシ種子と肥料の購入に補助金を出すとともに逆ざやでの一律買い上げをおこなうなど、これまでトウモロコシ生産を手厚く保護してきた。しかし、かかる補助金政策は、農家の生産改善に向けた意欲をかえって低下させるとともに、試験研究や普及に必要な予算を圧迫し、その弊害も大きいと言わざるを得ない。また、トウモロコシに偏った食生活は、乳幼児期にタンパク質や微量栄養素の摂取が不足する「慢性栄養不良」の要因ともなっている。国家の食料安全保障と農家の生計向上の両観点から、耐旱《たいかん》性や栄養価の高い穀類・豆類・根菜類の導入や灌漑開発を通じた「農業の多様化」が喫緊の課題となっている。

２つ目の課題は「農業の二重構造」である。ザンビアでは２ヘクタール未満の農地しか保有していない小規模農家が全農家世帯の７割（約１００万世帯）を占める。一方、20ヘクタール以上の農地を保有する大規模農家は０・１％（約３０００世帯）に過ぎないが、全耕作面積の６％を占めている。前者はトウモロコシや雑穀（シコクビエやトウジンビエ）、ラッカセイなどの自給作物を、後者はダイズや小麦などの商品作物を主として栽培している。このようにザンビア農業は小規模農家と大規模農家の二重構造を形成し、前者の76％は1日1・9ドル未満の所得で生活する貧困層に位置づけられている。農村部では、統計上は表れてこない焼畑耕作や狩猟、漁撈、採集が広くおこなわれており、村落内での相互扶助機能も働いているため、貧困層であっても必ずしも衣食住に困窮しているわけではない。ただ、教育や保健サービスを受けるにも、生活必需品を購入するにも現金が必要であることから、「ビジネスとしての農業」への移行は避けては通れない道といえよう。

３つ目の課題は「農業の成長産業化」である。世界銀行によると、ザンビアの労働力人口の54％が農業に従事している一方で、農業セクターのＧＤＰへの貢献は2・6％に過ぎない（２０１８年）。そのため、ザンビアの第７次国家開発計画（２０１７〜21年）では「経済の多様化と雇用の創出」のための優先課題として「輸出志向型の多様化された農業」を掲げている。国内外からの投資を促進し輸出力を強化することを通じて、農業セクターを鉱業に代わってザンビア経済を牽引する成長産業に育てていく必要がある。

次に、これらの課題解決に向けた日本の取り組みを紹介したい。政府開発援助（ＯＤＡ）による農業セクター支援は１９８０年代初めに開始され、農村開発や農業技術普及体制の強化から水産養殖や畜産（獣医教育）まで幅広く展開されてきた。２０１０年代に入ってからは小規模灌漑開発と稲作普及を中心とした支援がおこなわれている。灌漑開発については、累次の技術協力プロジェクトにより、現地で入手可能な資材を用いて農家みずからが建設し維持・管理できる、小規模で簡易な灌漑技術を導入した結果、これまでに１５００ヘクタール以上の新規灌漑開発を達成した。また、近年都市部を中心に消費が急伸するコメについては、ダンボと呼ばれる内陸低湿地を活用した栽培技術の試験研究・普及がおこなわれている。これらの支援は前述した農業の多様化に貢献するとともに、生産した野菜やコメを市場に販売することにより、小規模農家の所得向上が期待される。

さいごに、ザンビア政府が農業投資促進に向けた切り札として、全国10ヵ所で進めている「ファームブロック開発」についてふれておきたい。これは、政府が10万ヘクタールの農地を確保したうえで道路や送電線などのインフラ整備をおこない、うち１０００ヘクタールから1万ヘクタールをコア投資家と呼ばれる民間企業に分譲するとともに、そのほかの農地に小・中規模農家を入植させるものである。民間企業が輸出を視野に入れた大規模かつ商業的な農業をおこなう一方で、入植した農家やファームブロック周辺の零細農家も企業の流通ルートや集出荷施設を活用することを通じて、より市場志向型の農業が可能となる。この取り組みが単なる土地の囲い込みとならないよう、企業と小規模・零細農家にＷｉｎ-Ｗｉｎで裨益《ひえき》する開発モデル作りが必要であり、そのために日本の貢献が期待されている。ザンビアは近い将来「アフリカのパンかご」となる大きな可能性を秘めている。

（花井淳一）

農民の携帯電話利用

コラム15

石本雄大

ザンビアでは、他のサハラ以南アフリカ諸国と同様に、携帯電話が急速に普及している。普及の程度を把握するため、携帯電話と固定電話についてその割合を示す。携帯電話ネットワーク加入者数を国の人口で割り、算出した普及率は2008年の26・9%から上昇しつづけ、2012年に74・3%に達し、2013年および2014年に落ち込んだものの、2018年には91・6%に達している（下図）。一方、固定電話の普及率は2008年から2018年までを通し、1%にも満たない。ザンビアでは固定電話よりも携帯電話の方が、圧倒的に普及していることがわかる。

ザンビア国内で個人や世帯のICT（情報通信技術）へのアクセスおよび利用に関して把握するために2018年に実施された調査から、性差と年代差、携帯電話所有の地域格差、スマートフォン所有に関するデータをみていこう。

2018年にザンビア国内で、直近3カ月以内に携帯電話を使用した10歳以上の個人の割合を男女で比較すると、男性は56・9%、女性は50・9%で、6・0%の違いが生じていた。また、年代別に比較すると、40歳未満の使用者が70・3%を占め、55歳以上の使用者は10%未満

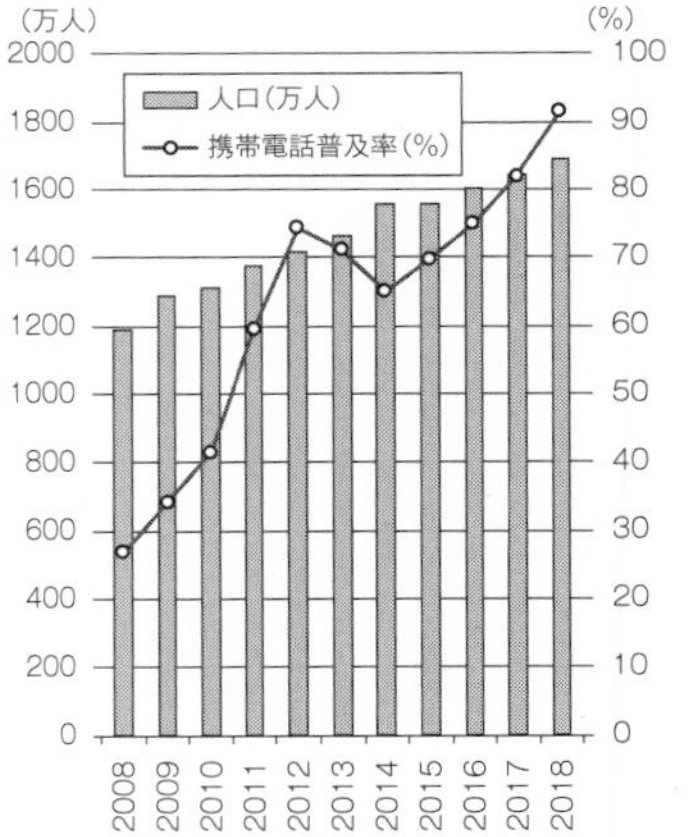

ザンビアの人口と携帯電話普及率の変化
出所：ZICTA（2015, 2018）

コラム15

農民の携帯電話利用

であった。

直近3ヵ月以内に携帯電話を使用した10歳以上の個人の割合は、2018年にはザンビア全体で53・3%であり、都市部では71・0%、農村部では42・1%であった。すなわち、都市部と農村部では28・9%もの違いが生じていた。ちなみに、国内における使用者のうち携帯電話の所有者は83・4%、スマートフォン所有者は29・6%であった。

地域間で使用割合に差の生じる要因のひとつとして、通信網のちがいが考えられる。居住地において携帯電話の通信網にアクセス可能な人の割合は、全体で86・9%であったが、都市部では97・8%、農村部では79・7%であった。都市部ではほぼ全員が通信網の範囲内に居住するが、農村部では約2割の人が範囲外に居住していた。

農村部では都市部よりも携帯電話通信網へのアクセスが容易でなく、使用割合に差があるとはいえ、通信網は重要な社会インフラとなりつつある。そこで、少し古いデータになってしまうが、ザンビア南部における2009年から2010年までの携帯電話の使用事例を紹介したい。

当時、携帯電話は利用されない日も多かったが、農民のセーフティネットが機能するために次の5つの重要な役割を果たしていた。①プリペイド式が一般的な状況であるが、(「ワン切り」し）相手に着信を残し、折り返しを受けることで、通話料を十分に持たない場合であっても携帯電話での会話が可能であった。②携帯電話を所持していない世帯であっても、所持する世帯の携帯電話を共同利用することもあった。これらを駆使することによって、③携帯電話によって生活支援の依頼がなされ、遠隔地に居住する血縁の近い親族とのあいだで現金のやりとりがあった。④貸借に関する依頼は、現金あるいは生業活動に関連した物品のために近隣の知

ザンビアの携帯電話ショップ

人に対しておこなわれた。⑤これらの支援依頼の実現可否には、依頼者と被依頼者とのあいだの親密度合い、依頼品の貨幣価値、依頼の緊急度、お互いの経済状況が深く影響した。

電子金融サービスは、年々浸透しつつある。電子金融サービスに関心のある人のうち、実際に利用したことのある人の割合は2013年時点では8・9%だったが、2018年には43・8%にまで上昇した。また使用目的は、88・7%が現金の受け取り、72・5%が送金、37・8%は貯金、35・6%は通話料の購入であった。使用された電子金融サービスは、携帯電話キャリア（通信事業者）によるサービスがMTNで56・9%、エアテルで44・7%と大部分を占め、銀行系サービスは最も高いFNBですら2・5%であった。

筆者が2018年および2019年にザンビア南部を訪問した際には、送金サービスを利用するため、サービスを扱う店舗やブースに客がひっきりなしに訪れていた。その便利さを享受する人びとの様子や、ザンビアでは銀行口座の開設のために経費がかかり、手続きが煩雑であることに鑑みると、携帯電話を用いた電子金融サービスは今後ますます浸透することが予想される。

26

獣医学の始動と獣医師に求められること

★畜産業への貢献の観点から★

獣医さんと聞いて、どのような仕事が思い浮かぶだろうか？　動物園で飼育されている動物を治療する獣医、それとも町で犬や猫、小鳥など、ペットを治療する獣医だろうか？　獣医師の知識が活用される分野は広く、動物の治療をする獣医師だけでなく、食の安全を守る公衆衛生職、基礎医学、感染症などの研究といった多くの分野で、獣医師の仕事がある。畜産を支える獣医師は、家畜の疾病の治療、生産された畜産物が安全であることを確認する獣医師、動物や畜産物の移動を監視する獣医師などさまざまである。その獣医師がほとんどいない社会では何が起きるだろうか。

１９６０年代、アフリカで多くの国が旧宗主国から独立した。独立前、植民地の獣医師には宗主国本国の獣医師資格が必要で、必然的に現地のアフリカ人が獣医師資格を得ることはできなかった。植民地で生産された農産物は宗主国に輸出されるため、その生産・加工などにおいて獣医学的な管理は不可欠であった。そのため、獣医師を補助する人材を育成する技術学校が開かれ、その卒業生は獣医の補佐として圧倒的に不足する獣医師をサポートしてきた。当然、十分な獣医学的管理がなされていなかったことは容易に想像される。多くのアフリカの国々では、畜産の発展に必要な獣医師を十分に育成できない状況であった。

イギリスが宗主国であったザンビアでも、そのような状況は同様であった。独立直後の獣医師の数は国内に20人にも満たない状況であった。フィールドでは、南部州マザブカにあるザンビア家畜衛生専門学校（1943年設立）を卒業した獣医助手が活動していた。イギリスが引き上げたのち、東欧やソ連（当時）、キューバなど主に共産圏の国で教育を受けた獣医師やケニアのナイロビ大学獣医学部へ政府奨学金で留学した獣医師がイギリス人獣医師から業務を引き継いだものの、獣医学的管理の水準は極めて限定的だったと考えられる。事実、筆者が1990年から2年間にわたりザンビア大学獣医学部の教育に参加した頃、首都ルサカ市の西部にあった屠畜《とちく》場で検査後の検体に日本では法定伝染病に指定されている病気に罹患した食肉が出荷のレーンにあったのを目の当たりにした。これでは食の安全は確保できない。

獣医学の発展は、獣医学に求められるものの大きさに依存する。独立当時のザンビアの経済はコッパーベルトで採掘される銅の輸出に依存しており、銅価格の低迷で徐々に疲弊してきた経済を発展させるために輸出物の多様化をめざした。農畜産物の増産は、輸出および食糧確保のために非常に重要な施策となった。南部アフリカは将来世界の穀倉および大畜産地域になりうると期待されてはいるが、実際には適切な獣医学的管理なしに効率的な畜産物の増産は不可能である。1970年代、南部アフリカでは南アフリカのプレトリア大学を除き、獣医師を養成する施設はなかった。

このような背景のもと、ザンビアでは政府の強い希望によって日本政府による無償資金協力で1

983年にザンビア大学に獣医学部が設置され、日本を中心とした国際的な連携で獣医学教育が開始された。畜産が創成期にある場合、獣医学に求められる最も重要なことは家畜の飼育環境を整える家畜衛生および感染症管理である。動物を治療する部門でも寄生虫病学が重要であるように、個体に対する治療というより、地域における病気の発現を摘発・管理する方法の開発が必要となる。畜産が発展し、高付加価値の畜産物の生産が始まると、場合によって個体管理の対象となる治療コストをカバーできるようになる。また、社会が発展し、畜産動物だけでなく伴侶動物やスポーツに活用する動物が飼育されるようになると、必然的にそれらの動物の治療に使用されるコストは飛躍的に大きくなる。求められる技術も医学を後追いするほどになり、高額な治療機器を活用した診断・治療が実践され、高い技術も要請されていく。

ザンビア大学獣医学部では、1990年に第1期生が社会に出て、初めは政府関連の獣医事務所に、次に畜産関連企業で活躍を始めた。社会で活躍する獣医師が増え、獣医学的な管理体制が充実することで、実際の家畜の疾病だけでなく畜産物の流通も国際化され、ザンビアで生産された牛肉がザンビーフのブランド名で10ヵ国以上に輸出されるようになった。家畜衛生行政における獣医学的な管理の成果として、繰り返し発生するアフリカ豚コレラへの対策として地区の豚を全頭殺処分にするなど、家畜衛生と生産性の維持・向上のために獣医師の強いリーダーシップが発揮されている。

ザンビアにおける畜産は、主に南部における牧畜民による伝統的な手法を用いた家畜生産と価値観にもとづくものと、イギリスその他の国からの資本による大型畜産農家によるものとで構成される。前者では、家畜飼養の体制が前近代的であり、多くの風土病による生産性の低さや価値観からも畜産物を市場に安定的に供給する体制にはない。また、後者では、口蹄疫《こうていえき》など国内の重要家畜疾病の制御が高いレベルで維持されないかぎり、大消費地である先進国への輸出は容易ではない。また、それらを可能とするための貿易相手国や関連機関との交渉を担当する政府職員の育成も急務であり、獣医学的な充実はまだ途上といえる。

周辺の新興アフリカ諸国でも、自国の畜産業の育成のため、獣医師を育成する体制の整備を進めている。ザンビアの獣医学はまだ黎明期を迎えたところであるが、その育成体制の充実においては地域の成功事例として認知されており、新しく獣医学教育を開始する際のモデルケースにするマラウイ、自国の獣医学教育の一部をザンビア大学に委託するナミビア、自国の獣医師の養成のためにザンビア大学に学生を派遣してくるモザンビークやボツワナなどからの留学生を受け入れている。さらに、イギリスからの留学生も受け入れている現状を受け、ザンビア大学獣医学部でも、国際獣疫事務局の提唱するモデル・カリキュラムの完全実施に向け充実を図っている。

筆者は1990年に、ザンビアの獣医師法にもとづき、獣医師として登録され、官報に掲載された。その後もザンビア獣医師会に登録され、現職によるザンビア訪問時には、同国で動物治療の指導と現地の獣医師に技術提供をしている。30年前には動物の個体診療において高度な治療を望まれることはなかったが、最近では犬の関節疾患の治療や骨折の治療に高額の治療費を支払う飼い主も多くなった。獣医学の発展が社会の要求による需要に大きく後押しされることから、今後のザンビア獣医学の発展、そしてそれを基礎とした畜産業の発展が期待されている。

（奥村正裕）

27

内陸国を支える多様な漁業

★漁撈から養殖業まで★

ザンビアは内陸国であるが、河川や湖、湿地など国土の約19%を占める豊富な水域が存在する。漁業は、河川や湖の沿岸に暮らす住民にとって重要な経済活動であると同時に、ザンビア全土の食生活を支えている。また、商業的にも展開される漁業は、増加する都市人口に対する食料供給源や雇用機会として重要である。

近年、都市部のスーパーにはエビやサーモンをはじめとする海水魚の輸入品が多く並んでいるが、ザンビアで日常的に消費されているのは圧倒的に淡水魚である（4章参照）。流通量が多い主要な魚種として、ブリームと呼ばれるティラピア類、カペンタと呼ばれるニシン科の小魚（Limnothrissa miodon / Stolothrissa tanganicae）、ブカブカと呼ばれるアカメ科の魚（Lates stappersii）などがある。もちろん漁業が盛んな地域では、そのほかにも多くの魚種が流通している。湖や河川で獲れた魚は、技術や交通網の発達により、大消費地であるルサカやコッパーベルト州の大都市に鮮魚・冷凍魚として輸送されることも増えた。肉類と比べて安価な魚は、農村部にも干物、燻製魚《くんせいぎょ》、塩干魚《えんかんぎょ》として広く流通している。

保存が利く干物や燻製は地方にも広く流通する

ザンビアで漁業が盛んなのは、コンゴ川水系に位置するバングウェウル湖やムウェル湖、タンガニーカ湖、ザンベジ川水系に位置するカリバ湖やザンベジ川、カフエ川沿いの地域などである。たとえば、北部州とルアプラ州にまたがるバングウェウル湖および周辺の湿原では、さまざまな魚種を対象とした漁業を生業とする民族が暮らしている。このような地域では、季節や魚類の習性に合わせて異なる漁法を組み合わせたり、民族間での競合を避けたりするなどして、持続的な資源利用がなされてきた側面があるが、近年では都市部での需要増加や商業化の進展による変化に晒されている。これらの地域では漁師や網元、卸売商、小売商、漁船や漁具の修理工など、インフォーマルな現金稼得機会が創出されている。

タンガニーカ湖やカリバ湖では、企業による商業漁業も発達している。ザンビアとジンバブエの国境線上に位置するカリバ湖は、1950年代後半に水力発電のために造られた人造湖である。もともとザンベジ川沿いに暮らすロジやトンガなどが漁撈を営んでいたが、湖が誕生してからは商業的な漁業も営まれるようになった。それがタンガニーカ湖から移植された二シン科の淡水魚・カペンタを対象とする漁である。カペンタ漁は、企業や集団単位で営まれており、シアボンガやシナゾングウェなど沿岸の地方都市が拠点になっている。ジンバブエの独立戦争にともなうゲリラ活動が活発化していた関係で、ザンビア側での漁は1980年代以降に開始した。カペンタ漁を開始したのは、商業農業を営んでいたヨーロッパ系住人やジンバブエや南アフリカから移住してきた人びとであったが、近年ではザンビア人の地元事業主も多く参入している。漁業に関する制度やルールは存在するが、水産省の管理が行き届かず、許可証なしに漁船を操業する事業者が数多く存在するなど、資源管理に関わる課題が多く存在する。

また、ザンビアでは養殖業が活発化している。2017年、ザンビア政府はアフリカ開発銀行から融資を受けたプロジェクトを開始し、小・中規模農民や、企業に向けた参入促進を加速させてきた。1990年代には年30トンほどしかなかったザンビアの養殖魚生産量は、2014年には3400トンにまで増加した。2019年時点、ザンビアは養殖魚生産においてアフリカで第6位となっている。

養殖される主な魚種は、ティラピア類、とくにナイルティラピア（Oreochromis niloticus）である。外来種であるナイルティラピアは、現在カフエ湿地とカリバ湖でのみ商業利用が許可されているため、養殖業の中心は基本的にザンビア南部の地域である。カリバ湖では湖上でのケージ養殖が盛んであるが、その他の地域では養殖池を用いた内陸部での小規模な養殖もおこなわれている。

ザンビアの養殖業を牽引しているのが、YALELOという民間企業である。YALELOの立ち上げには政府のバックアップもあったとされており、2015年8月にシアボンガでおこなわれたオープニングセレモニーにはルング大統領もかけつけた。現在、YALELOは全国に幅広い販売ネットワークを構築しており、都市部のスーパーマーケットだけでなく、地方にも販売拠点が多くある。年間生産量は1万2千トンほどであるが、海外からの投資・融資も受けており、さらに事業を拡大させることが予想される。

ザンビアの漁業における輸出量は少なく、そのほとんどは国内消費向けに生産されている。他方、ザンビアでは魚の輸入も増加している。2014年のデータでは、輸出量が136トンであったのに対し、輸入量は約5万5千トンであった。そのうち約6割がナミビア、2割ほどが中国、1割がジンバブエからの輸入とされる。ナミビアからの輸入はアジと分類されているが、実際には、中国からのティラピア類の輸入が混ざっているのではないかという推測もあり、養殖業関係者のあいだでは中国からの安価な養殖魚の輸入に懸念を抱いている者もいる。

都市部のスーパーで販売されるティラピア

養殖業は、増加する人口に対する食料確保という意味合いだけでなく、雇用創出や小規模農家の収入源としても期待されており、ザンビアに限らずアフリカ全土で広がりを見せている。一方、ザンビアには、河川や湖周辺の住民により生業として営まれる漁業、養殖業が盛んになる以前から営まれてきた商業漁業など、規模や形態の異なる多様な漁業が存在している。それぞれに利害や目的が異なる中、水域や沿岸の土地、そして水産資源を持続的に利用していくことは、今後ますます重要な課題となるだろう。

（伊藤千尋）

コラム16

わたしが好きなごちそう・カペンタ

伊藤千尋

ザンビアで「これは食べられない！」という料理に出くわしたことは少ない。たとえば、カボチャの葉や茎の炒めものを初めて村で食べた時には、「なぜ日本では食べないのだろうか」と不思議に思うくらいおいしかった。テレビ・ゲームに出てくる毒キノコのように赤や黄の色をしたキノコも、ある時期にしか出回らない季節もので美味であった。

わたしはカリバ湖沿岸の地方都市・シアボンガで調査していたこともあり、ザンビアの魚料理も好きだ。湖を眺めながら食べるブリームのグリルは定番だが、最近はクレイフィッシュ（ザリガニ）がおすすめだ。クレイフィッシュは、カリバ湖では外来種であり、2010年代以降に突如として増加した。カリバ湖の主要な漁業資源であるカペンタの卵を食べてしまうという噂も出まわり、一気に増えたクレイフィッシュは「害獣」扱いされた。しかしある時から、レストランでクレイフィッシュが提供されるようになり、一気に人気食材へと変貌した。ザリガニと聞くと印象が悪いかもしれないが、ロブスターのような味わいがあり、グリルでもフライでもおいしく食べられる。

とにかく紹介したい食べ物はたくさんあるが、中でも思い入れのあるおかずはカペンタだ。カペンタはニシン科の淡水魚であり、日本のイリコのような小魚である。タンガニーカ湖の在来種で、現在では、タンガニーカ湖とカリバ湖で商業漁業が営まれている。カペンタは主に乾燥魚として流通しているが、産地ではフレッシュ・カペンタと呼ばれる獲れたてのものを手に入れることができる。乾燥カペンタは油で炒めるとカリカリになり、歯ごたえがある。友人のひとりは、口の中でとげとげするので好きで

獲れたてのフレッシュ・カペンタ

はないと文句を言うが、そんな彼もフレッシュ・カペンタは好んで食べた。

シアボンガで調査をする以前、わたしは農村に長期間滞在し、出稼ぎ労働の調査をしていた。村でもカペンタを食べることはあったが、頻度は多くなかった。調査村は干ばつが頻繁に起こる乾燥地域にあり、副菜の種類や量も豊富ではなかったし、食生活は決して豊かとは言えない環境であった。たまに食べるカペンタは、わたしの中ではごちそうの位置づけにあった。調査村の住民がよく働きに行く都市がシアボンガであり、わたしは町の主産業であるカペンタ漁に注目して地方都市の経済活動について調査を開始した。カペンタ漁に携わる事業者や漁師にインタビューをしていると、相手と食事をともにすることも多い。もちろんおかずはカペンタだった。ごちそうの位置づけにあったカペンタを産地で毎日のように食べられるようになったわたしは幸せな気分だった。

シアボンガに出稼ぎに行く村人たちは、漁師として働く者も多い。そのため、彼らが村に戻る時には各家にカペンタが「おみやげ」として持ち帰られる。カペンタは、村人が「シアボンガから帰ってきた」ことを示す証にもなっていて、近所の家でカペンタが出ていたら、わたしはすかさず誰が買ってきたのかを聞いてしまう。

海に面したアフリカ諸国で調査をしている研究者仲間に話をすると、そんな小魚を食べているのか、と冗談まじりに言われることもあるが、わたしにとってカペンタがごちそうであり、村人との時間を思い出す存在であることに変わりはない。

28

ザンビアの食品加工業

★スーパーマーケットとの取引が鍵？★

ザンビーフ（ＺＡＭＢＥＥＦ）社は、おそらくザンビアで一番有名な食品加工企業であろう。それは、同社の規模の大きさもさることながら、小さな精肉工場が国外に進出するまでに成長した「成功物語」が頻繁に紹介されるからだ。同社の事業は穀物や飼料、牛肉、豚肉、鶏肉、卵、牛乳、乳製品、パン、植物油、革製品、靴などの生産・加工から、流通、販売、そしてステーキ店の経営まで多角的に展開し、しかもグループ内で多くをまかなっている。２０１８年時点でザンビーフ社の小売店は、ザンビア国内だけでも１７４店、国外（ナイジェリアとガーナ）32店におよび、同社製品は周辺の10ヵ国に輸出されている。同社はロンドンとルサカの証券取引所に上場し、従業員数は７０００人を超える。

ザンビーフ社の共同創業者で、長年にわたってＣＥＯ（最高経営責任者）を務めるフランシス・グローガンは、アイルランド出身である。同国の精肉工場に勤めたのち、ザンビーフ社の前身の会社のマネージャー職に応募したのが１９９０年代初頭であった。ザンビーフ社がこれほどまでに成長した要因を考えると、彼の経営手腕に負うところが大きいといえるが、ショップライト社との関係も見逃せない。

アフリカで最大のスーパーマーケット・チェーン網を持つ南アフリカ資本のショップライト社が、積極的に国外進出をはかろうとしたのは、1994年に南アフリカが民主化し、国際社会に復帰した頃からである。翌年には、その端緒としてルサカにショップライトのザンビア1号店を開店したが、その店舗内の精肉部門として契約したのが前年に創業していたザンビーフ社であった。両社のパートナーシップは現在までつづき、2018年時点でショップライトのザンビア34店舗、ナイジェリアの25店舗、ガーナの6店舗の精肉部門をザンビーフ社が担っている。

ここでザンビアの食品加工業とスーパーマーケットの関係をもう少し広い視野でみていこう。ザンビアにはいわゆる露天や青空市場といったローカルな市場が根強く残っている一方で、アフリカの中では南アフリカとその隣接諸国やケニアにつづいて、近代的なスーパーマーケットが浸透しているといえる。スーパーマーケットを中核にすえたショッピングモールは地方都市にも点在する。わたしが2018年に26年ぶりにザンビアを調査で訪れた際、ルサカの国際空港から中心街に向かう幹線道路沿いだけでも6ヵ所のショッピングモールが出現していたことに隔世の感を禁じえなかった。スーパーマーケットはショップライトを筆頭に、ピッカンペイ、フードラバーズ・マーケットといった南アフリカ系資本が強いが、チョッピーズはボツワナ資本であり、ザンビア国内に15店舗を展開している。ザンビア資本のメリサというチェーン店もある。

エモンゴールとカーステンが2007年に実施した調査によると、スーパーマーケットで売られる食品加工品の8割以上が南アフリカ産であった。ザンビア政府はザンビア産品を増やすようスーパーマーケット側に促しているが、それでも南アフリカ産が圧倒的に多い。外資系スーパーマーケットも現地製品の割合を増やすことで共存をはかろうとしているようで、現地農家や加工企業の育成プログラムの導入をアピールしている。商業通商産業省のもとにあるザンビア開発庁は、小規模食品加工企業がスーパーマーケットと取引ができるよう、包装デザインの助言をしたり、紹介状を発行したりすることで支援している。

筆者がザンビアの食品加工企業にヒアリングをしている中でも、卸売りはインド系商人が握っており、スーパーマーケット市場の方がむしろ参入しやすいとまで指摘する小規模企業の経営者がいた。他方で、スーパーマーケットとの継続的な取引の難しさに嘆く経営者の声も多かった。具体的には、①スーパーマーケットにメーカー側から販売員を派遣しなければ売れ行きが悪くなってしまう、②原料の購入の際には現金が必要だが、スーパーマーケット側からの支払いは1ヵ月先になり、運転資金が不足する、③スーパーマーケットの各店舗に輸送することの負担感が大きい、というものであった。

こうしたビジネス環境の中で、比較的規模が小さいにもかかわらず、ニッチ市場を獲得し、スーパーマーケットを通じて販売量を拡大している企業を紹介しよう。ジャバ・フーズ社は、ザンビア出身の女性起業家モニカ・ムソンダによって2012年に設立された。ワシントンやナイジェリアで国際弁護士として活躍した彼女は、「アフリカ人アグリビジネス起業家賞」などを受賞し、ザンビア中央銀行の取締役を務めるなど、ザンビアを代表するビジネス・ウーマンである。同社は、インスタント麺や栄養食品、菓子を販売している。ザンビアで安価で手軽で、栄養価が高い食品を提供しようとしており、広告を巧みに活用しながら若者層にもアピールし、事業を拡大してきた。インスタント麺

スーパーマーケットにならぶジャム

について中国から麺を輸入し、ザンビア風のパッケージをつけて販売してきたが、麺そのものを生産する工場建設の予定を発表している。

また、同じくザンビア出身の女性ドロシー・エリクソンがスウェーデン出身の夫とともに設立したチャンクワクワ社は、カブウェの郊外に農場と加工工場を持つ。同社は、ドライ・フルーツやジャムなどを生産し、ショップライトやピッカンペイ、スパーなどの主要な国内スーパーマーケットに販売している。１９７３年にダイズやトウモロコシ、トマトを栽培する農場を始めたが、マンゴーが生産されないシーズンでも、乾燥させれば提供できるという考えから加工工場をつくったという。ドライ・マンゴーは、衛生管理に関するハサップ認証を受け、デンマークのハンセンス・アイスクリーム向けに輸出している。周辺の４００以上の農家がチャンクワクワ社に供給している。

ザンビアでは人口増加に加えて、１人あたりの所得も向上していることから、食品加工製品の潜在的需要の増加は大きいと考えられている。ザンビア開発庁の資料によると、飲料を含む食品加工業は製造業の６割を占める。植物油、酪農製品、魚の缶詰、ビスケット、ジャム、砂糖、穀物の製粉、炭酸飲料などは成長の可能性があるとしている。いずれにせよ、ザンビアの食品加工企業にとっては、スーパーマーケットとのあいだの継続的な取引が事業拡大の鍵を握るといってよいだろう。

（西浦昭雄）

29

国を左右する鉱業

★銅に依存するモノカルチャー経済★

ザンビアは1964年の独立以降、銅の生産に依存するモノカルチャー経済の国である。銅の生産量と国際価格の変動はザンビア経済に大きな影響を与えてきたため、政府は産業の多角化による経済構造の改革を最優先の政策のひとつとして掲げている。

ザンビアは、北に位置するコンゴ民主共和国とのあいだに、国境をまたぐかたちで銅やコバルトに富むコッパーベルトを擁し、イギリス植民地時代から大きな銅鉱山が開発されてきた。ザンビアは独立の以前にも、以後にも経済は銅産業に大きく依存してきた。筆者は1970年から1972年までコッパーベルトのコンゴ側鉱山の探鉱・開発に従事し、ザンビアにも訪れてきた。

1928年に最初の銅鉱山として開発されたローンアンテロープ（現在のルアンシャ）鉱山の名前の由来は、狩猟でローンアンテロープを追っていた時、鹿が転び、そこに銅鉱床の露頭があって発見されたので、その名がついたと言われている。イギリス植民地時代にザンビアの銅産業を牽引していた企業はアングロ・アメリカン・コーポレーション（AAC）とローン・

セレクション・トラスト（ＲＳＴ）で、この2社がザンビアの銅鉱山を独占していた。１９６４年の独立の後には大統領は2社による銅産業の振興を後押ししていたが、１９６９年にはすべての鉱山の国有化を宣言し、鉱山権益の51％を国に与えるよう鉱山会社に強制した。

筆者はザンビアにあるいくつかの鉱山を見学したが、どの鉱山も大規模で、美しい構内には芝生とジャカランダが植えられ、設備機器も優れていた。ただし、白人技術者と黒人技術者・労働者は厳密に分けられていた。鉱山によっては日本人の扱いに困り、白人技術者扱いにされたり、黒人技術者扱いにされたりした経験がある。国有化されたＡＣＣとＲＳＴは、いくつかの段階を経て、１９８２年にザンビア統合銅鉱業（ＺＣＣＭ）に統合された。独立後には銅の国際価格の上昇により、鉱業部門は外貨の50％、政府収入の3分の2を占めるに至った。

鉱業の発展は国と地域の社会・経済に大きく貢献している。１９２９年には、鉱山会社は従業員に電気や上水道、下水道、レクリエーション、スポーツ・演芸設備、病院・医療設備を提供したほか、週単位で主食と副食の食材を配給した。ＺＣＣＭになってからも、これらは引き継がれ、子どもの教育は無料とするなど福利・厚生は拡大された。

国営のＺＣＣＭは鉱山を接収した後、金《かね》を生む手段として見なすだけで、設備・機器への投資、探鉱への投資がなされなかった。１９７４年のオイルショックによって、ザンビア政府は社会サービスを低下させないために外国から膨大な借金をすることになった。１９７９年の石油ショックの再来で金利は上昇し、負債恐慌に陥った。１９７４年から１９９４年のあいだに1人あたりの所得は半減し、世界で下から25番目の最貧国となった。ＺＣＣＭの操業もダメージを受け、１９７９年以降には

第29章

国を左右する鉱業

コンコラ鉱山における露天掘り

新規鉱山の開発はなく、既存鉱山はより深くなり、コストが上昇してきた。1973年には75万トンであった銅の生産量は2000年には25・7万トンにまで落ち込んだ。さらに労働者のエイズ罹患率も上昇し、労働者の持つ技能の低下、技能者の離脱も操業悪化に拍車をかけた。

1998年にZCCMはコンコラとカンサンシ、ルアンシャ、チブルマ、チャンビシなど7鉱山に分割売却され、ZCCMはそれぞれの鉱山会社に持ち株を所有することとなった。現在では投資会社としてZCCMホールディングスが上場され、ザンビア政府が87・6%、民間が12・4%の株式を所有している。ザンビア鉱山は外国資本による民営鉱山から、国営化、そして国の持ち株を維持しながらの民営化、つまりZCCMホールディングスと海外企業の合弁による鉱山開発・操業へと変革してきた。

ザンビアは銅とその副産物であるコバルト、

ザンビアの鉱物資源生産量（金属分ベース、2017 年）

鉱種（単位）	ザンビア（A）	世界（B）	A/B（%）	ランク
銅鉱（千 t）	797.0	20,200	3.9	7
銅地金（千 t）	787.9	16,300	4.8	5
金（t）	4.373	3,330	0.1	–
コバルト鉱（t）	3,240	139,000	2.3	7

出所：World Mineral Production 2013–2017 (British Geological Survey)

セレン、金、銀、白金のほか、ニッケル、鉛、亜鉛、鉄鉱石、マンガンなどの鉱物資源に恵まれている。とくに銅の輸出額が大きく、２０１７年は鉱物資源の輸出総額の75％を占めている。近年、ウラン鉱床も発見されている。銅の埋蔵量は世界10位で、世界の２・３％である。一方、銅鉱石の生産は世界７位で世界の３・９％、コバルト生産は世界７位で世界の２・３％である。銅の主要鉱山としては７鉱山のほか、ンチャンガ、ムフリラ、ンカナ、ルムワナ、ムナリの各鉱山がある。銅の主要な製錬所はムフリラとンチャンガ、ンカナ、チャンビシ、それぞれの鉱山に併設されている。またチャンビシにはコバルト製錬所も併設されている。

ウランについては、多くの外資企業が探鉱を進めてきたが、２００９年５月にウラン採掘に関する規制が制定されたことで、ウラン採掘が可能となった。ザンビア最大級の鉱山のひとつであるルムワナ銅鉱山では副産物として生産されるウランを２０１３年から輸出する予定であったが、鉱石は採掘貯蔵されているものの輸出には至っていない。ほかに金や鉛、亜鉛、鉄、マンガン、ニッケル、白金族金属、ダイヤモンド、貴石、石炭、石油などの資源が確認、または採掘されている。

長年にわたり、ザンビアはその伝統的な鉱業活動である銅とコバルトに極端に依存している。金とコバルトはセレンとともに銅生産の副産物であり、

モパニ鉱山の立坑櫓

カブウェでは鉛、亜鉛の操業から銀が生産された。銅とコバルトの陰に隠れ、他の鉱物資源の開発が遅れているが、今後大きな開発ポテンシャルを秘めているといえる。一方、カブウェでは、鉛汚染の鉱害問題が世界の十大汚染のひとつとして、問題視されている（コラム14参照）。

ザンビアにおける投資環境の強みは、南部アフリカ諸国に居住する3・5億人の市場とアクセスの良さにあり、アフリカの中では政治的に安定し、地域の平和と安全の中心地だということにある。また、英語圏で、熟練労働者を擁することも魅力である一方で、弱みとして、官僚主義的な手続き、規制政策における不確実性、高いビジネス実施コスト、資金調達へのアクセスと財政基盤の弱さがある。政府が、ザンビア投資センターに依頼して投資手続きを改革しており、これら問題点については現在、対処が進んでいる。

（細井義孝）

30

ザンビアの電力事情

★未来を明るく照らすために★

国内産業の発展や経済成長の促進には、安定的な電力供給が不可欠であり、ザンビアも例外ではない。ザンビアの電力分野における第一の課題は、降雨への強い依存性である。ザンビア政府のエネルギー規制委員会によれば、2018年現在における発電設備の容量は2898メガワット（MW）であり、その8割以上は水力を電源としている。ザンビアは水資源を豊富に有し、それを活用した大規模な水力発電をつづけているが、降雨量が発電量に大きく影響するという脆弱性を持つ。実際に、2014年から2016年、2018年から2019年にかけて少雨がつづいたため、国内の総発電量も減少した。

それにともない、左図に示すとおり輸入電力量は急増し、2016年には大幅な輸入超過となったが、それでも国内の電力需要をまかないきれず、結果として全国規模で1日8時間～10時間の計画停電がつづいた。少雨による発電量の減少にともなう計画停電は、2018年から2019年にかけての少雨を受けて、2019年現在においてもおこなわれている。

また、ザンビアの電力需要は、2018年に国内の消費電力量の51％を占めた鉱業部門の動向に大きく左右されることから、

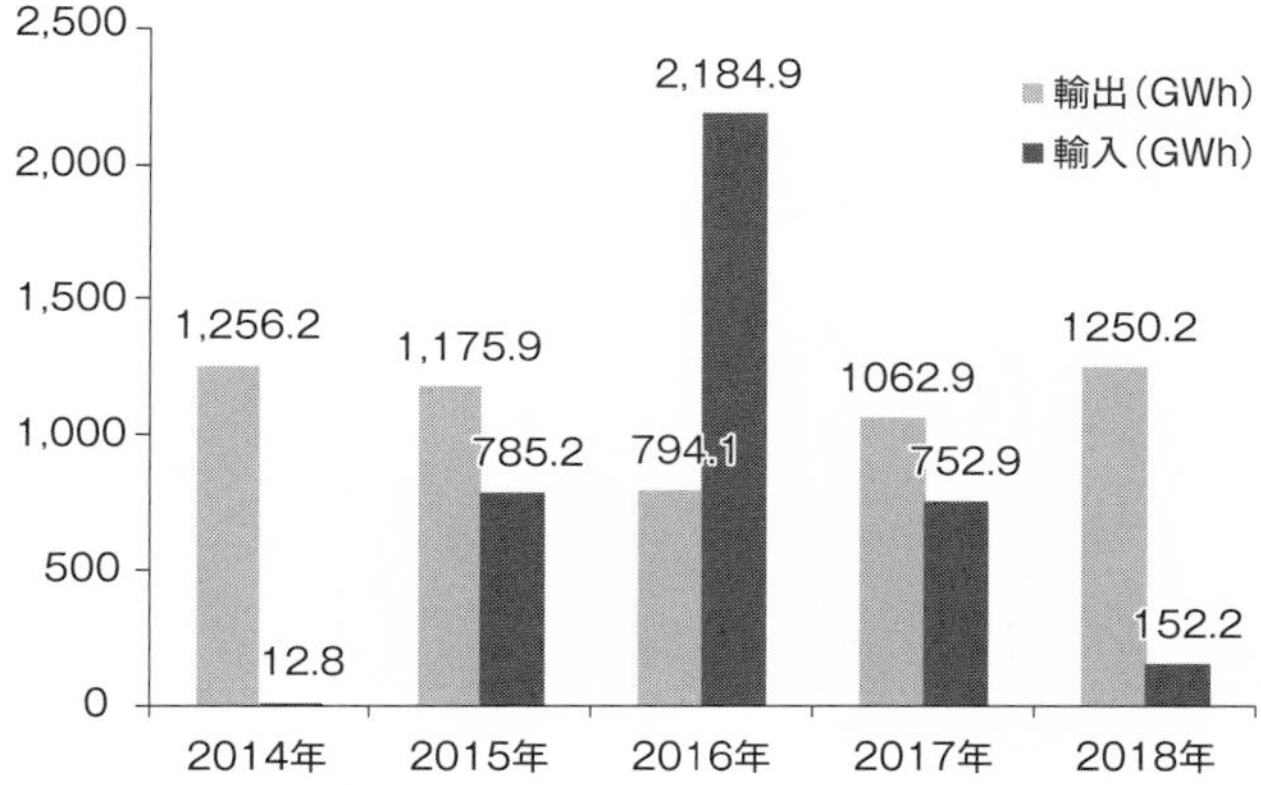

輸出入電力量の推移（2014〜2018年）
出所：Energy Regulation Board, Energy Sector Report 2018

銅の国際価格が低下すると銅の生産量が減少し、結果として電力需要が減少するという構造になっている。このことから、電力セクター全体で見ると、供給される発電量は水力依存であり、降雨量の影響を受ける一方で、需要は銅の国際価格によって左右されるという、２つの外生的な要因の影響を強く受けていることがわかる。

このような外生的要因への依存度を和らげるためのひとつの方策は、ザンビア国内における電源の多様化である。ザンビア政府は、年率３〜４％の電力需要の伸びに対応するために電源開発計画を定めており、その中で水力以外の電源として、２０１６年に運転を開始した国内初の石炭火力発電所であるマアンバ石炭火力発電所の増設や、太陽光発電所の建設が計画されている。しかしながら、現在の電源開発計画による発電設備容量の増加分のうち、水力以外の電源は２割にとどまっており、現在の計画では依然、水力に強く依存する状況は変わらない。別の方策は、周辺国との電力融通である。ザンビアは南部アフリカ9ヵ国を送電線で結ぶ南部アフリカ・パワー・プール（SAPP）の加盟国であり、ザンビアが直面している外生的要因への依存度を和らげるには、SAPP域内での電力融通を通じた、域内での電源構成の多様化が有効だと考えられている。SAPP域内においては、タンザニアやモザンビークなど火力を主要な電源とした開発計画を持つ国が存在する。つまり、電源構成が異なる他国と送電線を連系しておくことにより、ザンビアにおいて降雨量が少ない年には、水力以外の電源を多く持つ国から電力を輸入し、降雨量が豊富な年や電力需要が小さい年には、余剰電力をSAPP域内に輸出するといった対応が可能になる。しかしながら、そのためには他国と送電線をつなぐ長距離大容量送電に適した国際連系線を、他国と協調しながら開発することが必要である。すでにマラウイやジンバブエ、ナミビア、コンゴ民主共和国との連系線は存在するが、現在、それらの送電容量の拡大や、タンザニアやモザンビークとの連系線の敷設が計画されている。なお、国際連系線を機能させるためには、国内の電源から送電線を通し電力がきちんと送られることが前提であるため、国内の送電線や変電所の整備も同時に必要となる。

第二の課題である電力アクセスについて、次ページ図にザンビアにおける電化率の推移を示す。ザンビア全体の電化率は1990年の約14％から2014年の約28％と伸びつづけている。この伸びは主に都市部での電化の急速な進展であり、都市部の電化率は、1990年の35％から2014年には61％にまで拡大している。他方で地方の電化率は1990年にはわずか2％であったが、2014年においてもわずか4％に過ぎず、ほとんど伸びていない。

ザンビアの地方において電化が進まないひとつの理由として、政府の予算不足が挙げられる。ザン

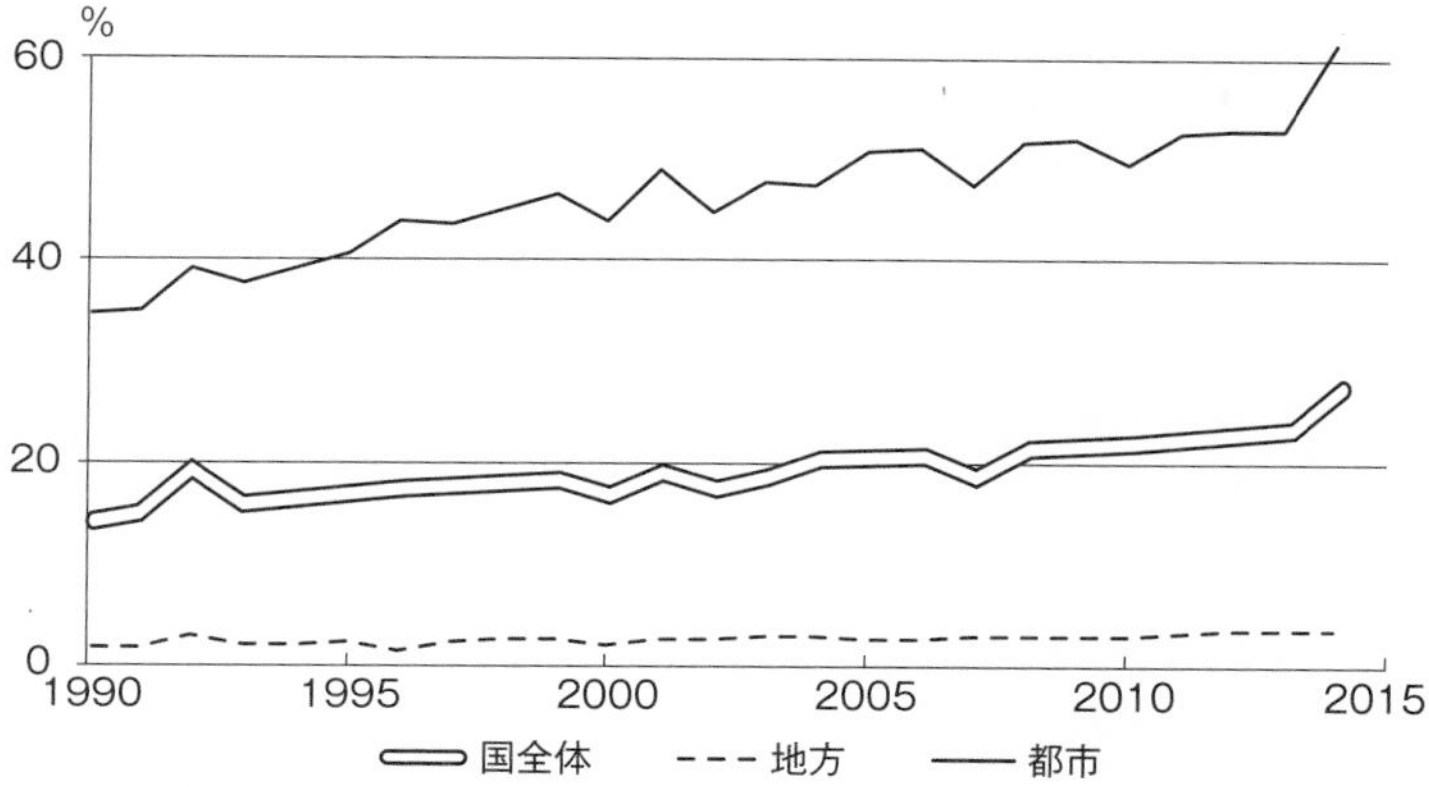

電化率の推移（1990〜2014年）

出所：World Bank. 2017. *World Development Indicators*. Washington D.C.. World Bank. (https://data.worldbank.org/products/wdi)

ビアにおいて地方電化は、地方電化庁（ＲＥＡ）が担っている。ＲＥＡは、国内で発電、送電、配電をおこなうＺＥＳＣＯ（ザンビア電力会社）の顧客から電気料金の３％分を徴収した租税を財源とする地方電化基金を用いて地方の電化を手がけるが、ザンビアの電気料金は周辺国と比較しても低いこと、ＺＥＳＣＯの供給する電力の44％を購入する、最大の売電先であるコッパーベルトエネルギー会社が優遇措置により課税対象外となっていること、さらにザンビア政府による同基金への配分は、実際にはこの３％相当よりも少ない場合が多いことから、十分な予算を得ることができていないのが実情である。ＲＥＡは２０３０年までに51％の電化率を達成することを目標としており、世界銀行によれば、そのためには年間５０００万米ドルのコストが必要になるとの予想に対し、上述の租税から得られる収入は年間約２５０万米ドルにとどまっている。

地方の電化が進まないもうひとつの理由は、事業の経済性の低さである。地方電化の方法には大きく分けて2種類あり、1つ目は配電網の延伸によるもの、2つ目は太陽光発電や小水力発電など、送電系統に接続せずその地域や世帯で使う個別の電源を設置することによるオフグリッド・ミニグリッド電化である。しかしながら、ザンビアの国土は広く、地方の人口密度が非常に低いため、そのどちらにおいても、事業のコストに対し裨益《ひえき》人口が非常に小さいことから、公共事業としての優先度が低くなり、先に述べた予算不足にもつながっていると考えられる。オフグリッド・ミニグリッド電化については、民間資金を活用した取り組みが注目されているが、設置後の住民からの電気料金の徴収や、設置した発電システムの維持・管理の方法や体制など、事業の計画段階で慎重に検討しなければならない課題が多い。

このように、ザンビアにおける電力は、降雨に強く依存する脆弱性や、都市部に偏った電化率などの課題がある。他国との協調や民間資金の導入を通じ、南部アフリカにおけるハブとして、産業の発展を支え、人びとの笑顔を生み出す分野になることを願っている。

（飯崎　尭）

31

都市化の進展と農村からの出稼ぎ労働

★セーフティネットとしての移動★

ルサカで初めて出会う人に、わたしは「どこの出身か」を必ず聞くことにしている。確率的には東部州や北部州の出身者が多く、わたしが調査している南部から来ている人と出会うことはあまり多くない。

わたしがこの質問をするのは、都市に暮らす大部分の住民が自分の故郷（農村）を持っているからである。ザンビアにおける都市化は、歴史的にみれば農村部からの人口移動によって引き起こされてきた。都市化と農村からの人口移動は、ザンビアが経験してきた社会・経済変動を垣間見ることができる興味深い現象である。

ザンビアの都市化の歴史は、1920年代の鉱山開発までさかのぼることができる。銅鉱山の発見は、それまで南ローデシア（現ジンバブエ）や南アフリカの労働力供給地として機能してきたザンビアの重要性を高め、ヨーロッパからの入植者の移住を加速させた。鉱山で必要な労働力は、国内の農村部から集められていた。独立以降は、植民地行政の中心であったルサカが首都になり、政府主導の経済開発によりルサカへの人口流入が加速した。独立直後の1969年の時点で都市人口比率は29

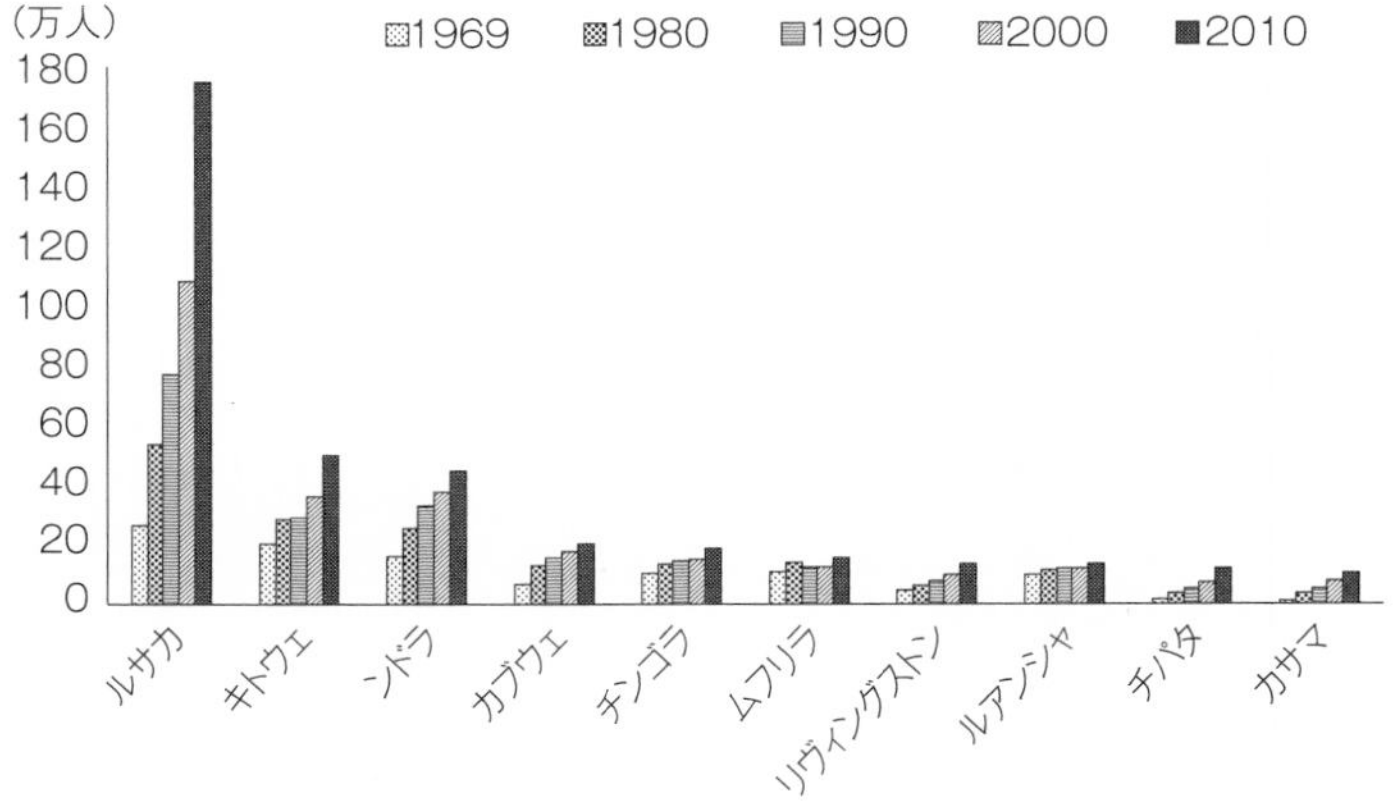

主要10都市における都市人口の推移
出所：各年のセンサス（ザンビア中央統計局）より筆者作成

%であり、他のアフリカ諸国よりも高い水準であった。現在のザンビアの都市人口比率は約40%、都市人口増加率（2000~2010年）は年率4・2%である。

上図は、主要10都市（2010年の都市人口の上位10都市）の人口の推移を示したものである。ザンビアの都市人口の多くは、首都ルサカとコッパーベルト州の都市に集中している。植民地時代から、3大都市（ルサカ、キトウェ、ンドラ）はザンビアの都市化を牽引し、3大都市の人口は都市人口全体の約半数を占めてきた。近年では、とくにルサカへの集中が高まっており、これは経済特区などの開発プロジェクトや、中国に代表される海外からの投資がルサカ周辺に集中していることなどが関係していると考えられる。ルサカは今や人口170万人を超える大都市に成長し、交通渋滞や住宅不足などの都市問題にも悩まされている。

ザンビアをはじめとするアフリカ諸国における都市の特徴として、都市住民が出稼ぎ労働者的な性格を持っていることが挙げられる。植民地時代には、制度上、都市にアフリカ人労働者が永住することが困難だったこともあり、農村からの人口移動は男子単身の出稼ぎ労働が主流だった。自由に移動できるようになった独立以降には、徐々に家族をともなう移動が増加し、定住化が進んだ。しかし、ザンビアの都市での生活は不安定である。たとえば、年金をはじめとした社会保障機能は、公的機関や鉱山会社などに就労する一部の都市住民しか恩恵を受けられない。また、都市住民の大部分はインフォーマル部門に就労しているため、その収入は不安定である。そのため、都市滞在の長期化が進んでも、失業や退職を機により生活コストの低い農村部に戻っていく者が多い。

このような特徴は、都市・農村それぞれの環境変化にあわせて、人口移動の動向が変化することを意味している。それが最も現れていたのは、構造調整計画が実施された1990年代である。構造調整計画の実施は、食料価格の高騰や失業率の悪化を招き、ザンビアの都市住民、とくに低所得者層の生活環境を悪化させた。インフォーマル部門での経済活動も競争が激化し、都市での暮らしが困難になった者は撤退することを余儀なくされた。そのため一部の地域では、「逆都市化」と称される流出人口が流入人口を上回る現象が起こった。このように、不確実性の高いザンビアの都市を生きる人びとにとって、農村部への移動はセーフティネットとしての役割を担っているのである。

一方、農村にとっても、都市への移動はいざというときの手段として機能している。わたしが調査しているルサカ州チルンド県の農村では、干ばつが頻繁に起こり、食料生産は不安定である。そのため、食料の不足を補うために、乾季に都市に出稼ぎに行くことは彼らの生計戦略のひとつでもある。また、家族の病気や子どもの進学などにより、まとまった現金が必要になったときなどにも、都市へ

ルサカの交通渋滞

の出稼ぎ労働はおこなわれる。

そして、近年では携帯電話の普及により、都市に移動して働くことの垣根はより低くなっているように感じる。たとえばわたしの調査助手をしている友人は、ルサカの知人から「今日日雇いの仕事があるから来ないか」と言われて、ルサカに出かけ、1週間ほど仕事をして帰ってきた。彼はそんな経験談をたくさん持っており、その場所がカフエなのかルサカなのか、はたまたマザブカなのかに限らず、みずからの社会ネットワークを基盤として「機会がある場所」に移動することは当たり前となっている。

わたしは農村の経済活動や人口移動について調査をする中で、このような「フットワークの軽さ」を身につけておくこと、それが可能な生活にしておくことは、家族の病気から干ばつ、政策の転換に至るまで「自分の力ではどうにもならない」環境の変化に対応していくために、大事なのだということを実感している。これは、地震や台風などの自然災害のリスクが高い日本においても重要な視点であるように思う。

他方、最近では冒頭の質問に際し「ルサカ生まれで、ルサカ育ち」という答えをもらうことも多くなった。40代の知人の子どもたちは、祖父母の故郷である農村に行ったこともなければ、両親の民族語も話せないという話を聞いた。もちろん現在では、ザンビアの都市人口の増加は、都市における自然増加によって引き起こされている側面もある。しかし、ローカルレベルで見てみれば、都市と農村のあいだには依然として、人やモノ、情報が多く流動しており、それらは依然として双方の生活を支える一部になっているのである。

（伊藤千尋）

ザンビアの「ハワイ」？

コラム17

伊藤千尋

「最近、ハワイに行った？」「行った、行った」――こんな会話がザンビア在住の日本人のあいだで交わされているという情報を聞いたときはとても驚いた。「ハワイ」とは、「シアボンガ」のことらしい。

シアボンガはカリバ湖沿岸に位置した地方都市だ。ルサカから車で3時間ほどの距離にあり、アクセスは良好だ。湖岸にはホテルやゲストハウスが立ち並んでおり、湖を眺めながらゆったりとした時間を過ごすことができる。リヴィングストンなどと比べると外国人観光客は依然として少ないが、都市住民が週末を過ごしたり、クリスマスやバレンタインに遊びに来たりするちょっとしたリゾート地である。しかしまさかザンビア在住の日本人のあいだで、冗談まじりだとしても「ハワイ」と呼ばれているとは思いもしなかった。

アフリカ各国を旅行している観光客に話を聞くと、ザンビアでは「ルサカに来て、リヴィングストンに移動してヴィクトリア・フォールズを見て、終わり」という人が多い。すなわち、空港がある玄関口のルサカとヴィクトリア・フォールズがあるリヴィングストン以外に、とくに見るものはないということである。国立公園でのサファリも選択肢としてはもちろんあるが、アフリカ各国を周遊している観光客にとっては、南アフリカやケニア、タンザニアなどの「サファリ大国」を経験していれば、ザンビアでわざわざサファリに行かなくても……という感じになる。

ダイナミックさにはやや欠けるかもしれないが、わたしが好きなザンビアの都市のひとつがシアボンガである。人口が2万人程度の小さな町であり、主産業は漁業と観光業である。そ

コラム 17

ザンビアの「ハワイ」？

カリバ湖

のどちらも、白人移住者らの起業により198
0年代から盛んになった。また、1990年代
には、地方分権化の流れを受けてシアボンガは
地方行政の中心地となり、県職員や各省庁から
の出向で移住する人も増えた。このような街の
変化にともない、周辺農村部からの出稼ぎも1
990年代以降に増加してきた。シアボンガの
中心部には「カニエレレ」というコンパウンド
（コラム4参照）が山の斜面に切り開かれている。
シアボンガの人口増加にともなって、年々、標
高の高い場所にまで新しい区画が設置されるよ
うになってきている。

シアボンガの中心部から少し離れたところに、
カリバダムがある。カリバダムは1950年代
に水力発電のために建設され、これによりカリ
バ湖が誕生した。ダムはジンバブエとの国境に
もなっており、観光している人もいれば、歩い
て国境を渡る地元住民もいる。どちら側からの
人の流れが多いのかは、両国の経済状況が反映

しており、よく見ていると興味深い。たとえば、シアボンガにはショップライトなどの大型スーパーがないため、ジンバブエの経済が安定していた頃にはジンバブエ側に渡り、スーパーで買い物をしてシアボンガに戻ってくるという人が多くいた。しかし今では、ジンバブエの経済悪化により状況は一変している。シアボンガの街には、パンや菓子、ジュース、ピーナツバターなどさまざまなものを売るジンバブエ人があふれ、彼らは日暮れ時にダムを歩いて帰っていく。

その街の歴史や社会の変化をほんの少しでも知るだけで、街の風景ひとつひとつに意味が生まれる。「ハワイ」は期待値を上げすぎているかもしれないが、ルサカやリヴィングストン以外の地方都市にもぜひ訪れてほしいものである。

32

ショッピングモールと市場

★都市における大量消費と農村の自家消費★

近年の首都ルサカの発展ぶりには驚かされる。とくに2015年以降、新しい場所に建設された巨大なショッピングモールをよく見かけるようになった。ザンビア経済の成長とともにその数は急増しており、都市生活においてショッピングモールはなくてはならない存在になりつつある。

1999年、初めてザンビアに大型ショッピングモールが完成した。その名をマンダヒルといい、ルサカ市内の東部に建設された。開店当初には1階建てのショッピングモールであったが、2007年に拡大し、2019年現在では2階建てで立体駐車場が併設されている。モールにはスーパーマーケットのほか、ホームセンターや家電量販店、家具店、低価格で衣料品を販売するファストファッション店、薬局、書店、銀行、ファストフード店、カフェ、レストラン、シネマコンプレックスなどが出店し、老若男女が1日中過ごすことができる。ルサカには2003年にアーケーズ・ショッピングモール、2006年にクロスロード・ショッピングモールが完成し、その後には次々と各地に大型モールが建設されている。休日には、自家用車でショッピングモールを訪れ、食事や買い物を楽しむ家族やデートする若いカップルを見かける。

日本と同様に、ショッピングモールには必ず大手スーパーマーケットが出店している。ザンビア人になじみのあるスーパーマーケットは、南アフリカ企業のショップライトとピッカンペイの2つである。ショップライトの経営母体であるショップライトホールディングスは、2019年11月現在、アフリカ15ヵ国に2319店舗を展開する小売の大手企業である。ザンビア国内には37店のショップライトがある。ピッカンペイもまた、アフリカ7ヵ国で1795店舗を営業する大企業で、ザンビアには20店舗ある。どちらのスーパーマーケットも現在では、大都市のルサカやンドラ、キトウェだけでなく、地方都市にも進出している。初めてザンビアにショップライトが出店したのは、マンダヒルができるよりも前、1995年のことである。ルサカ中心部の目抜き通りカイロ・ロードに直営店が開かれた。それから15年後の2010年、ルサカの住宅街にピッカンペイのザンビア1号店ができた。

南アフリカでアパルトヘイトが撤廃された1994年以降、南アフリカ企業はザンビアに進出してきた。2008年の報告によれば、南アフリカ企業はザンビアの小売業の約40%を占めるという。その勢いはとどまることを知らず、もはやザンビア各地に南アフリカブランドのスーパーマーケットやファストフード、レストラン、カフェ、ファストファッションなどの店舗が乱立している。ものの20年足らずで、ザンビア人の暮らしはもはや南アフリカ企業なしには成り立たなくなったといえる。

グローバリゼーションの進展とともに、ザンビアでは小売業の南アフリカ化が急速に進む。しかし都市にも農村にもローカルな市場《いちば》や卸売店、小売店がある。とくに地方都市での生活にとって、市場は欠かせない。市場では地域の人びとが、その日にとれた農産物や魚、肉類などを販売しており、地

ルサカ中心部に2011年に開業したレビーショッピングモール

域の生業を肌で感じることができる。たとえば牧畜が盛んな地域であれば、搾りたての牛乳を買ってその場で飲むことができる。市場には商店がいくつも軒を連ねており、食料品だけでなく、衣類や自転車、食器、化学肥料、農機具、布などの生活に必要なたいていの物を買うことができる。物だけでなく、洋服の仕立店や理髪店などのサービスを提供する店も立地する。

近年急増するスーパーマーケットであるが、地方には出店していない町も多くある。ルサカやリヴィングストン、コッパーベルト州の都市を除けば、人びとの多くはローカルな市場や商店で買い物する。多くの農家は自給要素の強い生活を営んでおり、食料をみずからの畑で生産し、余剰分を販売する。そのため農村部では、農産物をはじめ食材を安価に購入することができる。村人は農産物だけでな

農村にある小さな市場と商店

く、採集したキノコやイモムシ、川で獲った魚、家で育てているニワトリやヤギなどを販売して現金収入を得る。これらは村内や近くの市場で売られる。村内のキオスクと呼ばれる小さな商店では調味料のほか、瓶入りの酒やたばこなどの嗜好品、スナック菓子、せっけん、布、衣類など、暮らしに必要な工業製品が販売されている。キオスクの前には自然と小さな市場がつくられ、トマトやキャベツなどの野菜、魚、ムンコウヨウと呼ばれる穀物の飲料、手作りの揚げパンなどがならぶ。近くの町に行かずとも、最低限の生活用品を買うことができるのである。

農村で商店を経営する村人は、定期的に近くの町や大都市に行って商品を仕入れる。彼らは卸売商から仕入れるが、ときおりスーパーマーケットで購入した商品を転売することもある。このようなスーパーマーケット

第32章

ショッピングモールと市場

の商品の転売は各地で見られ、スーパーマーケットのない地方都市の市場や路上において、ショッププライトの商品が高値で売られていることもある。店舗が出店していなくとも、南アフリカ企業のスーパーマーケットが販売する高品質で低価格の商品は、ザンビアの末端まで浸透しつつある。

都市ではショッピングモールが台頭し、農村ではみずからの畑やキオスク、市場が生活の中心である。都市と農村の暮らしを小売業の実態を通してみていくと、ザンビア経済が大量消費型の都市経済と自給要素の強い農村経済に二分され、そのちがいの大きさに驚かされる。都市に暮らす若者のあいだでは、ショッピングモールで買い物を楽しむことが富の象徴であり、彼らのステータスの一部になっているが、逆にローカルな市場の露天商から物を買うことは、他人に知られたくないことだというう。2000年以降、ショッピングモールが台頭し始め、都市と農村の経済格差はなかなか縮まらない。わたしの生活実感としては、むしろ拡大している。ザンビアで新しく開業した大型ショッピングモールと各地で増えるスーパーマーケットを見るたび、この国の都市と農村の経済の二重構造の存在と、今後の社会変化に不安を感じずにはいられない。

（原　将也）

33

タンザン鉄道

★「一帯一路」構想との連結も視野に入る、中国支援のさきがけ★

2018年、NHKが「アフリカ　ポレポレ列車　タンザン鉄道」を放送した。ザンビアの始発駅ニュー・カピリムポシから終点のタンザニア・ダルエスサラームまで、俳優の古原靖久が2泊3日かけて1860キロメートルを実際に乗車した。列車は週2本、14両編成で、平均時速が40キロメートルである。古原はムクシで途中下車、マンガン鉱の砕石現場で働く女性を手伝い、彼女の家でシマを食べる。ムピカでは昆虫の乾物チプミを食し、タンザニア国境のトゥンドゥマでは地元ダンサーたちと一緒になって収穫を祝う踊りに加わるなど、とても愉快な番組だった。途中で機関車が故障するなど、列車は20時間も遅れてダルエスサラームに到着した。

この鉄道はザンビアではタザラ、タンザニアでは「ウフル鉄道」（ウフルはスワヒリ語で「自由」の意）とも呼ばれる。中国からの援助で1970年から5年かけて建設されたが、当時ではアフリカにおける中国の最大規模の援助であった。イギリスからタンザニアが1961年、ザンビアが1964年におのおの独立したが、内陸国ザンビアの貿易はアンゴラやモザンビーク、そしてローデシア（現ジンバブエ）を通る輸送ルートが利用され

第33章

タンザン鉄道

ていた。ザンビアは1964年の12月に国連に加盟し、国連決議にしたがって1年以内に南アフリカとの貿易協定を破棄した。南アフリカからの輸入は全輸入の2割を占めていたので、ザンビアにとってこの決定は経済的に重い負担であった。ザンビアの銅はローデシアを経由して南アフリカから輸出されていたが、1965年にローデシアの白人政権がイギリスから一方的に独立を宣言し、南アフリカと同様に徹底した黒人分離政策アパルトヘイトを掲げたため、国連が経済制裁を加えた。ザンビアもローデシアに抗議、全輸入の4割を占めていたローデシアからの輸入をボイコットした。ローデシア政府はローデシア鉄道を使ったザンビアの銅の輸送を停止しようとしたが、ザンビア政府は交渉により、ローデシア国内の輸送については外国企業に頼ることで解決した。

このような経済的苦境に際してタンザニアはザンビアの産銅地帯とムトワラ港とを結ぶ道路建設を計画し、ザンビアを支援した。世銀はザンビアとマラウイを結ぶ「グレート・イースト・ロード」、そしてザンビアとタンザニアを結ぶ「グレート・ノース・ロード」の建設費としてザンビアに1750万ドルの借款を供与した。ザンビアとタンザニアを結ぶ鉄道の建設は以前より構想されていたが、新たに検討された。タンザニアとザンビア両国は鉄道建設のためにイギリスとフランス、ソビエト連邦、アメリカ、そして世界銀行を含む多くの国や国際機関に財政支援を求めたのだが、すべて拒否され、実現しなかった。

中国はタンザニアとザンビアを経済支援することで、南部アフリカ諸国を解放する大きな機会とみなし、タンザニアのニエレレ初代大統領が1965年に中国を初めて訪問した際、鉄道建設への援助を申し出た。1967年にタンザニア・ザンビア合同経済代表団が訪中し、中国の援助が正式に合意された。1970年7月、中国とタンザニア、ザンビアの3ヵ国は「タンザン鉄道」建設に最終的に調印した。

中国によって、ダルエスサラームからザンビアのカピリムポシまでの1860キロメートルの鉄道が建設されることになった。中国は借款として総額約4億ドルを供与し、建設費と機関車、車両の購入費に充てられた。この借款は無利子、10年間の据え置き、返済期間は30年という好条件であった。建設工事には最盛時には2万人の中国人、3万人以上の現地労働者が従事し、1976年7月14日に完成した。ほかの追加費用は無償で供与されたが、この事業の規模からすると、ローカルコストは多額であったので商品信用という形態で資金が供与された。中国製品が信用ベースで供与され、タンザニアとザンビア両国の国営企業がこの製品を販売し、ローカルコストの支払いに充てられた。

1973年にローデシアは、ザンビアがローデシアの黒人解放勢力に基地を提供しているとの理由でザンビアとの国境を閉鎖した。それまでザンビアの銅の半分はローデシア鉄道で輸送されていたが、①アンゴラのベンゲラ鉄道を使うロビト港ルート、②マラウイとモザンビークを経由するインド洋ルート、③タンザン鉄道を使用するダルエスサラーム港ルートに振り替えられた。その後アンゴラ内戦でベンゲラ鉄道が破壊され、タンザン鉄道がほぼ唯一のルートとなった。

2010年前後、「グレート・ノース・ロード」を車で走っていると、それまでに見られなかった2つの光景が印象的であった。ひとつは、タンザニアとザンビアのあいだを猛スピードで走る国際バスを頻繁に目にするようになった。タンザン鉄道は週に2本のみが往復し、2泊3日もかかる。しかも長時間の遅れが頻発するので、急ぎ客やビジネス客などは当然バスを選択する。北部州の州都カサ

第33章
タンザン鉄道

タンザン鉄道の列車（Richard Stupart 撮影、CC BY ライセンスにて許諾）

マであれば、飛行機の使用も選択肢になる。

ザンビアが民営化と自由化を本格的に歩み始めてから十数年が経つ。国際バスの運行はザンビアで国際化、グローバル化の進展を実感することのひとつであった。この頃には多くの人たちが携帯電話を持っていた。ある農民に化学肥料について質問した。すると、タンザニアとの国境の町で販売している肥料の値段が安いとの情報を電話で友人から知ったという。彼は輸送費を払っても安いのでタンザニア国境で購入したという。

もうひとつの光景は、銅板を積んだ大型トラックをよくみかけるようになった。その時はあまり意識していなかったが、実は銅鉱山の民営化、鉄道輸送との関係、新しい銅鉱山の発見、そして銅精錬の技術進歩が背景にある。

1990年代後半に銅鉱山が民営化（29章

参照）されるまで、銅は鉄道で輸出されていた。鉱山も鉄道も政府が所有していたため、輸送には競争がなかった。当時の輸送インフラが貧弱だったので道路輸送は選択肢ではなかったのだ。現在では大部分の銅は道路輸送に切り替わっている。タンザン鉄道は年間500万トンの輸送で計画されたが、輸送の実績は1998年に150万トン、2009年には69万トンにすぎなかった。2000年代の平均は60万トンにまで落ち込んだ。鉄道収入が大きく減少し、維持費が負担できなくなった。民営化された後、銅産業界は精錬設備に多額の投資をし、2010年までにはザンビア産の銅はすべてカソード（陰極板）で輸出され、トラック輸送が便利になった。

中国の支援によりアフリカ大陸を横断する鉄道が2019年7月30日に開通した。タンザニアのダルエスサラームからアンゴラのロビトを結ぶ全長約4000キロメートルで、タンザン鉄道はその一部である。インド洋から大西洋を走る鉄道はこれが初めてで、中国の「一帯一路」構想とつながる可能性が高い。中国は2016年のエチオピアの首都アディスアベバとジブチのあいだ、2017年にはケニアのモンバサとナイロビ間の鉄道建設を支援している。ヒトとモノの移動が活発になると思われるが、警戒すべきは「債務の罠」である。

（半澤和夫）

34

ザンビアの国立公園

――★記憶に残る、ぜいたくなひとときを過ごす旅の舞台★――

ザンビアには20ヵ所の国立公園と34ヵ所の動物保護区があり、それらの合計は75万2614平方キロメートルとなる。この面積はザンビアの国土の30％に相当し、ザンビア野生動物局が管轄する。ザンビアのサファリは高価で、今ひとつだと言われることもあるが、それでかえって、観光客が多すぎることもなく、アフリカの大自然を満喫できる。サウス・ルワングワやカフエ、ローワー・ザンベジの3国立公園は世界でもすばらしい国立公園だと紹介される。

サウス・ルワングワ国立公園はルワングワ渓谷を流れる川の西側に広がっており、標高は550から740メートル、年間降雨量は800ミリメートルである。12月から4月までが雨季であり、草が生い茂り、道路はぬかるみになるため、サファリに適さない。ただし、雨季直後の4月と5月は多くの草食動物の繁殖期であり、動物の行動は活発になる。サファリに適したベスト・シーズンは8月から9月で、草も減り、見通しがきくため、多くの動物を観察できる。10月と11月には暑くなって乾燥が強まり、餌となる草や水場も減り、動物たちの飢えが厳しくなる。12月から1月には雨が降り、出産シーズンを迎え、多

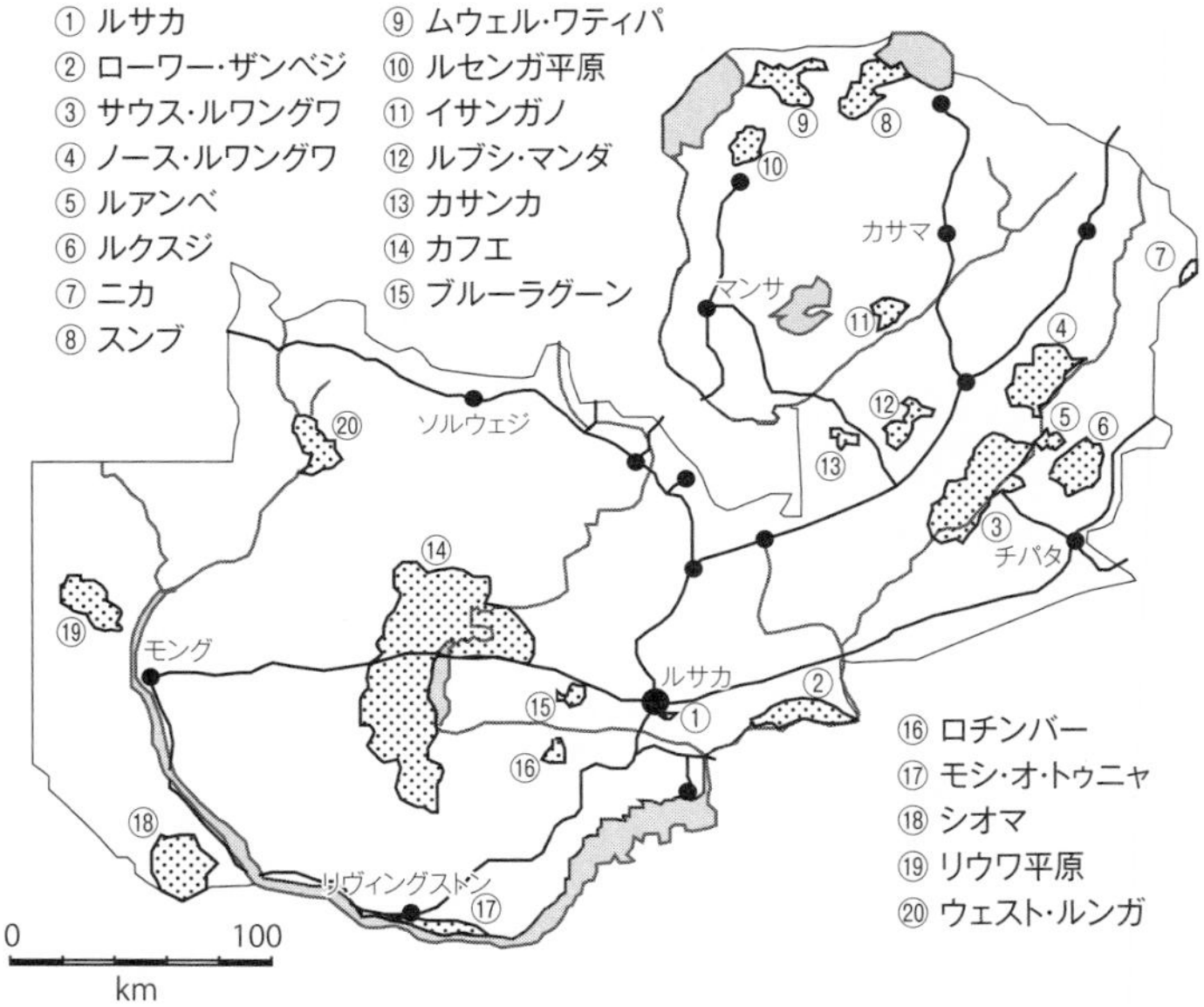

ザンビアの国立公園
出所：Zambia.tourism.com の情報などを基に筆者作成

くの子どもを見ることができる時期となる。そんな季節の変化を頭に入れると、ザンビアのサファリを楽しむことができる。

わたしは2019年8月に、娘と一緒に2泊3日の予定でサウス・ルワングワ国立公園に行った。ルサカを朝7時15分に発つプロフライト・ザンビア0800便でムフウェ空港へ向かった。30人乗りのイギリス製のジェット・ストリーム41型の機内はほぼ満席だった。8時30分にはムフウェに到着した。乗客はスーツケースを受け取ると、ロッジの迎えで空港を後にする。この飛行機で来たロッジの客は我々だけで、45分ほどのドライブでムフウェの中心部を通過し、ロッジに到着した。ロッジ

第34章

ザンビアの国立公園

のレセプションでは淹《い》れ立てのレモンティーを飲み、荷物は2階建てのコテージに入れられた。わたしは1階、娘は2階のダブルベッドで寝ることにした。

1日目にはナイト・サファリに出かけた。16時に出発し、サファリカーには運転手とアシスタント、我々だけであった。ロッジは国立公園の外に位置し、車はルワングワ川を渡って、公園の入口で入園料を支払った。夕暮れまえにはインパラやウォーターバック、ゾウ、カバ、シマウマ、イボイノシシを見たほか、ヒョウが樹木のうえで休んでいた。水場には、ザンビアの国鳥でもあるサンショクウミワシが木のうえで休み、水辺にカンムリヅルが立っている。日が暮れると、助手席にすわっているアシスタントがサーチライトを照らし、動物を探す。カバが陸に上がり、食草する姿や、ライオンのメス3頭が連れだって獲物を探す姿も見られた。このライオンの子どもなのだろうか、2頭が木の茂みの中で、母親の帰りを待っていた。20時まえにロッジに戻って来て、レストランで夕食をとった。

ロッジはふつう、川沿いに立地しており、川辺に併設されたレストランで朝と昼、夜の食事をとる。日が暮れると、レストランやコテージの周囲は暗やみに包まれる。時おり、カバの鳴き声が聞こえてくる。テーブルのうえのろうそくに火がともされ、静かな時間が流れる。ゾウやカバがコテージの周囲に来ることもあるので、食後には従業員にエスコートされ、遊歩道の電灯と従業員の懐中電灯をたよりにコテージに戻る。深夜にはコテージの周囲の芝生を食べに、ゾウやカバがやって来る。月あかりに照らされて、窓のすぐ外に大きな体がゆっくりと動くのがわかる。

翌朝は5時30分にレストランで簡単な食事をとり、6時にサファリへ出かける。ゾウやバッファローの群れのほか、インパラ、プク、シマウマ、イエローバブーン、ホロホロチョウなどがいる。運

アフリカゾウの群れ（サウス・ルワングワ国立公園）

転手は川沿いに車を止め、テーブルを出してくれて、コーヒーを飲んだ。静かな流れを切るように、ワニが泳いでいる。10時にロッジへ戻り、コテージ2階のバルコニーにテーブルを出し、川を見ながらワインを飲む。いつのまにか寝てしまい、夕方になっていた。酒を飲まない娘も、スマートフォンを片手に昼寝をしていた。夜になると、カバの鳴き声を聞きながら、レストランで食事をとる。まったくもって、ぜいたくな時間である。

チェックアウトは14時であるが、飛行機の時間にあわせ、最終日は16時までコテージに滞在した。宿泊したロッジは最安値にちかい価格帯に分類されたが、1人につき1泊100ドル、サファリカーは1回55ドル、入園料は25ドル、食事とドリンクが90ドル、空港からの送迎が2人で30ドル、そして飛行機の代金が往復450ドル。2泊3日で18万円かかった。ザンビアのサファリがバック・パッカー向けでないというのも、うなずける。

カフエ国立公園のブサンガ平原では、風のない早朝に、熱気球から動物観察を楽しむことができる。ゆっくり移動する熱気球から湿地や草原を走るレッドリーチュエやバッファローの大群、ホオジロカンムリヅルの飛行などを眼下に見ることができる。ローワー・ザンベジ国立公園は1983年に国立公園に指定される以前には、カウンダ大統領の個人保護区だったというユニークな経緯がある。国立公園内のロッジには舗装道路が通じていないため、ボートでザンベジ川を下り、ロッジに向かう経験は忘れられないだろう。急峻な断崖であるエスカープメントによって保護されている動物の種と生息数はみごとである。

そのほか、モシ・オ・トゥニャ国立公園はザンベジ川に隣接するように設置され、アンテロープやゾウ、キリン、サイなどが生息する。有名なヴィクトリア・フォールズの壮大さは言うに及ばず、落差108メートルの滝の縁には自然の岩でできたプールがあり、デヴィルズプールと呼ばれている（7章参照）。バンジージャンプに挑戦したり、滝を見下ろすグライダーに乗ったり、いかだでザンベジ川を下るラフティングも楽しめる。

最も新しいのは2015年6月にオープンしたルサカ国立公園であり、首都中心部から南東15キロメートルに位置する。4600平方キロメートルの2地区の森林保護区が国立公園となり、ハーテビーストやインパラ、エランドをはじめ25種ほどの動物が生息する。国立公園はルサカ市の水源となっており、その保全にも役だっている。野生動物を見たことがないというザンビア人は多く、ルサカ市民が週末に出かける、人気の行楽スポットとなっている。

（大山修一）

35

日本の開発援助

★これまでの変遷と今後の方向性★

日本は1970年代初めにザンビアに対する協力を開始して以来、主として独立行政法人国際協力機構（JICA）を通じて、農業、教育、保健、水、インフラなどの分野で幅広く政府開発援助（ODA）を展開してきた。その最大の特徴は、人材育成を目的とした技術協力（ソフト）とインフラ整備を目的とした資金協力（ハード）を効果的に組み合わせた点にある。

たとえば、ザンビア大学獣医学部では、1983年の無償資金協力による校舎建設・機材整備を皮切りに、現地への日本人専門家派遣と機材供与、日本への研修員受入れを組み合わせた「技術協力プロジェクト」が累次にわたって実施された。当初は専門家が教壇に立って学生に直接授業をおこない、その後は講師となった卒業生が授業や研究をおこなった。専門家の多くは北海道大学獣医学部の出身で、1990年代に人気を博した漫画『動物のお医者さん』に登場するアフリカ・フリークな教授はそのうちのひとりをモデルとしている。これまでに卒業した500名以上の獣医師は、政府職員や開業医としてザンビアの畜産業を支えており、高級牛肉生産で有名なザンビーフ社の急成長の背景にも、家畜伝染病の防疫や食品衛生監視に全国で

ザンビア大学獣医学部

携わる彼らの活躍がある。日本への留学経験を有する研究者を中心に、現在でも北海道大学との連携によりエボラ出血熱や鉛鉱害などの研究が活発につづけられており、同じく日本が支援したガーナの野口記念医学研究所やケニアの中央医学研究所と並ぶ、アフリカを代表する医療研究機関に育ちつつある。

基礎教育分野では、「授業研究アプローチ」の普及を通じて中等理数科教員の能力向上に取り組んだ結果、今やザンビアがアフリカ域内の研修拠点となった。保健分野では、保健医療施設の建設・整備に加え、１９８０年代の母子保健、90年代のＨＩＶ・感染症対策から２０００年代のプライマリ・ヘルスケアまで、人材育成を中心とした協力が展開された。また、ハンドポンプ付きの深井戸を全国で２４００本以上建設するとともに、首都ルサカに点在するコンパウンド（未計画居住地、コラム4参照）で給水施設を整備するなど、給水・衛生分野での貢献も大きい。農業分野では、地方の村落開発や農業技術普及体制の強化に取り組むとともに、近年は小規模灌漑開発や稲作普及が進められている。インフラ分野では、

ルング大統領（上から２列目中央）とJICAボランティア

無償資金協力による橋梁・都市道路の建設に加え、国境での通関体制の整備や都市開発、地方電化などの協力が実施された。民間分野では、日本のものづくりの代名詞である「カイゼン」の名を冠した専門機関が設置され、民間および公共セクターにおける品質・生産性の向上が図られている。

ボランティアについては、１９７０年に初代青年海外協力隊員６名が柔道指導のため派遣されて以来、農業・農村開発や教育分野を中心にこれまで計１６０６名（２０１９年末時点）が派遣されている。２０１９年４月にはボランティア全員が大統領官邸に招待を受け、隊員の現地語でのあいさつに感銘を受けた大統領が、みずから敷地内で飼われているキリンを案内するという一幕もあった。

日本の地方自治体との関わりでは、宮城県丸森町による日本の在来技術を活かした草の根レベルでの技術協力が特筆される（43章参照）。ザンビアからの研修員受入れは、過疎化の進む同町の活性

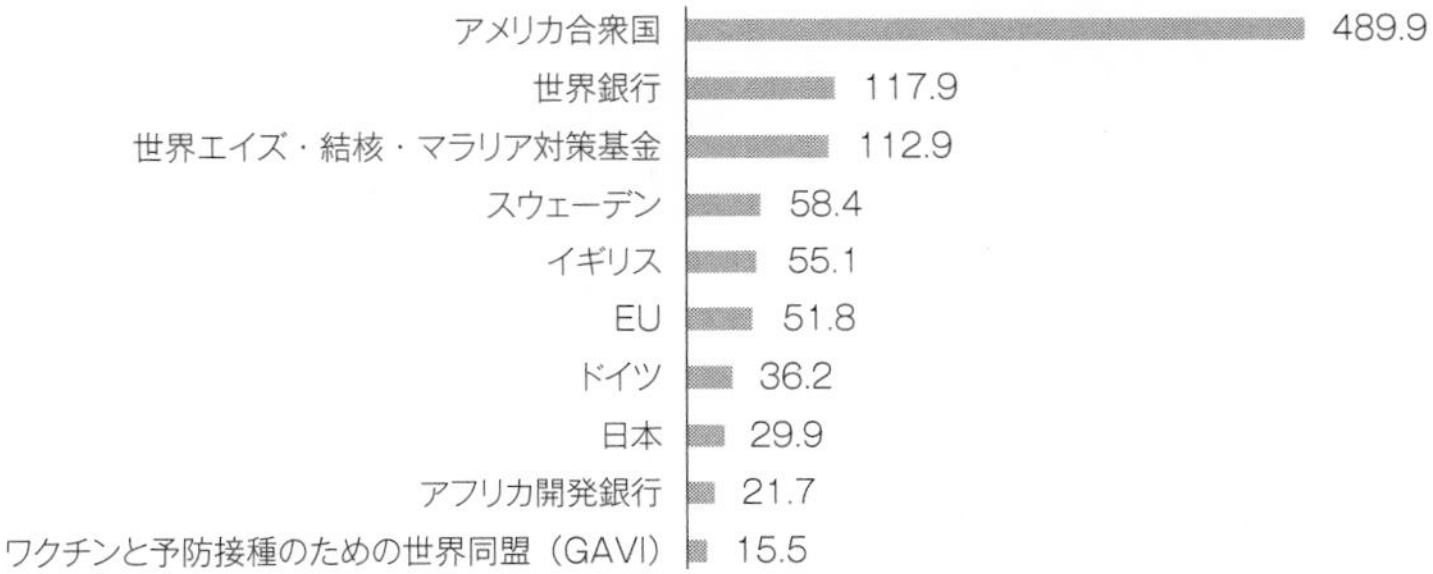

対ザンビアODA実績トップ10（2017·2018年平均、単位：百万USドル）
出所：OECD-DAC

化にもつながり、２０２０年東京オリンピックの開催に際してザンビアのホストタウンになるきっかけとなった。関西ペイント株式会社によるマラリア撲滅に向けた防蚊塗料の実証・普及といった官民連携事業も増えつつある。

かつてのＪＩＣＡのスローガンだった「人造り、国造り、心のふれあい」を地で行くかのように、日本人専門家やボランティアはザンビア人に寄り添い、ともに汗を流し、心のふれあいを大切にしてきた。この姿勢こそが日本の援助哲学の根底をなすものといえよう。

一方、日本のＯＤＡの金額的な推移を見てみると、１９９０年代なかばに年間60億円前後（円借款を除く）とピークを迎えたものの、２０００年代には30億円前後にまで減少し、同水準を維持したまま現在に至っている。一方、債務救済後の長いインターバル期間を経て２００９年に再開された円借款は、急伸する債務超過を背景に２０１７年10月に世界銀行・国際通貨基金（ＩＭＦ）がザンビアの債務リスクをハイレベルに引き上げたことから、再度中断されることとなった。

ＯＤＡをとりまく環境も大きく変わりつつある。ザンビアでは

2000年代に入ってから援助供与国・機関（ドナー）のあいだでの援助協調が進み、使途を特定せず政府予算に上乗せするかたちで援助資金を供与する「直接財政支援」が援助手法の主流となった。当時は「プロジェクト型支援」を中心とする日本に対する批判も強かったが、相手国のオーナーシップの尊重は汚職を招く要因にもなったことから、直接財政支援は2010年をピークに急減した。また、最近は中国やインドといった新興ドナーの台頭もあって、他のアフリカ諸国と同様に、これまで欧米ドナーが主導してきた援助協調の枠組み自体が見直しを迫られている。

前ページ図を見ると、2018年の時点で日本は対ザンビア援助額で第8位（2国間援助では第6位）の位置にあるが、統計上には表れてこない新興ドナーが急速に存在感を高める中、その地位は相対的に低下しつつある。これまでの評価や築いてきた人脈を最大限に活用して、援助の量よりむしろ質を高めることが求められている。

2000年代の年平均7%を超える経済成長と2010年代に入ってからの停滞は、銅という単一の資源への依存が他の国内産業の健全な成長を阻害する、いわゆる「資源の呪い」からザンビア経済が脱却できていないことを示している。かかる状況のもと、日本は「鉱業への過度の依存から脱却した多角的かつ強靭な経済成長の促進」を対ザンビアODAの基本方針とし、そのための重点分野として農業・民間セクターにおける「産業の活性化」と「経済活動を支えるインフラ整備・社会サービス（教育・保健）の向上」を挙げている。ザンビアにかけられたこの「呪い」をいかに「恩恵」に転ずるか、そのためにどのような支援をおこなうべきか、現地では関係者が一丸となって日々試行錯誤をつづけている。

（花井淳一）

V

宗教と教育、文化、スポーツ

36

生活に根づくキリスト教

★ザンビア人を理解するための鍵？★

「そんな格好で教会に行くの？」――日曜日、礼拝に出かけようとした矢先、友達から呼び止められた。昨日も着ていたしわくちゃのシャツと、しばらく洗濯していない調査用ズボンという「普段どおり」の格好をしていたわたしは、「そうだけど、なんで？」と聞き返した。教会に行くときは大人も子どもも「朝、水浴びをし、身なりをきちんと整え、白い服を着たり、教会おそろいのチテンゲ（女性用の腰布）をつけたり、スーツを着たり、おめかしをする」ことが普通だということは、教会に向かう道の途中ですぐに判明した。「しまった……」と思いつつ、ほとんど服を持っていなかったわたしは、それから礼拝に行くときは、せめてシャツだけは洗濯したものを着ていこうと心に決めたものだ。

わたしが調査をしていたルシトという農村には、ローマ・カトリック教会があった。調査助手のラフォードは、熱心なカトリック信者であったため、わたしは誘われて教会を訪れるようになった。恥を忍んでいえば、わたしはキリスト教についてほとんど知識を持っていなかった。そのため、キリスト教が一気に身近になったのは、ザンビアのおかげといっても過言ではない。

村にはさまざまな教会があったが、同じ教会の信者であることは人びとをつなげ、また教会に属していることは日常に変化を与えているように思えた。たとえば、どの教会にも、執行部や婦人会、青年会、聖歌隊などさまざまな下部組織があり、人びとは「ミーティング」に出るのに忙しい。農閑期には、他地域の大きな教会へ泊まりがけで行ったりもする。同じ教会に属する人は頻繁に情報を交換し、農作業の共同労働や日雇いの賃金労働などの情報にアクセスしやすい。

アメリカのシンクタンクであるピュー研究所のデータによれば、２０１０年の時点で人口の約97％がキリスト教を信仰しており、ザンビアは事実上「キリスト教国家」である。主要な宗派としてはアフリカ独立教会、正教会、プロテスタント、ローマ・カトリック、ペンテコステ派、福音主義などがあるが、現在のザンビアにはとても覚えきれないほど、新たな教会が乱立している。わたしの調査している村においても、他地域から新たな教会の牧師が布教にやってきたり、村の人が教会を乗り換えたりする様子が頻繁に見られるようになっている。

ザンビアにおいて宣教師の布教活動が開始されたのは、南部アフリカの中では比較的遅い19世紀末頃とされている。１８８２年には福音主義系のプリマス・プレザレンが現在の西部州に到着したとされる。ヴィクトリア・フォールズを「発見」したことで有名な探検家であるデイヴィッド・リヴィングストンは、ロンドン伝道会の宣教師でもあり、１８５０年代にはザンビアに到達している。その後も、ローマ・カトリックやアングリカンなど現在も多くの信者を持つ主流派と呼ばれる教会らによって、布教活動がおこなわれ、植民地時代にはさらなるキリスト教化およびアフリカ人の「文明化」が進められた。ミッショナリーの活動は、伝統的な文化・価値観に対する侵略として批判されることもあるが、学校や診療所の設立に代表される教育・福祉面での貢献を評価されることもある。独立以降、ザンビアではアフリカ独立教会と呼ばれる「アフリカ化」されたキリスト教が登場するが、現在ではそれほど盛んではないと言われている。1970年代以降には、ザンビアにもペンテコステ派やカリスマ運動の影響が流入するようになる。

現在のザンビアにおいて、ペンテコステ派の広がりは目をみはるものがある。ペンテコステ派は聖霊降臨を信じ、聖霊による奇跡や預言をする力を持つカリスマ伝道師が存在すること、マスメディア

教会に出かける女性たち

の活用や大規模な集会など、さまざまな特徴を持っている。わたしも何度かペンテコステ派の教会を訪れたことがある。静粛な雰囲気のもとでおこなわれるローマ・カトリック教会の礼拝と異なり、マイクによる激しい説教、大音量の音楽、祈りを唱えながらトランス状態に陥いる人びとを前に、衝撃を受けた。

そのうち、ザンビア国内で「T・B・ジョシュア」という名前をよく聞くようになった。ナイジェリア人の牧師であるT・B・ジョシュアは、自身の教会を持つだけでなく、エマニュエル・テレビという彼自身が運営するテレビ局やインターネットを駆使し、アフリカ全土、そして世界中に影響力を拡大している人物である。わたしもザンビアで番組を見たことがあるが、多くの信徒が集う中、T・B・ジョシュアは、病気や怪我を治す「奇跡」を次々と繰り広げていた。ペンテコステ派は、信仰による日常的な苦難の救済を唱えたり、成功や繁栄を重視したりする傾向があるとされる。グローバル化に取り込まれるザンビアにおいて、ペンテコステ派の拡大が経済格差や貧困とどのような関係にあるのかは興味深いテーマである。

サハラ以南アフリカは2050年にはキリスト教人口の約38%を占め、世界最大のキリスト教地域になることが予想されている。もし、ザンビア人の友人ができれば、必ず「あなたはキリスト教信者か?」「なぜキリスト教徒にならないのか?」と質問攻めにされることだろう。キリスト教はザンビアを理解する上で重要なキーワードであり、ザンビアの人びとの生活の軸としてたしかに息づいている。

（伊藤千尋）

37

ザンビアサッカー

★「銅の弾丸」――悲劇を乗り越えて★

アフリカの他国と同様、ザンビアで最も人気のあるスポーツはサッカーである。宗主国であったイギリスの影響を受けているため、多くのザンビア人はイギリスのプレミアリーグに強い関心を持っている。そのため飲食店などで放映されているのはザンビアのプロリーグではなく、イギリスのプレミアリーグであり、街中ではリバプールやマンチェスター・ユナイテッドといった人気チームのTシャツを着ている若者を多く見かける。また、サッカー観戦だけでなく、子どもから大人まで多くのザンビア人が実際にプレーを楽しんでいる。首都ルサカの中心部にも多くのサッカー場やサッカーができる空き地が多くあるが、近年ではより手軽にサッカーを楽しむため、人工芝のフットサル・コートが多数建設されている。

ヨーロッパのトップリーグにはアフリカ出身の選手が多いが、これは現地で若手の育成を進めるアカデミーを通じて優秀な選手をヨーロッパに送り出していることが背景にある。ザンビアでも２０１７年にはU-20代表が他の強豪国をおさえてアフリカ・チャンピオンとなったが、２０１７年にはバルセロナ・アカデミーがルサカに進出し、ヨーロッパ人のコーチによる若手のスカウトや指導、運営がおこなわれている。なお、ギリシャのパナシナイコスもルサカに進出しスクールを開校している。日本でもバルセロナやユベントスのアカデミーが開校しているが、ちょうど同じような位置づけである。

ザンビア人の若手サッカー選手を育成するバルセロナ・アカデミー（ルサカ）

世界でもサッカー代表チームは愛称で呼ばれることが多い。たとえばイタリアはチームカラーの青を意味する「アズーリ」、ブラジルは代表を意味する「セレソン」、日本代表は「サムライブルー」や監督名を冠して「〇〇ジャパン」などと呼ばれている。ザンビア代表の愛称は現地語で「銅の弾丸」を意味する「チポロポロ（Chipolopolo）」。ここにもザンビアの経済を支え外貨を稼ぐ銅が使われていることが興味深い。このチポロポロはンドラのレビー・ムワナワサ・スタジアムが本拠地である。国内で最も大きいスタジアムはルサカ郊外にあり6万人を収容するが、飛行機事故で亡くなった英雄を称えてナショナル・ヒーローズ・スタジアムと名付けられている。

1993年のアメリカ・ワールドカップアジア地区最終予選で、日本代表はロスタイムで失点し、ワールドカップ本選出場を逃す「ドーハの悲劇」を経験した。同じ年にチポロポロにも「ガボンの悲劇」と呼ばれる事件が起こった。1次予選を首位で通過したザンビアは、モロッコとセネガルとの3チームでのリーグ戦で1位になればワールドカップへの出場を果たす状況であった。１９９３年４月27日、選手を乗せた飛行機はセネガル戦に向かう途中にガボンで給油し、離陸した後に、大西洋に墜落する。この事故で代表選手18名や監督を含む合計30名が犠牲となった。当時のカウンダ大統領が代表チームを寵愛していたことからイニシャルを取ってＫＫイレブンと呼ばれていたが、この悲劇の後からチポロポロと呼ばれるようになった。その約30年後の２０１２年には、ガボンで開催された２年に１度開催されるアフリカ・ネイションズ・カップで強豪コートジボワールを破り、みごと初優勝を果たした。ガボンの悲劇が起こった因縁深いこの地で優勝を勝ち取ったことはザンビアの人びとを大いに勇気づけることとなった。

２０２０年４月時点でのＦＩＦＡランキングは88位と低迷しているが、１９９６年には15位を記録しており、当時はアフリカで最もランキングの高いチームであった。ワールドカップ本選への出場経験はないものの、今もザンビアはアフリカの中でも強豪国のひとつである。残念ながら２０２１年に予定されている東京オリンピックは予選で敗退したため出場できないが、過去にはソウル・オリンピックでイタリア代表を破りベスト８に進出するなど、とくに80年代から90年代にかけて非常に強いチームであった。それだけにガボンの悲劇はザンビア人にとって忘れられない、また、語り継がれる事故である。

ザンビアのサッカー協会は１９２９年に設立され、ザンビアの独立と同時に、ザンビア・サッカー協会（通称ＦＡＺ）としてＦＩＦＡに加盟を果たすなど長い歴史を持つ。ＦＡＺはザンビア・スーパーリーグと呼ばれるトップリーグ、その下位にあたるディビジョン１〜３の４リーグを運営している。トップリーグは２０１８年までは暦年と同じ２月にリーグが開幕していたが、２０１９年シーズンは

レッドアローズ対ゼスコ・ユナイテッドのプロリーグ戦　（ルサカ）

1月から6月までの短いシーズンとなり、2019／2020シーズンからはヨーロッパの各国のリーグと時期が同じ8月開幕となった。この改変によりザンビアの選手がヨーロッパに移籍しやすくなり、現在でも2017年にアフリカ若手最優秀選手となったパトソン・ダカ（オーストリア、ザルツブルク所属）などヨーロッパで活躍する選手がいるが、今後さらにヨーロッパのトップリーグで活躍する選手が増えるだろう。

現在のトップリーグには18チームが在籍している。これまでの優勝回数ではキトウェがホーム・グランドのンカナが12回と最多であるが、近年ではンドラに本拠地を置き電力会社を親会社に持つゼスコ・ユナイテッドが2017〜19年の3連覇を含む過去10年で6回優勝するなど、とくに優れた戦績を残している。また、ゼスコは2019／2020年のアフリカ・チャンピオンズ・リーグにも参戦しており、世界クラブ選手権にアフリカ代表で参加して世界一のチームになる可能性もあったが、2020年2月、惜しくもグループステージ敗退となった。

2019年1月2日、当時横浜F・マリノスの中町公祐選手がザンビア移籍を発表した。自身のブログにも「2019年より、アフリカのチームに移籍をします!!……というか移籍する予定です」と書いているように、この時点では正式な契約には至っていなかったが、ザンビア・リーグへの移籍期限の最終日だった1月31日にゼスコ・ユナイテッドへの移籍が決まった。彼がアフリカに関心を持ったのは、2013年から大学時代の友人のNPO法人を通じてアフリカにサッカーボールを送るという活動がきっかけである。その後、2018年のロシア・ワールドカップによるJリーグ中断期間を利用してアフリカのガーナを初めて訪問したことが、その後にアフリカ移籍へと動くことを後押しした。友人がガーナに建設した学校のグランドが、生まれてすぐに他界した中町選手の息子の名前をとって「ヒュウゴ・スタジアム」と名づけられたことや、アフリカの子どもたちが裸足で、自分が送ったサッカーボールを蹴る様子を見て、ひとりの人間として、サッカー選手として「アフリカと日本をつなぎたい」という強い思いが湧き上がり、アフリカに移籍することを決めたようだ。Jリーグのトップ選手がヨーロッパや南米に移籍するケースは数多くあるが、アフリカのクラブチームに移籍するのは中町選手が初めてであり、日本サッカー協会も現役選手として初めて彼を国際委員に任命した。

ところが2020年3月、中町選手はチームの金銭事情により契約を解除されたことを発表した。ザンビアリーグ自体も、新型コロナウイルスの影響で中断を余儀なくされた。青天の霹靂というべき状況にもかかわらず、彼のザンビアやアフリカへの思いは変わっていないという。現在、中町選手はザンビアまたはアフリカでの現役続行を模索しながら、みずから立ち上げ代表を務めるNPO法人を通じてアフリカへの支援活動も精力的につづけている。思いがけない試練を乗り越えて、今後も日本とザンビア、日本とアフリカをつなぐサッカー選手としての活躍を大いに期待したい。（松村元博）

38

東京オリンピックとザンビア

★日本に響き渡った「ザンビア、バンザイ」の声★

こんなことはオリンピック史上初めてのことだ。メダルこそとれなかったが、オリンピック初参加、そして独立、こんなうれしいことはない。

（毎日新聞夕刊、7面、1964年10月22日）

1964年10月24日、ザンビアと日本の両国が同時に歴史的なイベントを迎えた。ザンビア時間で午前0時（日本時間の午前7時）、イギリスによって統治されていた北ローデシアが、ザンビア共和国として独立を果たした。当時、北ローデシアの首相であったケネス・カウンダは、統一民族独立党（UNIP）を率いて、そのままザンビア共和国の初代大統領になった。ザンビア独立の10時間後の日本時間で午後5時、日本では15日にわたった東京オリンピックが閉会式を迎えた。94の国と地域から5558人が参加した祭典が幕を閉じたのである。

冒頭の言葉は、北ローデシア選手団を率いるジョージ・クレイグ団長が、閉会式と祖国の独立を目前に控え、感極まって興奮しながら述べた感想である。北ローデシアは、東京オリンピックで初めてオリンピックに参加した。このとき初参加の国は18ヵ国であり、そのうち12ヵ国が独立したばかりのアフリカの

1964年東京オリンピック北ローデシア選手団参加種目一覧

種目
陸　上
男子100 m
男子200 m
男子110 mハードル
男子マラソン
競　泳
男子400 m自由形
男子1500 m自由形
男子200 m平泳ぎ
男子400 m個人メドレー
ボクシング
男子バンタム級
男子フェザー級
レスリング
男子フリースタイルフェザー（現60 kg）級
男子フリースタイルミドル（現84 kg）級
フェンシング
女子フルーレ個人

国々であった。12ヵ国の中で最も新しい国がザンビアであり、東京オリンピックの開催期間中に独立を果たした。

国際オリンピック委員会（IOC）には、北ローデシアとして登録されていた。開会式の際には独立前であったことから、ザンビアとしての参加は認められなかった。しかし当時のIOCのアベリー・ブランデージ会長の配慮によって、開会式では北ローデシア旗、閉会式ではザンビア旗を掲揚することが認められた。また国名のプラカードも、閉会式の際には「ZAMBIA」のプラカードに変更され、開催国として最後に入場する日本を除いて、アルファベット順で最後の93番目の入場に変更された。選手団はこの異例の取り扱いに感謝し、世界が見守る閉会式の場で、新しい国旗を掲げられることに誇りをもっていた。

北ローデシアの選手団は12名の選手と団長1名、役員2名の合計15名で、１９６４年の東京オリンピックに参加した。選手12名のうち2名のみが黒人であった。また女性選手は1名のみであった。選手の内訳は陸上5名、競泳2名、ボクシング2名、レスリング2名、フェンシング1名であった。16歳から34歳の若い選手たちは、1964年10月3日から24日まで日本に滞在した。

オリンピック期間中のザンビアの独立は、日本の新聞にも大きく取り上げられ、選手団の喜びと熱気を手に取るように感じることができる。毎日新聞は1964年10月22日の夕刊で、「独立おめでとう 五輪初参加の北ローデシア 閉会式に晴れて『鷲』の新国旗喜びの行進」という見出しで、ザンビアの独立を祝う記事を掲載している。クレイグ団長が、ベンバ語で独立のことを「ウブチュングワ」ということを紹介したうえで、記者に対して日本語訳を尋ね、「独立、ドクリツ、どくりつ」と紙に書いた写真が掲載されている。記事が掲載された22日、選手団一同がケネス・カウンダ新大統領にあてて祝電を打っていたこともわかる。記事の中では、新しいザンビアの国旗について詳細に紹介されている。

新国旗は緑地に羽ばたく鷲をあしらい、右下に赤、黒、オレンジ色の縦線を配したもの。緑はザンビアの豊かな自然を象徴し、赤は自由のための闘い、オレンジ色は鉱物資源を意味する。鷲は自由と困難をのりきるたくましい力のシンボルである。

読売新聞は10月23日から25日まで、連日ザンビアの独立に関する記事を掲載した。23日の夕刊では、「胸張る『ザンビア』勢 あす選手村でも祝典 閉会式は『金のワシ』国旗で」という見出しで、選手団がザンビアの独立と同時に祝典を開催することを報じている。翌24日の夕刊では、「『ザンビア、バンザイ』 新国旗あげて独立祝う」という見出しで、祝典の様子が報じられた。ザンビア時間午前0時にあわせて、東京・代々木の選手村では、ユニオンジャックのついた北ローデシア旗がおろされ、

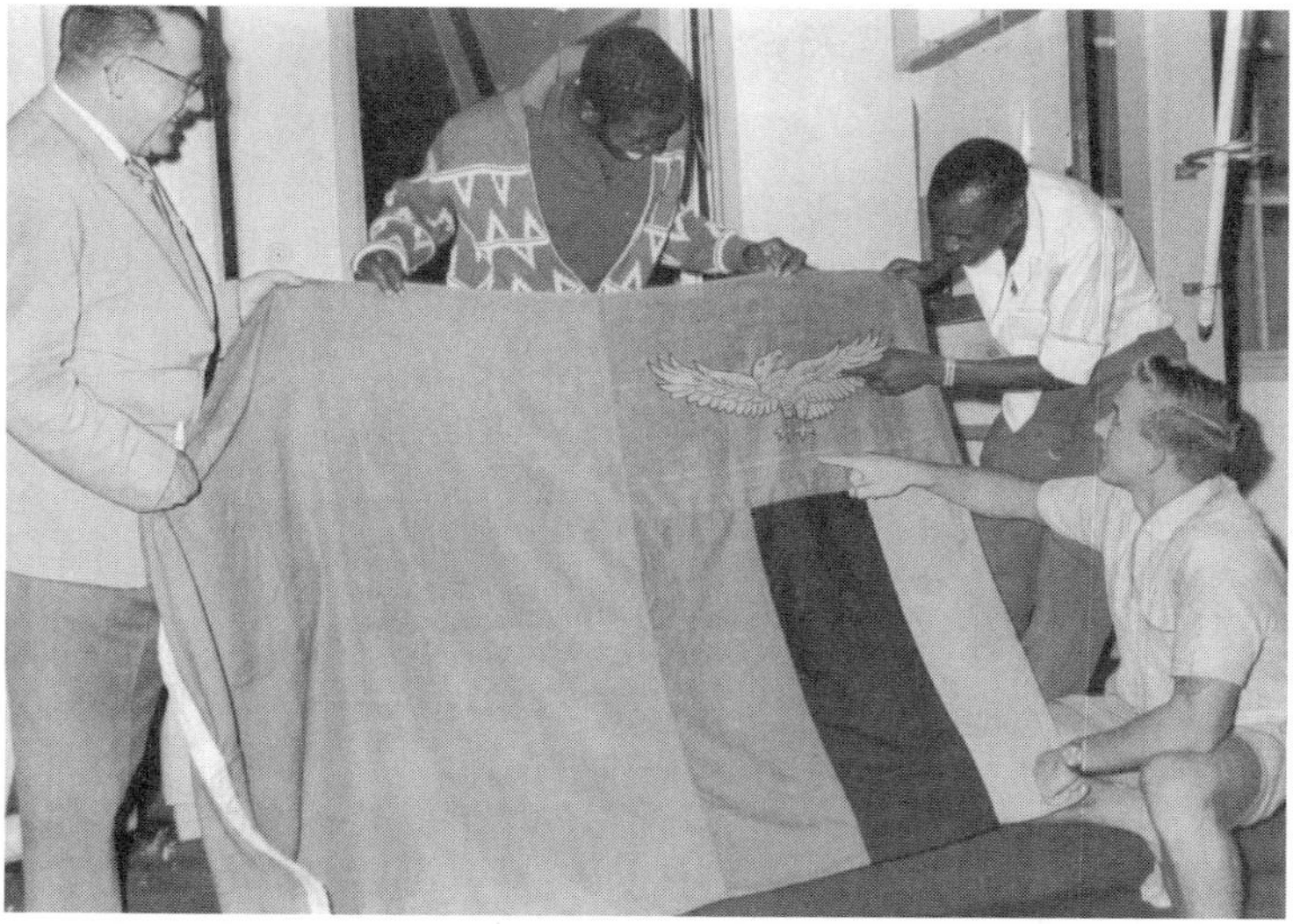

閉会式前夜、東京・代々木のオリンピック選手村で新しいザンビア国旗を広げる北ローデシア選手団（1964 年 10 月 23 日）（朝日新聞社提供）

ザンビア旗が掲げられた。参加した全員がザンビアに届かんばかりの声で、「ザンビア、バンザイ」と叫んだという。

北ローデシアの選手団は、大会中メダルを獲得することなく、注目もされなかった。しかしザンビアは、独立のニュースによって日本中に知られることになった。北ローデシアの選手団がザンビアの選手として閉会式に参加し、新しい国旗を誇らしげに掲げていたことは、東京都が発行した公式の報告書にも記載されている。多くの日本人やオリンピック関係者が、ザンビア独立のときを北ローデシア選手団とともに迎え、その瞬間を祝った。選手村の村長は新しいザンビアの国旗のついたケーキを贈り、ともに独立を喜んだという。当時大会組織委員会の国旗担当であった吹浦忠正氏は、事前にザンビア独立の情報を得ており、ひそかに新国旗を準備し、独立の瞬間にあわせて選手村に駆けつけたことを後年、語っている。また独立のお祝いとして、千羽鶴を贈ってくれた人もいるという。北ローデシアの選手団は、堂々と初参加の東京オリンピックという大舞台で新しい国家の独立という晴れ姿を披露し、ザンビアという新生国家が誕生したこと、今後の意気込みを日本中そして世界中に知らしめたのである。

これまでのオリンピックでザンビアは銀メダル1個、銅メダル1個の合計2個を獲得している。1984年のロサンゼルスオリンピックにおいて、ケイス・ムウィラ選手がボクシング男子ライトフライ級（48キログラム級）で銅メダルを獲得し、1996年のアトランタオリンピックでは、サミュエル・マテテ選手が陸上男子400メートルハードルで銀メダルを受賞している。

2020年7〜9月には、2度目の東京オリンピック・パラリンピック（東京2020大会）が開催される予定であった。しかし2019年末に新型コロナウイルス感染症（COVID-19）が発生し、世界各地に爆発的に拡大したことで、東京2020大会は2021年7〜9月に延期されることになった（2020年7月現在）。そんな状況においても、各競技のザンビアの選手たちは練習をつづけ、成果を出している。少し紹介しておこう。2020年6月現在、延期となる東京オリンピック大会には陸上（男子200メートル）、ボクシング（男子フライ級、男子フェザー級、男子ウェルター級）、女子サッカーでザンビア代表選手の出場がすでに内定している。さらに柔道や競泳での出場も期待されている。またパラリンピック大会では、日本人の協力のもと練習する陸上選手の出場が期待されている。ザンビアの選手団が活躍し、ふたたびザンビアの国旗が競技場に掲げられることを期待している。

（原 将也）

39

主食シマへのこだわり

★ザンビアの食生活、その中心で★

ザンビアの代表的な主食といえば、トウモロコシ粉の固練り粥、シマだ。地域によって原料はモロコシやシコクビエなどの雑穀の粉、もしくはキャッサバのイモの粉を使うところもある。しかし一般的にはミルミルと呼ばれるトウモロコシ粉を使ったシマが、首都ルサカを中心に食されている。黄色いスイートコーンとは異なる、白く甘くないトウモロコシを乾燥させて挽き、それを沸騰させた湯の中に溶いて、混ぜて練りつづけると、シマができあがる。同じトウモロコシ粉を使い、ほぼ同様の料理手順をふんだ主食が、東アフリカのケニアやタンザニアでは「ウガリ」、ウガンダでは「ポショ」や「カウンガ」、ジンバブエに行くと「サザ」、南アフリカでは「パップ」と呼び方が変わりつつ、東から南部アフリカで広く食べられている。ここでは、東アフリカのそれとは、いくつかの点で異なることを指摘しながら、ザンビアのシマの魅力に迫りたい。

まずは柔らかさである。シマは柔らかい。このふわっとした柔らかいシマをザンビア人は手で食べる。指先で一口分をすくったあと、数回、ぎゅ、ぎゅっと柔らかいシマを指と手の平を使いつつ握ってかたちを整えて、おかずである肉や魚を煮込んだ煮汁などをつけて食べる。噛みきりやすいイモ餅といった食感で、シマ自体には味があまりないため、おかずは味の濃いものが好まれる。この柔らかいザンビアのシマに慣れ親しんだ青年海外協力隊の隊員が、ケニアで出されたウガリをいつものように手で食べようとして突き指をした、なんて逸話もあるぐらい、ザンビアと東アフリカのそれの柔らかさは異なる。

手で食べるかどうか、そこも違う。もちろん東アフリカでも手で食事をするところは多い。しかし東アフリカ、とくにウガンダの都市周辺ではシマをフォークで食べている。一方、ザンビアでは首都ルサカのフォークやスプーンなどが容易に手に入る場所で、ネクタイを締めた役人やビジネスマンたちが、手でシマをぎゅ、ぎゅっと握って食べている。ザンビア人たちは、手で握ってから食べなければおいしくないと考えているようだ。

手で食べるからには、もちろん食前食後に手をしっかり洗う。地元のレストランでは、プラスチック製の大きなバケツを加工して蛇口をつけたものを、鉄製の棒でつくった台に乗せ、蛇口の下にたらいを設置した簡易手洗いセットをよく見かける。これはほかの国々でも見られるものではあるが、ルサカで色とりどりのバケツとたらいを使った手洗いセットが、道端にずらっと並べて売られているのを見るにつけ、ザンビア人の手で味わうシマに思いをはせずにはいられない。２０２０年、新型コロナウイルス感染症（ＣＯＶＩＤ-19）予防対策のために活躍したのも、この簡易手洗いセットである。手近に簡単に購入できるこの手洗いセットは、レストランだけでなく、さまざまな場所に登場したという。一方、アルコールが入った消毒液を手につけて食事をすることへの注意喚起もよくされているとのこと。シマを手で食べることを基本とするザンビアの人びとにとって、重要なポイントである。

しかし手で食べようとすると、驚くことがある。その熱さである。ルサカの食堂でシマはかなり熱い状態で提供される。そのあつあつのシマを、ザンビア人たちはするすると握っては食べていく。低所得者居住地区のコンパウンド（コラム4参照）では、シマをつくった大鍋に直接手を入れて、シマをすくって握っては食べていく。子どもたちには、大人が代わりにシマを握ってやり、小さな丸いシマが皿の上にころころと並べられる。一方、東アフリカのレストランで提供されるウガリは、熱くないどころか冷え切っていることもある。シマを温かい状態でサーブしようとするザンビアのレストランの気遣いから、ザンビア人のシマへのこだわりが伝わってくる。

シマをザンビア人たちは毎日のように食べる。コンパウンドや大学の食堂ではシマとおかずが10～25クワチャ（100～250円程度）、金銭的に余裕のある会社員やオフィス・ワーカーを対象にした中級レストランでは、50クワチャ（500円程度）で提供されている。首都ルサカのこうした中級レストランでは、少し茶色がかった「ローラー」のシマが人気である。ローラーとは、米で言う玄米と同様で、トウモロコシの種皮を取らずに粉にしたミルミルを指す。一方、トウモロコシの種皮をとって粉にしたものがブレックファーストと呼ばれるミルミルである。ルサカ全体では、ブレックファーストでつくられた白くなめらかな歯ざわりのシマを好む人が多いようだが、健康志向の高い人びとのあいだでは、栄養価が高いローラーでつくった香ばしい風味のあるざらっとした歯ざわりのシマが好まれている。一方で、地方の農村ではむしろローラーのシマが通常であり、ブレックファーストの白いシマは都市の食べ物だという話も聞く。逆に都市に長く住みブレックファーストのシマに慣れてしまった人びとの中には、ローラーのシマを食べるとお腹の調子を悪くする人もいる。そこで、栄養価と体

第39章

主食シマへのこだわり

葉野菜のおかずが３種類選べるレストランのシマ

調を考慮して、ブレックファーストとローラーを混ぜてシマをつくっている家庭もある。シマへのこだわりは半端ではない。

シマのおかずには肉か魚、インゲンマメのいずれかを煮込んだものに、葉野菜を炒め煮したものが添えられることが多い。葉野菜の種類は、少し苦みのあるレープ（セイヨウアブラナ）、シャキシャキとした歯ごたえのハクサイ、カボチャの葉やサツマイモの葉、キャッサバの葉、オクラやインゲンマメの葉など と豊富で、いずれかの葉野菜にトマトと玉ねぎを加えて調理される。レストランに行くと、おかずは煮込み料理以外にも、揚げた魚や鶏肉、牛のティー・ボーン・ステーキ、ポーク・チョップ、イモムシ炒めなど、汁気があまりないものも選択肢として並ぶ。その場合は、オレンジ色のグレービーソースが別に用意されている。これはとくに汁気のないおかずと一緒にシマを食べるための潤滑油となるのだ。

シマ好きのザンビア人たちは、自宅でシマが残ってしまったら、翌朝、冷たい状態でもシマを食べる。冷めたシマにはマビシと呼ばれる冷たい発酵乳と砂糖をかけて食べる。この冷やご飯ならぬ冷やシマを楽しむ姿から、シマが彼らの食生活の基本にあることがわかる。スーパーマーケットに行けば、ミルミルが5キログラム、10キログラム、そして25キログラムの大袋で販売されている。コンパウンドでは、1食分のミルミルがナイロン袋入りで売られている。ザンビア人のお金がないときの嘆き方はもちろん、「ミルミルを買うお金もなくて……」だ。

ちなみに、ルサカで人気の飲み物の中に、ミルミルが原料の冷たいポリッジのような飲料がある。どろっとした白い液体に、ストロベリーやバナナなどのフレーバーがつけられペットボトル入りの製品として売られている。朝ごはんがわりに、小腹がすいたときに、それらは飲まれている。「これはミルミルでつくられていて、我々の伝統的な飲み物だ」と言って勧めてくるザンビア人。とにかくミルミルとシマが、ザンビアの食事の中心にあることは断言できるだろう。

（大門　碧）

40

伝統的ビール・チブク

★村の手作りと工業化された地酒★

1990年から91年にかけて、南部アフリカ一帯は大干ばつに見舞われていた。91年の暮れと翌年の3月、わたしは調査のためにザンビアを2度ほど訪問した。調査地は首都ルサカから180キロメートルも離れた農村である。モザンビークとの国境近くで、ザンベジ川の支流ルワングワ川が流れていた。ここはザンビア国内で標高が低く、訪れた頃は1年のうちでもとくに気温が高い時期で、日中の最高気温は40℃以上になる。雨季だというのに、雨はあまり降っていなかった。乾燥地で干ばつの常襲地域である。村の男たちは朝からヨシを材料に熱心に編んでいた。これをヨシズやマットとしてルサカで売って食糧を購入するのだという。

この村でもうひとつ強く印象に残っていることがある。それは女性たちによる地酒、トウモロコシのビールであるチブク造りだ。朝から人がたくさん集まる場所があった。そこには必ずドラム缶があった。昼から一緒に酒を飲んでいる。女性たちがトウモロコシの酒を売って主食用のトウモロコシを買うとのことで、この時は「なぜ、わざわざ酒にするのか」と不思議に思った。この時、「酔っ払いに絡まれると仕事にならないよ」

村におけるチブクの製造（1992年）

と、酒を飲んでいる場所に近づかない方がよいとの忠告を受けた。乾燥地なので、チブク造り用の穀物はトウモロコシだけでなく、シコクビエやモロコシも使われる。

同年8月、ルサカから100キロメートルほどの、中央州のダンボ（コラム1参照）を利用している村で調査を開始した。ここでも毎日のようにドラム缶でチブクが造られていた。乾季に雨は降らないので、女性たちが庭先で薪を燃やしてドラム缶に熱を加えていた。前の忠告が頭を横切り、ここでも情報を得ようとはしなかった。それにしても、村ではチブク造りが盛んであった。翌年の8月、調査助手の家の庭先で奥さんが前日からチブクを造っていた。この酒はザンビアでチブクないしはセブンデイズと言い、レンジェ語はワルマ・ワンクミ、ベンバ語はカタタだと調査助手が教えてくれた。

チブクの値段は、村長が周辺の村長たちと話し合って決めていた。値段は1月から1年間同じ、つまり固定価格であった。村の経済にとってチブク造りは、かなり重要であるらしい。「チブクの値段を村長たちが決める」とは、なぜだろうか。値段をめぐって村人たちのあいだでトラブルが起こらないようにということだと、その時わたしは理解した。しかし今考えると、チーフや村長という伝統的権威を持つ人たちにとっても、チブク造りはかなり重要な案件であり、チーフや村長にとっても、収入源になりうる。後日談だが、村長がチブクを製造する人びとに金銭を要求し、不満の声が出ていた。

１９９４年8月の調査メモをみると、村での1カップの値段が記してある。カップとは確か、サカナの缶詰よりもかなり大きな空き缶であった。チブクは１９９４年に50クワチャ、前年には30クワチャであった。チブクと同じように造るが、甘酒のようなノンアルコールのムンコウヨウは30クワチャ、前年には20クワチャであった。価格上昇は各1・7倍と1・5倍である。ザンビアが本格的に国営企業の民営化と経済の自由化を開始した年である。当時の為替レートは1ドルが１００円、６６０クワチャであった。1クワチャ０・15円。1カップのチブクは７・６円であった。この頃、村で若者たちがダンスパーティーを何度か開いた。調査助手も自宅の庭で開いたが、ザンビアの代表的なビールであるモシ1本は５００クワチャ（75円）で売られていた。チブクのおよそ10倍であった。

同じ村を１９９６年の暮れに調査した時から、酒造りの大切さを強く意識するようになった。この時は39世帯を訪問したが、チブクを造って販売していたのはわずか1世帯であった。この世帯主はンセンガという民族の女性で年に4～5回ビールを造っていた。1カップを１００クワチャ（９・２円）で売ったという。1ドルの為替レートは１１５円で、１２５０クワチャであった。１９９４年の対ドルレートと比較すると、クワチャの価値は半分ちかくに下落していた。この頃、工場製のチブクが村に入って来るようになった。1カップ（0・5リットル）の値段は250クワチャ（23円）で、ローカル産の2・5倍と高いが、村びとの多くがこのチブクを飲むようになった。プラスチックの容器に入った工場製チブクを何度か目にした。この頃、ローカル産の酒を飲んで人が亡くなったという新聞記事を何度か読んだ。

翌97年にも37世帯を訪問したが、うち2世帯がチブク販売に関わっていた。1世帯は近くの地方都市から購入した工場製チブクを1カップ350クワチャで販売していた。もう1世帯は老女で、トウモロコシの収穫が悪かったのでムンコウヨウとチブクを造り、売っていた。98年8月には33世帯を調査し、1世帯がチブクを1カップにつき400クワチャで売っていた。トウモロコシの収穫が十分でなかったので、村長の許可を得てチブクを売り、食事用のトウモロコシを買うとのことであった。99年に判明したが、ある男性が2年前にチブクを売ったが、利益が出なかったのでやめたという。2001年には、この村でよくみかけた酒造りは工場製のチブクに押されてほとんど姿を消した。工場製チブク1カップの値段は400クワチャ、99年と同じ値段であった。

植民地時代の記録では、農作業を手伝ってくれた人びとに依頼人は地酒を振る舞うが、その量と質によって助っ人の働きぶりが異なってくるという。また、ザンビア北部に居住するベンバの人びとにとって地酒は最重要の食料のひとつで、普通の食事では不足するビタミンB群を補給する。チーフの多くは毎日のように飲んでいる。チーフへの貢ぎ物、労働への対価、精霊への捧げものとして、そしてさまざまな儀式においてチブクは欠かせない。酒宴は娯楽の少ない人びとに対して重要な楽しみを与えている。女性世帯主にとって数少ない現金収入源のひとつである。チブクの販売は禁止されていたが、少量の取引を取り締まることはできないなどとある。

イギリスの植民地では、かつて地酒の醸造は法律で禁止されていた国もある。日本もそうであったように、近代化とともに、民間企業が酒を造るようになり、人びとは税金を払って酒を飲むようになる。それは国庫にとって重要な財源のひとつだ。チブクやムンコウヨウが消え、工場製ビールのモシやノンアルコールのマヘウという商品に姿を変えたのだ。モシを生産するザンビアン・ブリュワリーズは1963年に国営企業として創立され、1994年に民営化した。2001年に商品化されたマヘウは現在、数社の企業が製造し、南部アフリカで人気を博し、生産量の50％が輸出されている。かつて、村の人びとが好んでいた地ビールが村から消え、村はどう変わっていくのだろうか。

（半澤和夫）

ザンビア人と食用油

コラム18

立山由紀子

ある日、ふと気がついたことがある。それは、どうもザンビア人の食用油の使用量が尋常ではないようだということである。わたしは、基本的に現地の食事は口に合う方であり、農村に滞在していた時には、ローカルの食堂や現地の家庭で食事をとることもあったが、食用油について気にしたことはなかった。

現地の友人宅を間借りしていた時のことである。4〜5日前に買い足したばかりの750ミリリットルボトルの食用油が、わずかしか残っていないことに気がついた。食用油をたくさん使うことがあったのかと友人に聞いたが、特段変わったことはなかったようであった。友人宅は、当時、わたしを含めて大人2人と子ども2人の4人暮らしであった。その週には、とくに揚げ物をしたわけではないし、なぜそんなに早く減るのかが不思議になり、調理時に観察をしてみた。すると、野菜をゆでる際にも、米を炊く際にも、もちろん肉・魚の料理時にも、だらだらと油を加えているではないか。ザンビア滞在時の大半は自炊であったため、今まで気がつかなかったのだ。

その日から、友人宅でも、町の食堂でも、地域住民の家でも、調理方法を観察するようになった。当時、生活習慣病に関して調査をしていたこともあり、食習慣として、食用油の使用や認識に関することもインタビュー項目に加えてみた。すると、いろいろと興味深い話が出てくるのである。現地の医療者からは「留学した時に、他の国の学生との共同生活で初めて自分が食用油を使いすぎていることに気づいた」、現地の一般家庭の住民からは「食用油を使わないと食事がおいしくない。食用油は不可欠だ」などである。インタビューの中で興味深かったのは、「さらさらした食用油であれば問題ないが、固まりやすい食用油は体に良くない。でも良い製品は高いから、安い固まりやすいものしか買えない」という健康面への影響、とくに動脈硬化のリスクに関する話であった。

その話を聞いてから、町や村のスーパーマーケット、小売り店、露店など、地域住民がよく利用する場所を見て回ると、今まであまり気にならなかったことに目が留まるようになった。「露店で売られている食用油には、沈殿し、固まっているものがある」、「固まった食用油を日に当てて溶かしている」、「使い回しの水やジュースのペットボトルに入れて食用油を売っている」など。もちろん、食用油はエネルギー産生栄養素のひとつである脂質として重要であり、食用油にも「固形化しても問題ないもの」、「酸化しにくいもの」、「n-3系のように体に良いとされるもの」などさまざまな種類があり、一概に、食用油の摂取や固形化に問題があるとはいえない。しかし、とくに農村で使われている食用油の多量摂取は、健康に影響はないのだろうか。

ザンビアでは生活習慣病である心疾患や脳卒中、高血圧、肥満などが増えている。「食用油が不可欠である」と豪語するザンビア人の健康のためには、衛生面を含めた食用油の販売方法や使用量にアドバイスすることも必要かもしれない。ザンビアの食事には美味しいものが多いからこそ、ザンビアの人びとに対するアドバイスが重要なのではないかと思っている。

食用油の販売。20リットルバケツの食用油を、使い回しのペットボトルに小分けにし販売している。

41

学校教育の制度と子どもの学び

★教室の様子をのぞいてみよう★

ザンビアの学校教育制度は初等教育（小学校）が7年間、中等教育が5年間（中学校が2年間、高校が3年間）、高等教育が大学の場合は4年間（短大や専門学校は1～2年間）となっている。コラム19でも示すように、最近では私立校だけではなく、公立校でも就学前教育（幼児教育）が実施されるようになり、多くの幼児が日本の子どもと同じように教育を受けることができるように教育制度が整備されてきている。

日本の教育制度との大きな違いは、国家試験があることであろう。7年生と9年生、12年生は修了時に国家試験を受け、そこで一定の成績を修めなければ次の学年に進むことができない。次の学年に進むことができない生徒は、学校をやめるか留年して次の年に国家試験を受験する。国家試験の出題内容が漏洩して問題となることもある。わたしがザンビアの中学校に勤務していた際には、近くの学校で施錠された部屋の天井から侵入した者がおり、試験問題が漏洩して騒ぎになったことがあった。

公立・私立の学校があるが、親は私立校に子どもを通わせることを希望している。親は公立校の先生の質が低い、あるいは子どもたちの交友関係などを心配しているが、何よりも私立校に通わせることで、優れた成績で学業を修め、自分よりもいい仕事に就いてもらいたいということを願っている。私立校は公立校に比べて授業料が高いため、通うことができる子どもは限られている。圧倒的多数の子どもが公立校に通っていることと、私立校は日本と同様に教育の方法や設備など、公立校と比べても多様であるため、ここでは公立校の教育システムを取り上げたい。

ザンビアでは学校や教室のキャパシティよりも子どもの数が多いため、学年によって複数の部をとることが多い。たとえば、2018年にわたしが訪問した公立の小学校では、就学前教育は1日に3部制を採用しており、3人の先生が同じ教室を異なる時間帯で2時間使用して交替していた。わたしがザンビアの教壇に立っていた頃には、中学校の場合には教科数が多く、学習時間が長いため、朝の7時から12時までは朝クラスの8、9年生（日本の中学校2、3年生）が学び、12時から17時までは別の8、9年生が同じ教室で学んでいた。

日本の学習指導要領のように、ザンビアでも各教科のシラバスがあるため、各教科で何を学ぶべきかが決まっている。学ぶ教科は、小学校の場合にはリテラシーと言語（現地語や英語）、算数、クリエイティブとテクノロジー、日々の生活の活動、表現アートという教科がある。中学校の場合には、英語、現地語、数学、コンピューター、環境科学、社会科学、宗教教育、ビジネスという教科がある。「現地語」という科目は州によって扱う言語が決められている。わたしが住んでいた南部州のマザブカ県ではトンガ語が言語の科目であった。トンガ語は、長いアルファベットで表現するのは難しいようで「教科の現地語は好きではない」という子どもが多かった。わたしがザンビアの子どもたちに教えていた数学を、子どもたちは「好きだ」と言っていたが、実際のところ、学力には随分と課題が

小学校の授業では机と椅子があるが、黒板の前に座って皆で学ぶ場面がある。数学の授業で４という概念を具体的な物を使って学んでいる。

あった。たとえば、担当していた1クラスの生徒（中学2年生）の52名のうち、かけ算の九九を暗記していたのは4名のみであった。とくに7と8、9の段になると指を使ったり、間違えたりする子どもたちが多かった。中学校で連立方程式、関数や5進数などを指導していたため、計算の時点で間違う子どもが多い。

各教科の教科書は政府が認定したものが出まわっているが、1冊の値段は約５００円前後と高いため、多くの子どもたちは買うことができず、ノートとペンだけを持って登校する。公立学校であればクラス40〜50名のうち、4〜5人が教科書を持っていれば良い方である。

公立校の場合、夜間のセキュリティが万全ではないため、教室にはバーグラーバーと呼ばれる、鉄の扉がドアにつけられている。それがないと、ドアやドアノブが盗まれるからである。地方の一般的な公立校では、残念ながら窓ガラスも割れている場合がある。尖ったガラスがむき出しになっており、とても危険である。職員の人数が30〜40名であっても、職員用トイレは1つか、2つしかない。もちろん、トイレの便座がない、あるいはあっても壊れているところが多く、苦労する。子どもたちのトイレは穴が掘られているだけで不衛生であり、ドアがついていない場合がある。女子は生理になると登校できない場合もあったが、近年、国際支援によりトイレも施錠されたり、きれいになったりして整備される学校もある。

授業では小学校であれば担任の先生が授業を担当するが、中学校になると専科の先生が各教科を担当する。最近では小学校でも専科のところもある。子どもたちは教科書を持っていない場合が多く、ノートが教科書代わりになることから、とくに語学系教科では教科書に書かれてある文章を黒板に書いて、それを生徒に写させていた先生がいた。実験が必要となる環境科学という教科では、実験器具を作成し、デモンストレーションするような熱心な先生もいた。歴史の先生は、子どもたちに飽きさせないように、クイズ形式で歴史を教えており、子どもたちに人気であった。

ザンビアの文化を学ぶクリエイティブ・アートという教科で音楽の授業を公立小学校にて参観したことがある。先生はレゲエやリズム・アンド・ブルース、ヒップホップなどを挙げたあとに、ザンビアンカルチャーと呼ばれる伝統的なダンスを生徒らに踊らせて、クラスが大変盛り上がった。10年前には、このような活動を取り入れた授業をおこなう先生は多くはなかったが、最近では、体を動かす活動や遊びを取り入れた指導法もおこなわれるようになってきている。

ザンビアはほかのアフリカ諸国・地域とともに、サクメックと呼ばれる学力調査に参加している。残念ながら、参加国・地域の中で常に最下位あたりに位置している。この結果から、ザンビアの子どもたちの学力が低いということが教育課題のひとつであるが、近年、多様な指導法を先生たちが試行するようになっているため、子どもの成績についても、良い変化の兆しが見られるのではないかとわたしは期待している。

（中和 渚）

コラム19

就学前教育と子どもの遊び

中和　渚

　ザンビア国内の小学校では就学前教育が実施されることになっている。しかし、就学前教育の先生の数が十分ではないことから、きちんと実施されていない学校もある。首都ルサカで2016年から2017年にかけて調査した際には、首都のルサカ県では10校ほどが就学前教育を実施していた。就学前教育は遊びを前提とした学びを実施する必要があるため、どの学校でも教材・資金不足で先生たちが苦労していた。しかし、そのような中で、先生たちは授業に工夫を加えていた。

　公立の就学前教育では、年齢で2つの区分けがなされているが、多くの小学校では日本の年長（5～6歳児）クラスに相当するレセプションクラスしか開設されていない。レセプションクラスは小学校の敷地内にあり、クラスでは床にカーペットを敷いて、子どもたちがそこに座る。机や椅子も用意され、作業時には椅子に座って活動する。小学校のように時間割に沿ってさまざまな教科を学習していくが、先生の裁量で同じ活動をつづけたり、遊びや休憩を取り入れたりしていた。次ページの表は、就学前教育のクラスの時間割である。

　各クラスでは、さまざまな遊びの要素を取り入れている。たとえば、プレ数学という教科の授業の遊びを紹介しよう。ザンビアのポピュラーな遊びに「チャトウ」と呼ばれるものがある。もともとは、地面に浅い穴を掘り、その中にいくつかの石を入れておき、周りを数名の子どもたちが囲んで座る。ひとりずつ、手持ちの石を投げ、その石が宙に舞っているあいだ、穴に入っている石を取り出す。投げた石をうまく取ることができなかったり、穴の石を取り出せなかったりしたときには失敗となり、次の子ど

就学前教育（5-6 歳児）のクラスの時間割例

時刻＼曜日	月	火	水	木	金
6:45–7:00	自由遊び				
7:00–7:20	トイレ				
7:20–7:50	リテラシー	環境科学	リテラシー	リテラシー	リテラシー
7:50–8:20	プレ数学	社　会	環境科学	表現アート	環境科学
8:20–8:50	食事休憩				
8:50–9:20	トイレ				
9:20–9:50	社　会	数　学	社　会	数　学	環境科学
9:50–11:20	歌・室内ゲーム	社　会	環境科学	絵本の読み聞かせ	表現アート
11:20–11:30	順次帰宅				

歌いながら遊ぶ小学生の女子４人。学年やクラスがちがっても近所で仲良くしている。

もに順番が回る。クラスでは穴を掘る代わりに、床にチョークでマルを描き、石を投げて遊んでいた。石の個数を数える場面があり、数を数える練習にもなる。他のクラスでは英語で曜日の歌を歌ったり、歌に現地のダンスを取り入れたりして遊んでいた。これらの遊びは放課後の子どもたちが日常的に遊んでいるものが取り入れられていて、子どもの学びと遊びがうまく関連づけられている。

放課後の遊びには男女で同じもの、違うものがある。男子はサッカー、体を使ったムーンサルトやバク転、人間綱引きのような遊びをしていた。学校や広場には、ブランコやタイヤなどのシンプルな遊具があり、遊んでいる子どももいた。女子は集まって、果実を木からとって食べたり、おしゃべりしながら、チャトウのような石を使ったゲームに興じたり、手遊びや歌遊び、ゴムとびなどをしていた。これらの中には、勝ち負けがはっきりする遊びはあるが、勝ち負けにこだわるよりも遊びそのもののやりとりを、女の子たちは楽しんでいた。また、周りにいる暇な大人が遊びを遠巻きに見て、いろいろな批評をしているのもザンビアならではの風景である。

42

踊りはすぐそこに

★首都ルサカにおける音楽と身体★

手拍子に合わせて英語で掛け声が響く。「ムウィザ（子どもの名前）！　ショー・ユア・フレンズ！　ハウ・トゥー・ダンス！　ゴー！　ムウィザ！　ゴー！　ムウィザ！……」名前を呼ばれた子どもは好きなように身体を動かしていく。これは、ザンビアの首都ルサカの幼稚園で繰り広げられている光景である。自分の踊り、すなわち自分ができる動き、自分がやりたいふりつけを披露する子どもたち。互いの踊りを見ては、「その踊りはシャネルと同じだ、まねしてる～！」などと、手厳しいコメントを発することも。「これ、わたしの新しい踊り」と見せてくれるその動きも、いつかどこかで見たことがあるものだが、彼らの身体にとっての「新しい踊り」には、自信がみなぎっている。この子どもたちの様子に、ザンビア人たちの踊りとの接し方を見る思いである。踊りは一番身近にある自己表現なのである。

日本では、ある楽曲に対し特定のふりつけが一緒に広まり、一般市民によるインターネット上での「踊ってみた動画」投稿との相乗効果で、その楽曲がヒットする現象が起きている。ザンビアでも特定のふりつけをともなった楽曲が流行することもある。たとえば２０１７年から２０１８年にかけてふりつけつきでヒットした曲は「チムウェムウェ・ダンス」だ。マーアフリカという音楽パフォーマンス集団が歌手ドゥリームズをフィーチャーして出したこの曲のミュージック・ビデオでは、コッパーベルト州の踊りのステップを取り入れたふりつけが披露されている。ルサカの幼稚園の学芸会でもとりあげられるほど親しまれたこのふりつけは、意外と難しい。左右に動く足のステップに腰のひねりが加わっている。

ミュージック・ビデオでは、「♪チムウェムウェ・ダンス、イェー、チムウェムウェ・ダンス、アー♪」というサビに合わせたそのふりつけが、ビデオに登場するそれぞれの踊り手によって応用、展開されていく。それは腰を非常に細かく動かすコンゴのリンガラ・ダンスに通じるものもあれば、バントゥの農耕民族の伝統舞踊で見られる腰を左右に振りながら足踏みして、身体を前後させるパターンも出てくれば、最後はアメリカのブレイク・ダンスも披露される。主な踊り手たちの格好はチテンゲ（女性用の腰布）を仕立てたシャツだが、全員が同じではない。動きやすい洋服、もしくは社会的位置を示すものを着ている者もいる。「コンパウンド」（コラム４参照）と呼ばれる低所得者層居住地域に生活するボロ服を身にまとった者、市場で商売しているチテンゲを加工せずに巻いただけの女性、大学の卒業式で学位授与時に教員や学生が着る帽子とマントを羽織った人びとが、それぞれ踊っている姿がビデオに映される。最初は基本のふりつけを舞い、その後は自由に。日本でも「踊ってみた動画」が投稿される中で、ふりつけを完璧に再現するだけではなく、人によって同じふりつけでも異なる雰囲気がともなう面白さに少しずつ気づいてきたように思う。しかしザンビア人たちの体を動かす様子を見ていると、そんなひとりひとりの違いの面白さは遠い昔から自明のものだったとわかる。彼らは、ふりつけをきちんと合わせることをめざすことなく、自分の踊りを導いていくのだ。ザンビアの大統領エドガー・ルング（２０１５年就任）もよく踊る。ＳＮＳで共有されている動画から見ることのできるその踊りは、ザンビア人から見てもカッコいいとは言えないようだが、その様子は、音楽に合わせて自分がしたい動きをする、まさにザンビアにおける踊りの神髄をいく姿なのである。

ペンテコステ派の教会での日曜礼拝

　ザンビア人たちの音楽と身体を考えるには、教会がうってつけだろう。ザンビアはキリスト教国である。キリスト教の中でもペンテコステ派が音楽を多用することは世界的に有名であるが、ザンビアの首都ルサカにも、ペンテコステ派の教会は、コンパウンドも含めて多くの場所に建設されている。その教会の日曜礼拝は、最初から最後まで音が途切れない空間となっている。たとえば、午前8～10時におこなわれていた、あるコンパウンドのペンテコステ派の教会の日曜礼拝。初めに生演奏（ベース、キーボード、ドラム）に合わせて、教会内のステージ上の男女が歌う。それに合わせて参列者、老若男女に子ども、抱きかかえられた赤子も含め総勢５００人近い人びとも歌い、そして祈りの言葉を、隣の人が聞こえるか聞こえない程度につぶやき始める。生演奏とステージ上の歌声は4台の大きなスピーカーをとおして流されており、参列者の祈りのつぶやきは言葉というよりも音のかたまりとなって教会を埋め尽くす。生演奏と歌が終わると、2人の男性の牧師による説教が始まる。片方が英語で説教するともうひとりがルサカで共通語として使用されている民族言語、ニャンジャ語に訳していく。この2人は交互に話すものの、それぞれの終わりと始まりが重なりあっているため、音はやはり途切れることがない。40分ほどの説教ののち、ふたたび生演奏が始まり、参列者が祈りをつぶやく時間がまたおとずれる。その後、軽快な歌声と音楽が演奏され、何百人という参列者が軽く身体を揺らしながら、教会前方にある箱へと金銭を投げ入れに行く。最後に演奏が止むと、寄付の合計額の発表、その日のゲストの紹介、今後の予定の報告があり、ふたたび生演奏が開始されると、参列者は、身体を音楽に合わせて揺らしながら教会から退場する。この計2時間、音が乱れとぶ空間に参列者たちは身を置いていた。そして祈りをつぶやく時間は、生演奏の音に合わせて自分の声をぶつけ、両手を振り上げ、身体を揺らし、寄付や退場時にも、やはり身体を動かしていた。

ほかのペンテコステ派教会の礼拝はもちろん、カトリック教会の礼拝もまた、生演奏をバックに人びとの言葉が乱れ飛び、音が教会を埋め尽くす様子は、ほぼ同じであった。その音のシャワーの中で自由に身体を動かすことはとても普通のこととして存在しているのだ。これを子どものときから週に1回でもつづけていれば、音楽に合わせて身体を動かすことがどれだけ普通になることだろう。音があればそれに合わせて身体を動かすこと、そして身体が動けばそれはもう踊りになること、そんな単純なことに、ザンビアで気づかされる。踊りは、そう、すぐそこに、そばにあるのだ。

（大門 碧）

43

日本の村おこしとザンビアの農村交流

★丸森町のグローカルな地域おこし★

冬も本格的になった2019年12月3日の寒い日の白石蔵王駅（宮城県）の改札。2人の男子高校生が、白い息を吐きながら待つ相手は「駐日ザンビア大使」だ。駅で待つこと30分、そこに満面の笑みをたたえて「あなたたちがザンビアに来た高校生たちね！」と声をかけてくれたのが、ムティティ駐日ザンビア大使。大使からは「ザンビアの人びとはどうだった？」と質問され、高校生らは「とてもやさしい人が多かったです」と答えた。そして、大使からは今回、訪問した宮城県丸森町がすばらしい町であり、また台風で被害にあった人たちのことを心から心配し、応援しているという言葉をもらった。たった5分程度の会話であったが、彼らは満足だった。またひとつザンビアとのつながりが深まったような思いにひたった。

彼ら高校生たちは丸森町の在住である。2ヵ月前の2019年10月に7日間のツアーでザンビアに訪れた。ツアーの一行がザンビアの村を訪問し、その村人たちと生活をともにする「村ホームステイ」が目玉だった。高校生たちは、電気も水道もない村の中で、村人たちに歓迎されて、まな板のない包丁の使い方や火のおこし方、夜の怖い野外トイレと暖かいたき火での村

ツアーに参加した高校生たち。ザンビアのホームステイ先の高校生と交流が生まれた。

人たちとの会話、そして翌日の強烈なアフリカらしい朝焼けをそれこそ体と心全体で体験することができた。

このツアーは30万円以上するツアーであったが、親たちは喜んで資金を出し、また高校生のひとりは自分が中学のときからアルバイトで貯めてきた30万円をすべてつぎ込んだ。出発２日前の10月９日に台風19号が丸森町を直撃した。その影響で道路は寸断され地域から東京に出られなくなってしまったが、その中で高校生は地域のボランティアをギリギリまでつづけ、親たちや地域の人たちの助けを得ながら、チェックインの時間にギリギリで羽田空港に到着した。何がここまで高校生たちを、また彼らを助けた親や地域の大人たちをザンビアに惹きつけたのだろうか。

丸森町とザンビアとのつながりは、２０１１年２月のＪＩＣＡの支援によるザンビア人研修員受け入れから始まる。丸森の人びととの最初の反応はとまどいであった。「こんな、何もないところ」にどうして海外の人が研修に来るのだろう。丸森町も日本のほかの地域と同様に人口減がつづいており、地域にはどちらかといえば課題のほうが多く、世界に対して紹介できる技術や地域資源というものがあるのだろうか、というのが本音であった。そして、2011年2月の寒い冬にザンビアから最初の研修員7名が丸森町を訪れた。その中で、中山間地という一見すると農業には向いていないような地域において、柿や大根の生産加工品、森林資源を活用した養蜂やキノコ栽培、直売所での販売システム、そして、地域住民をつなぐ公民館など、コミュニティーが自律的に形成されダイナミックに運営されている様子をみた。また、ザンビア人研修員は住民の家にホームステイをして、生活そのものを体験した。この研修の直後に東日本大震災が起きたが、研修はその後も住民の強い希望で継続された。これまで、のべ40名以上のザンビア人が丸森町で研修を受け、また地域住民の家でのホームステイをし、ザンビアと丸森の絆は強くなっていった。

このホームステイでザンビア人たちを受け入れた民家の当時小学生であった男の子たちこそ、ザンビア・ツアーにみずから参加を申し出た高校生たちであった。ザンビアの村ホームステイツアーの企画段階から、彼らのひとりは「僕は行きたいです！」と言ってくれた。ツアーに参加した3名の高校生たちは率先して村人たちの中に入って、実質5日間の滞在で数えきれない人たちと出会い、交流や体験を通じて大きく成長していった。

ザンビア人研修受け入れは丸森町の地域づくりにとっても効果があった。丸森町の人たちは、ザンビアから来る研修員たちに、地域のことや生活や仕事のことを説明することが求められる。そうすると、自分が日頃無意識にしていることの意味、何が良いのかを探して、自分の言葉で説明することになる。改めて自分たちの地域資源のすばらしさ、先人たちの知恵と工夫への尊敬、そして現在の地域そのものへの愛着を感じることができた。

地域おこしには「ヨソモノ、ワカモノ、バカモノ」が必要といわれる。ザンビア人はいわば究極の「ヨソモノ」であり、発想が柔軟で、地域の住人が気づかないこともほめてくれる。一方のザンビア人も丸森の人びとの知恵と工夫による地域開発を目の当たりにして、かつての「貧しいから恵んでもらって当然」という援助依存の考え方を改めた。丸森町とザンビア、日本の小さな町とアフリカの国家というまったく違ったレベルの人びとが、地域おこしという共通のテーマで交流し、お互いに高めあう。グローバルであり、かつローカルの地域おこしである。筆者はこれを「グローカル地域おこし」と呼ぶ。そのモデルが、この丸森とザンビアとのつながりである。

ＪＩＣＡによる技術協力プロジェクトが２０１４年末で終了したのち、今度は、丸森町の住民たちがザンビア人の受け入れの継続を強く希望し、草の根技術協力プロジェクトとして２０１６年から３年間、町の住民が専門家としてザンビアに赴き、また丸森での研修も継続した。そして、２０１９年にはさらに3年間の後継プロジェクトが決定した。この間にも、ザンビアの駐日大使館から丸森町への訪問が増えていった。そして、ザンビアのルング大統領が２０１８年に来日した際、首相官邸での交流会に丸森町が自治体として正式に招待された。さらに東京オリンピック、パラリンピックに際して、丸森町はザンビアのホストタウンとして正式に登録がなされ、ザンビアを町ぐるみで応援し、ザンビアを通じて国際的な街づくりをすることになる。２０１９年に着任した水内龍太・在ザンビア日本国大使はザンビアに出立する前に丸森町を訪問し、保科町長を含む地域の関係者とも交流をして

丸森町の地域イベント「ひまわり祭り」にて保科町長とザンビア人研修員、そして地元キャラクター

いる。そして、高校生がザンビアを訪問した際には、赴任直後で多忙を極めているときであるにもかかわらず、1時間にわたって高校生たちと親しげにお話しされた。高校生にとっては感無量であった。同じく花井淳一・JICAザンビア事務所所長(当時)をはじめ日本では普段会えないような人びとがザンビアで高校生たちを歓迎してくれた。若者たちは丸森出身だからこそ、ザンビアで、そして世界で活躍できる、という地域への誇りと夢を持ったことだろう。

2020年3月にもホームステイツアーが企画されたが、新型コロナウイルスの影響でやむなく中止となった。しかし、それにもめげずに高校生たちはオンラインでザンビア・ツアーを6月に企画・実施した。ザンビアを通じて、グローバルかつローカルな「ワカモノ」(高校生)が成長し、これから丸森の地域づくりに大いに活躍するだろう。グローカル地域おこしの夢はこれからもつづく。　(三好崇弘)

ザンビアの日本語学習者たち

コラム20

大門　碧

サハラ以南アフリカの各国にも日本語の学習者は存在している。国によっては、大学で日本語を専攻できたり、高校のクラブ活動で日本語を学べたりする。ザンビアは、南アフリカやマダガスカル、ケニアなどに比べれば日本語学習者数は少ないが、それでも2013年から始まったザンビア大学の日本語公開講座は、現在（2020年）までつづいており、2018年からは単位認定される選択科目として正課講座も始まった。料金さえ払えばだれでも受講できる公開講座は、週に1日2時間を10週間1セットとし、これが年に2回実施され、ザンビア大学の学生向けの正課講座は、週に4日昼休みの1時間を1年コースで開講されている。公開講座には、大学生だけでなく社会人や高校生を含め毎年50名以上集まり、正課講座では、毎年5名ほどとはいえ、毎日昼食時間をつぶして日本語を学ぼうという大学生がいるから驚きだ。

2013年のザンビア大学日本語公開講座が開始した当初から運営を支えてきたのは、同じキャンパス内にある北海道大学の海外サテライトオフィス（正式名称：北海道大学アフリカルサカオフィス）である。一方、授業を支えてきたのは、ザンビア大学のザンビア人教員とルサカ駐在の日本人家族、民間団体から派遣された教師、そしてJICA青年海外協力隊員である。わたしは2016年から、運営支援の立場から教材の準備やひらがなの書き方指導を手伝う中で、日本語を学ぶ教室の「熱い静けさ」に触れてきた。ザンビア人が好奇心を強く持って真剣に聞き耳を立てる様子は、同講座を受講していた言語学専攻のザンビア人が話していた「言語を学ぶことは平和につながる」という言葉と重なる。

受講者の中には、「伝統とモダン文化が息づ

ザンビア大学での日本語学習者向けカルチュラル・デー（2018年4月）

いている日本の独特な世界にあこがれて」と日本に強く関心のある人や、「新しいことをしたいと思っていた矢先、講座のポスターが目に入って」という逆にまったく偶然で来る人もいた。しかし、多くの受講者の動機には日本のアニメがあった。衛星放送のテレビで見て、その番組を録画したCDを貸してもらって、そしてコンピュータやスマートフォンの画面で、ザンビア人たちは日本のアニメを視聴している。字幕ではなく、直接なにを言っているのか聞けるようになりたいと、仕事の合間をぬって独学していたシステム・エンジニアの男性は、最初の受講開始時にはすでにかなりの日本語通だった。漫画を描き始める人もいる。2017年にザンビア大学で開催した日本語スピーチコンテストで、「わたしは漫画王になる！」と叫んだ獣医学部の女子学生がいた。普段おとなしく控えめな彼女の「熱さ」を感じた瞬間だった。

現在、日本語が使えるようになったとして

も、ザンビアでの就職の可能性が広がるという状況にはない。しかし彼らは、すぐに行くことは難しい遠い世界の言葉を、お金と時間を使って学ぼうとしている。いっこうに日本語が上達せず最終試験で合格点に届かないものの何度も受講しにくる人、講座を修了しても挨拶しにきてくれる人、受講者のあいだでSNSグループを作って少しでも日本語を使おうとする人たち。ザンビア人たちにとって、この日本語講座が、日本人と日本好きの仲間と出会う場になっていることは確かだ。さらには、この講座が、新しい世界と出会う楽しさと、異なる世界観を受け入れる寛容さを手に入れる機会を提供できているならば、こんなにうれしいことはない。受講生の中には、日本留学を実現させた人や、みずからインターネットで職を見つけ日本に旅立った人も少なからずいる。ザンビア人たちが日本のことを学び、そしてわたしたちに会いに来る、今はその時代なのだ。それにこたえてわたしたちもまた、ザンビアを誠実に知ろうとせねばならないだろう。

VI

社会の問題と克服

44

気候変動と農家のレジリアンス

★適応、対処、革新の実践★

気候変動と農家というと、ともすると異常気象や自然災害に翻弄される小規模農家といった彼らの脆弱な状況に注目が集まりやすい。しかし、ここでは小規模農家が気候変動に対して適応や対処をいかに実践するかというレジリアンスの観点から、ザンビアにおける気候変動と農家の関わりを考えてみたい。

気候は多岐にわたる要因により、さまざまな時間スケールで変動するが、この気候変動の要因には自然の要因と人為的な要因がある。自然の要因には、大気自身に内在するもの、海洋の変動や火山噴火、太陽活動の変化などがある。また、人為的な要因には、二酸化炭素などの温室効果気体の増加、大気中の微粒子の増加、森林破壊などがある。近年では、化石燃料消費による大気中の二酸化炭素濃度の増加による地球温暖化に対する懸念が強まっている。

気候変動に関する政府間パネル（IPCC）は、1988年に世界気象機関と国連環境計画のもとに設立された組織であり、気候変動に関する最新の科学的知見について取りまとめた報告書を作成し、各国政府の気候変動に関する政策に科学的な基礎を与えることを目的としている。

ＩＰＣＣの第５次報告書では、ここ数十年ですべての大陸と海洋において、気候の変化が自然および人間システムに対して影響を引き起こしていることが報告された。とくに、半乾燥地域において最小限の資本しか持たない農民や牧畜民にとって、飲料水および灌漑用水が不十分となる可能性、ならびに農業生産性の低下によって農村の生計や収入を損失するリスクが懸念されている。

エルニーニョ現象は太平洋赤道域の日付変更線付近から南米沿岸にかけて海面水温が平年より高くなり、その状態が1年ほどつづく現象で、ラニーニャ現象は同じ海域で海水面が平年より低い状態がつづく現象であり、日本を含め世界中で異常な天候を誘引する気候変動現象と考えられる。これらの現象はザンビアの気象にも影響することが指摘され、ザンビア南部州における２００７年度および２００９年度の多雨や、２０１４年度および２０１５年度の干ばつのような降雨変動への影響が議論される。これらの降雨変動が生じた場合、農産物が被害を受けやすい。２０１８年度や翌２０１９年度にもザンビアを含む、南部アフリカの広い地域で深刻な干ばつが生じ、９３０万人が厳しい食料危機に直面した。

レジリアンスとは、あるシステムが攪乱《かくらん》を受けた際に、①攪乱を吸収してその機能・構造を維持する能力、②復元する能力、③改変する能力として定義される。

小規模農家のレジリアンスを、気候変動や気象災害との時系列や期間も考慮すると、①は事前準備により対応するという意味で適応能力、②は事後的に対応するという意味で対処能力、③は長い時間を費やしうる本質的な対応として革新能力、変革能力、転換力と言い換えることができる。ここで、ザンビア南部州の研究事例で観察された事例を紹介したい。たとえば適応行動としては、耕地を高所

右／魚を計量し、販売する男性
左／採集した根茎マサベ（*Neorautanenia mitis*）を市場で販売する女性

や斜面地、低湿地など異なった地形に分散することと、家畜や家禽《かきん》を飼養することなど、そのほかにもさまざまな生業活動の実践がおこなわれていた。また、気象災害による作物被害への対処行動としては、再播種、作物変更といった農作業が実施された。そして、換金作物の不作への対処行動としては、家畜や家禽といった畜産物の売却に加えて、水産物の販売（写真右）、採集植物や木材など林産物の取引（写真左）が広くみられるようになった。また、革新的な行動として、従前には栽培されていなかった新たな作物の採用、酒の醸造・販売や石材取引などの農業外活動の開始、携帯電話をはじめとする新しい技術の導入と積極的な利用がおこなわれた。これら、適応、対処、革新の実践を組み合わせ、小規模農家は苦境を克服している。

（石本雄大）

コラム21

小規模灌漑プロジェクト

山本麻起子

　ザンビア北部の乾季は長い。暑い10月を越えると、空には灰色の雲が現れ、今日降るか、明日降るかと人びとの話題はもっぱら雨に集中する。そうしているうちに、ぽつり、と大粒の雨水が赤土に落ち、つづいて稲妻とともに雷が鳴り始める。北部州の州都カサマを拠点とするJICA小規模灌漑プロジェクトの事務所では、雷が鳴り始めたら、パソコンやコピー機の電源を抜き、停電になれば、窓の外に見える黄色く熟れかけたマンゴーを眺めながら、電気が戻るのを待つ。

　2009年から開発調査が始まり、現在では第3フェーズが実施されている小規模灌漑プロジェクトは、半年以上つづく乾季に農業を営むことができるよう、農村で灌漑技術を普及することを目的としている。ザンビア北部の人びとは、トウモロコシのウブワーリもしくはシマと呼ばれる練り粥を主食とする。トウモロコシは天水で栽培されるため、雨が降り始めるまでに農家は畑に畝を作ろうとする。この地域は酸性土壌で栄養分が少ないため、農家は化学肥料を苦労のすえに入手し、トウモロコシの株もとに少量ずつ、丁寧に手で与えて育てる。

　ザンビア北部に多く暮らすベンバ（16章参照）の人びとは、チテメネと呼ばれる特有の焼畑を作る。木に登って枝葉を打ち払い、これを乾燥させたものを集めて火入れする。そうして、雨が降り、土が湿り気を得るとシコクビエが播かれる。トウモロコシが主要な主食となるまではシコクビエの練り粥が食されることが一般的だった。バケツで水を与えて育てるバケツ灌漑もするが、労力や手間がかかるため、庭先のほんの小さなスペースに限られる。ベンバの人びとは協働することに慣れていないが、近年にな

北部州ムングイ県C村で建設された簡易堰

り仲間とともに水路を掘削して、近くの畑地にまで水をひくようになった。年間を通じて表流水のある河川から取水すれば、長い乾季に野菜を栽培することができる。

プロジェクトが提供した技術は、コンクリートや鉄筋など、お金のかかる外部投入財を利用する技術でなく、ザンビアの農村で入手できる石や粘土、木材、イネ科植物のエレファントグラスで建設できる簡易堰の技術である。日本の戦国時代に甲州で適用された治水施設「聖牛《ひじりうし》」などの制水技術を応用している。河川の特徴に合わせ4タイプの建設手法を描いたイラストを用いて、農業普及員が赴任地の農家に説明し、一緒に簡易堰を建設する。プロジェクトの研修を受けた北部州ンサマ県農業事務所職員のムリフェ氏に同行し、カサマから250キロメートル北上したところにあるンサマ県を訪問した。農業普及員の拠点であるキャンプオフィスには朝早くから多くの農家が集まり、堰の作り方を説明してくれるのを心待ちにしていた。見ようとして見まねで、他村の簡易堰をまねして作ろうとしたが、うまく取水できなかったと言う農家たちに、ムリフェ氏は研修で習った技術を誇らしげに伝えていた。

灌漑農業を取り入れたことで、人びとの生活は格段に改善している。北部州ムングイ県のC村に居住する農家の8割が灌漑農業を取り入れるようになった。彼らは灌漑農地で、乾季のあいだに途切れることなく野菜を収穫できるよう、時期をずらして播種する。食用油や石鹸など生活用品が不足すると、灌漑農地から野菜を収穫して市場に運び、生活用品を購入して村に戻る。灌漑農地は、財布のようなものなのだ。トウモロコシ栽培に欠かせない化学肥料の購入にも、子どもの授業料にも、灌漑農業で野菜を売って得た現金収入を充てるようになった。また、例年1～2月の端境期には食料が不足がちになるが、乾季のあいだに灌漑農地でトウモロコシやラッカセイを栽培して、食料の乏しくなる端境期に作物を収穫できるよう工夫している。

このように、ザンビア北部のベンバの人びとの営農には、灌漑農業が定着しつつある。昔からのチテメネがあり、ファーム耕作があるうえで、灌漑農業が取り込まれ、今や地域の農家の生計戦略の一部となっている。

45

貧困と食料安全保障

★食と栄養のレジリアンスを高めるために★

「食料安全保障」とは国連食糧農業機関（FAO）の定義では、「すべての人びとが、活動的で健康的な生活のために、いつでも十分に安全で栄養のある食料にアクセスすることが可能で、必要な食事と嗜好を満たすことのできる状態」にあることをいう。しかしながら、現実にはいまだに世界の8億2千万の人びとが栄養不良状態にある。持続可能な開発目標（SDGs）の中でも、貧困削減は目標1に、飢餓の撲滅と栄養不良の改善は目標2として掲げられている。また国連は2016年から2025年の期間を「栄養のための行動の10年」として宣言している。貧困が原因となって、十分な食料へのアクセスが確保できず、その結果として食料安全保障が満たされないであろうことは容易に想像できる。ここでは、貧困指標としての栄養不良人口の割合および微量栄養素不足に焦点を当てる。

近年貧困の定義も多様になってきており、絶対貧困を1人あたりGNIなどの所得によって表すほかに、最低限必要なエネルギー摂取量を満たす食事をとることのできない人びとの割合として示すことも可能である。左図はこの方法によって2005年から2018年までの世界の各地域とザンビアにおける栄

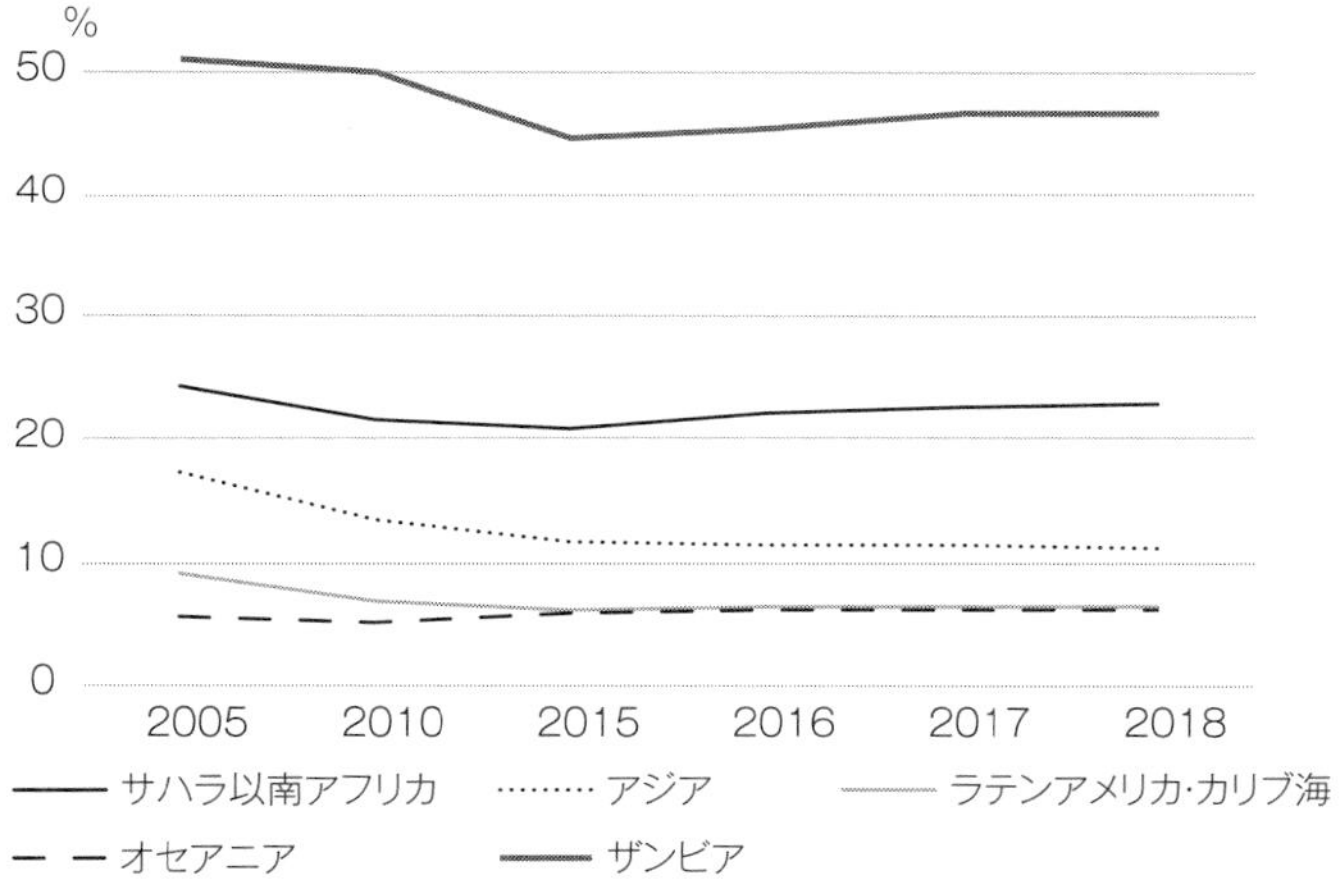

世界の栄養不良の人口率（2005 ~ 2018）
出所：FAO (2019) *The State of Food Security and Nutrition in the World 2019*.

養不良の人口率を示したものである。この図では明らかにサハラ以南アフリカの栄養不良人口の割合が他の地域より高い。オセアニアを除く他の地域は２０１５年までの栄養不良人口率の低下が顕著であった。しかしサハラ以南アフリカでは２００５年の24・３％から２０１５年の20・９％にまで栄養不良人口率が低下したにもかかわらず、それ以降は上昇に転じてしまっている。とくに２０１８年のザンビアの栄養不良人口の割合は47％と著しく高くなっている。栄養不良人口率が５割を超えるのは、サハラ以南アフリカでは中央アフリカ共和国のみである。

以前から、農村世帯のレジリアンスをテーマにザンビアの南部州で研究プロジェクトを実施していたことから、よくザンビアの農村を訪問していた。しかし、実際ザンビアの農村を歩いて見ると、それほど栄養不良の人びとが多いような印象を受けないのが実感である。ＦＡＯの統計で示された栄養不良人口割合が5割弱という数字と現場から受ける印象とのギャップがあまりにも大きいのである。一見、村の人びとはすこぶる健康そうである。食料から得るエネルギーベースによるザンビアの貧困のボーダーラインはWHO（世界保健機関）標準では週あたり1万4654キロカロリー（世界銀行の標準は週あたり1万2418キロカロリー）となっており（2007年時点）、このラインを超えてエネルギー摂取量が低下すると貧困状態に陥るということになる。しかし、農村における実態は、統計が示す年ごとのカロリー不足よりもはるかに複雑である。

年ごとのカロリー不足人口の割合も問題ではあるが、それに加えて問題となるのは、季節的な食事の量の変動によるエネルギー摂取量の季節変動である。ひとつの原因は、農村世帯における食料ストックが底をついた状態（端境期）が次の収穫期（3月～4月）まで数ヵ月にわたってつづくことである。加えて、穀物生産が気候ショックなどの原因で不作に終わった時には、とくにこの端境期が通常より長くつづくので、世帯は他からの食料の確保を迫られることになる。

近年の異常気象により、干ばつ以外に洪水被害も起こるようになった。農民はさまざまな天候リスクに直面しながら、天候リスクに弱い主食であるトウモロコシとその他の作物を栽培することによってリスクを分散している。かつてザンビア南部の干ばつ常襲地帯では干ばつに強いモロコシを多く栽培していた。しかし、独立以後の政府のトウモロコシ奨励策に加え、モロコシは鳥害が多く収穫前に手間がかかることもあり、近年ではモロコシの栽培面積が減少しており、干ばつなどの気候リスクに対して脆弱になっているとの指摘がある。2018年の農作期は南部州が30年に一度の干ばつに襲われ、トウモロコシの収量が激減し、収穫できなかった農民も多かった。そのため、農民の天候リスク

白モロコシ（ソルガム）のシマ（中央）（2018 年 9 月撮影、ザンビア南部州）

回避方策として干ばつ耐性のあるモロコシ栽培がふたたび注目されている。

次にカロリー摂取量によって把握することが難しい食料安全保障上重要な問題として、ビタミンや鉄、亜鉛、ヨウ素などの、微量栄養素の不足がある。これは「隠れた飢餓」（Hidden hunger）と呼ばれている。とくに乳幼児、5 歳未満の幼児の成長や妊婦にとって微量栄養素の不足は非常に深刻な問題であり、生涯にわたる人的資源の形成に重要な影響を与えることが報告されている。近年、鉄などのミネラルを多く含むモロコシが都市住民によって健康志向とともに注目されており、ザンビアのスーパーマーケットでもモロコシやシコクビエ、トウジンビエなど雑穀の商品を見かけるようになった。「食と栄養のレジリアンス」を高めるために、穀物生産の気候変動リスクを緩和し、微量栄養素不足の解決にも貢献する雑穀の復権を期待したい。

（梅津千恵子）

農業投入資材の補助金政策に利用される電子バウチャー

コラム22

田端友佳

2018年10月、ザンビア北部のムピカ県の農村に調査へ行った。そこに住む農家はクレジットカードのようなカードを手にしていた。キラキラと光るカードにはＶＩＳＡと書かれている。ここは銀行も商店もない村である。これで一体、何をするのかと聞くと、「農業資材店でトウモロコシの改良種子と化学肥料に交換するために使うのだ」と教えてくれた。11月はザンビアでは雨季の始まり、トウモロコシを播種する時期にあたり、村入りした10月下旬にはすでに雨が降り始めていた。いつ種子と化学肥料を受け取れるのかは、雨季まえの農家にとって一番の関心事であった。町では、農業資材店が引き換えに来る農家の対応に追われて忙しそうであった。

このカードは「電子バウチャー」と呼ばれるプリペイドカードであり、ザンビア農業省が2017年より農業投入財プログラムに導入した。このカードを使った農業投入財の配給の仕組みは以下の通りである。初めに、電子バウチャーの受給申請の際に、農家は加入する農業組合を通じて、携帯電話番号と国民登録カードを政府に提出する。その後、農業組合から申請した半数程度のメンバーが電子バウチャーの受給者として選ばれる。電子バウチャーの受給者になった人は、銀行に400クワチャ（日本円で約4000円）を入金すると、政府からの補助金1600クワチャが付け加えられたカードが渡される。カードには、合計2000クワチャが入金されていることになる。申請時に登録した携帯電話に送られるコード（数字4桁）とカードを農業資材店で提示すると、入金された2000クワチャの範囲内で、化学肥料や種子などを自由に購入することができる。これを機に、政府は小規模農家の氏名や住所、携帯電話番号を含む情報をデータベースに登録し、パソコン上で管理できるようになった。同時に、農業資材店は大量の化学肥料を供給する場となり、新たな雇用も生んだ。

農業資材店の中の様子。農家は電子バウチャーで種子と化学肥料を購入することができる。

現在、首都から遠い農村でも携帯電話は使われており、インターネットや携帯電話の通信網につながっている。それがザンビア国内において小規模農家へ農業投入財を配布する情報基盤として利用されている。

近年、アフリカでは農業へのデジタル技術の活用がさかんであり、とくにケニアなどの東アフリカ諸国では農家に対する農産物の市場価格の提供や、農作物の売上金の換金のために積極的に利用されている。上記のような農業関係のシステムを提供しているのは、政府関連の行政機関や携帯電話事業者、銀行、アグリビジネスを営む企業などである。世界的に有望視されている分野は、農産物を売買する市場との連携、気象予測、干ばつの早期警報システム、品種の選択や作付けのアドバイス、種子購入のための金融サービスなどである。ザンビアはケニアと比べるとまだデジタル化は浸透していない。アフリカ南部の最大の穀倉地帯といわれるザンビアにおいて、情報技術の導入による今後の農業の成長を期待するとともに、伝統的な農業も残る農村においてデジタル化がどのように進展していくのか調査していきたい。

46

土地をめぐる問題

★「資源の呪い」から脱却し、農業大国になれるか★

ある村で調査を始めて10年ほどが経った2002年、農業生産に意欲的で有能な2人の青年が村長から「追放令状」を受け取った。わたしはこれを読んで強い衝撃を受けた。「彼らはこのわたしを侮蔑して敬意を払わない」と村長は言う。同様に追放令状を受け取った村民が少なくとも10名はいるとのことだった。この村に限らず、村長が村人を追放する令状を渡すことはよくあるそうだ。村の治政に責任のある村長には、村の秩序を乱す不届き者を追放できる権限があるようだ。

1995年に土地法が改正された直後、この村で大きな事件が発生した。1996年に就任した村長が土地の囲い込みや割り替えを始めたのだ。村長自身は、就任前に十分な土地を確保していなかったようだ。先代の村長が積極的に多くの人びとを村に受け入れたこともあり、さらに人口増加により村内で土地の確保が困難になっていた。一方、チーフや村長とは出自の異なる「よそ者」だが、村の有力者でもあった数名の人物が土地権利証書を取得しようとする動きが表面化した。この動きは以前からあったが、土地法の改正でより現実化したのだろう。だが、村長は「この村では土地権利証書の取得は絶対に認めない」と語っていた。１９９８年12月、実現はしなかったが、この村長を他の人物に交代させようとする動きがあり、「村はきわめて不穏になり、この村を出ようかと思った」と、２００２年にこの村長から追放令状を受け取った青年のひとりが当時のことを振り返った。

１９９０年代初頭以降、ザンビア政府は経済の自由化や民営化、そして民主化を進めてきた。慣習法にもとづく伝統的土地制度の改革、そして植民地期に生まれた土地制度の二重構造の解消が大きな課題である。伝統的土地制度のもとで土地に対する農民の権利は弱い。長期的には土地権利の強化が農業発展に不可欠であろう。土地に対する権利の不安定性を除去すれば、農家は土地を担保に融資を受け、農業投資や土地改良のために資金を得ることが可能になるであろう。そもそも理不尽な理由で村を追い出されたら、生活はきわめて不安定だ。とはいえ、アフリカの農村社会において土地は単なる経済財でもなければ、生産手段でもない。土地制度は歴史的なものであり、地域性が濃厚なものである。自然条件や、そこに住む人びとの文化や宗教、政治、経済、社会、技術などの側面が土地制度に複雑に絡んでいる。

ザンビアの前身である北ローデシアは１９２４年にイギリスの直轄植民地となり、政府はヨーロッパ系白人入植者に鉄道沿線の土地を分譲した。そこは国土の約6％を占める王領地（Crown Land）として入植者に自由土地所有権もしくは借地権が付与された。１９２８年から１９３０年の間、そこに住んでいた6万人のアフリカ人が強制的に移住させられ、アフリカ人が住む土地は原住民居留地に設定され、慣習法が適用された。また、１９４７年には国土の57％を占める原住民信託地が設定され、ここにも慣習法が適用された。その結果、土地制度には近代的な私有制と民族を単位とする共同保有制という二重構造が成立したのである。

独立後、1972年の憲法改正で一党制が確立したのち、1975年の土地法で王領地が国有地、原住民居留地が居留地、原住民信託地が信託地とされ、すべての土地は大統領に帰属するようになった。居留地や信託地（合計94％）の土地制度は民族集団によって異なるが、一定の領域を支配するチーフが村長を承認し、チーフや村長が村民に土地の利用権を与える権限を有している。

1995年の土地法改正により、チーフや村長という伝統的権威や地方議会の許可を得て土地利用権の不安定性を除去し、利用権が長期間にわたり保証されるようになった。土地権利証書と土地利用権が大幅に強化され、99年間の土地利用権が認められた結果、土地利用権の売買が増えている。ザンビア内外の外国人、大統領の認可を受けた外国人が土地権利証書を取得し、利用権の所有が可能になった。他者による利用権のはく奪、利用権の相続をめぐるもめ事が農村では絶えない。大規模な農地開発のために土地から追い出される人びとも現れている。

土地権利証書の取得には2つの条件が必要である。1つは、伝統的権威を有する人びとからの同意である。1995年土地法の第8条第2項には伝統的権威として村長は明記されていないが、チーフは広範囲の領域を支配しており、村長はその支配下にある。したがって、一般論としては、村長の同意がなければ、土地権利証書は取得できないであろう。2つ目は、測量地図の提出である。通常の村人の所得水準からすれば正確な測量は相当の費用を要するので、資金力のある農民でなければ土地権利証書の取得は困難であろう。概略図でも登記申請はできるが、この場合の借地権は14年間に限定される。

第46章
土地をめぐる問題

チーフが森林保護区の農地開発を認めたとの噂で、住民が木を伐採、農地化した。

1995年土地法のもとでチーフの権限が強化された。その結果、チーフが領内の土地を、外国人を含む外部者に割り当てる権限を持つようになった。一例を挙げれば、北部州の2つのチーフ領では2005年頃、2人のチーフが農園の事業を計画したA社に各1万2500ヘクタール、計2万5000ヘクタールの土地を割り当てようとした。この計画は中止となったが、その後、チーフを含む関係者が不慮の死を遂げている。村人たちは、この不慮の死は「企業に大規模な土地を分け与えようとした権力の乱用が原因」だと理解しているという。

2000年代末以降、政府は銅などの鉱物資源輸出経済からの脱却を図るべく、内外に農業投資を呼びかけている。総面積の56％（2576万ヘクタール）が耕地に適し、うち10・7％（275万ヘクタール）は灌漑可能とのことだが、2004年の灌漑面積はわずか15万6000ヘクタールであった。土地と水が豊富にあることで、政府は灌漑農業の開発を積極的に進めている。具体的には総面積10万ヘクタール規模の農業団地の造成で全国８ヵ所、他にも4万５０００ヘクタール、５０００ヘクタール各1ヵ所が予定されている。在日ザンビア大使館がそのひとつ、ナンサンガ・ファーム・ブロックにおける農業開発への投資をウェブサイトで呼びかけていた。食料安全保障と農村貧困の解消が目的だが、場所は中央州セレンジェ県、ルサカから４５０キロメートル離れた地点である。２０１０年12月作成の計画書によれば、10万ヘクタールの大規模農業団地を開発し、道路のほか、ダムや電気などのインフラを整備し、大・中・小規模３６０の農場創設が計画されている。面積は不明だが、チーフが所有する農場が含まれている。

近代国家と伝統的権威の併存、もちろんこの中には植民地期に創造された権威もあるが、統治の二重構造という問題は土地制度の近代化を考えるうえで切り離せない複雑な問題である。隣国のジンバブエや南アフリカでは白人大規模農場への襲撃事件や国外追放がみられたが、ザンビアに逃れて農業経営に投資を始めた人たちがいる。その大部分は交通の便が良くて肥沃な鉄道沿線地帯、かつての王領地内であるという。

（半澤和夫）

47

都市スラムの水とトイレ事情

★未計画居住区におけるサニテーション課題★

ルサカ市内のコンパウンド（未計画居住区、いわゆるスラム。コラム4参照）を歩くと、ゴミが道路や側溝に放置されて山積みとなっている光景が散見される。住民は、老朽化した公共水道や井戸から飲料水を得ており、子どもたちは近くのゴミ山を気にせず衛生環境の悪い場所で遊んでいる。地面に穴を掘った地下浸透式の簡易トイレ（ピット式トイレ）が、庭や空き地に作られているが、トイレの周囲や側溝や路上など至るところに排泄物が散乱している。

国連の持続可能な開発目標（ＳＤＧｓ）では、「目標６：安全な水とサニテーション」に２０３０年までにすべての人が安全な水と基本的なサニテーション（トイレ施設）にアクセスできることを掲げているが、目標達成が危ぶまれている。

サハラ以南アフリカ地域は、南アジア、東南アジアと並んでトイレの普及が遅れている。国の統計資料によるとザンビアでは安全な飲用水にアクセスしているのは国民の68％、基本的なトイレ施設にアクセスできているのは40％である。首都ルサカに暮らす人びとの約70％（１８５万人）はコンパウンドに住んでいる。コンパウンドにおいては水、サニテーション、衛生

(Water, Sanitation and Hygiene) の問題が深刻であり、まとめてＷＡＳＨと呼ばれている。

２０１６年にルサカの３ヵ所のコンパウンドにおいて３００名以上の住民（8歳から89歳）、さらに医療施設や学校においても関係者に質問紙とインタビューによる調査を実施した。調査結果をもとに、都市コンパウンドのＷＡＳＨの現状について紹介しよう。

コンパウンドには第1次医療施設（保健所）がある。医療関係者へのインタビューからは、施設の環境保健部門の活動として、ＷＡＳＨと健康について訪問者に指導をしていること、青年ボランティアといっしょにコンパウンドの世帯を回って啓蒙活動を進めていること、また少量であるが、手洗いのための石鹸や（飲用水を浄化する）塩素も無料で配布していることがわかった。実際に、医療施設には英語と現地語で健康に関する情報が掲示されていた。

このような医療施設による啓蒙活動の尽力も空しく、コンパウンドでは毎年雨季になるとコレラ、赤痢、腸チフスといった水系感染症が流行している。ＷＨＯ（世界保健機関）によると、コレラの発生には気候（降雨）と安全な飲料水と適切なトイレへのアクセスが限られていることが関連していると指摘されている。つまり、飲用水として井戸水（地下水）への依存が高いことに加えて、雨季になるとピット式トイレの汚泥があふれること、処理されずに山積みとなったゴミを通して井戸水が汚染されることによって感染症が発生するのである。調査では、49％の住民がコレラ、赤痢、腸チフスといった水系感染症にかかった経験があると回答した。

コンパウンドの住民は、安全な飲用水へのアクセスも限られている。学校や病院など公共施設には水道が引かれているが、コンパウンドの住民で敷地内に個人の水道や井戸を持つ者は少なく、調査対

コンパウンドによく見られる手作りの簡易トイレ（ピット式）

象者は有料の公共の水道に水くみに行ったり、水売りから水を買ったりしていた。３割の者は塩素消毒をおこない、１割は煮沸してから水を飲んでいると答えたが、半数の者は処理をせずに水を飲んでいた。飲用水以外にはダムの水が使われていた。コンパウンドの近くのダムはゴミ捨て場になっており、人びとはゴミの近くで洗濯や水浴びをしていた。

調査対象者の24％はトイレを持っておらず、16％の者は共有トイレを利用していた。所有していたトイレは、ピット式トイレが最も多かった（43％）。コンパウンドではピット式トイレが普及しているものの、道路や側溝や空き地など至る所で人の排泄物が散見され、野外排泄が日常的であることがうかがえた。

家や近所にトイレがない場合、多くの住民は、家の中で「チャンバー（代替容器）」を用いて排便している。簡単に洗浄できる使い捨て可能な容器、たとえば、ビニール袋やバケツ、ボトルなどがチャンバーとして用いられている。使用後は、洗浄して再使用するか、ゴミと一緒に廃棄する。使用後のチャンバーを隣家の庭や屋根の上に投げ捨てる行為（Flying Toilet と呼ばれる）もおこなわれている。

インタビューからは、トイレから汚泥を汲み取りするコストはおよそ７５０クワチャ（約７５００円）であり、トイレの品質や使用者数などによって異なるが、３年から10年ごとに汲み取りをおこなうとのことだった。ただし地下浸透式のピット式トイレは汚泥をくみ取り、穴を空にすることは困難であること、また住宅が密集しているため、バキュームカーは狭い路地に入ることができないと不満を漏らしていた。

病院や学校などの公共施設では、ピット式トイレと水洗トイレの両方が使用されていた。生徒にトイレ用の紙や手洗い用の石鹸を持参するように指導している学校もあった。生徒と教員は同じトイレを使用せず、教員が水洗トイレを使用し、生徒がピット式トイレを使用しているケースが見られた。小学校の校長先生は、家庭にトイレが無いことや、親の指導が不適切であることが多く、学校で子どもたちにトイレの使い方を教えなければならないと訴えていた。

このように、ルサカをはじめ都市のコンパウンドでは、WASHと健康の課題が山積している。安全・清潔な水の入手は困難であり、トイレやゴミ処理施設の数、クオリティーともに不十分である。定期的に感染症が発生するにもかかわらず、予防的な健康習慣は低い。

国際NGOの援助、あるいは自治体が公衆トイレを作っても、維持管理ができなければつづかない。壊れたトイレは新たな汚染源となっているのが現状だ。トイレの問題を他人事ではなく、住民みずからが自分事に思わなければ持続可能とはならない。

日本をはじめ先進諸国ではサニテーションはインフラ整備、公共事業であり、国や自治体の問題であると一般に思われているが、国家や自治体の力が弱い国・地域では、中央集権型ではなく分散型、地域がサニテーションシステムを維持管理していくことが必要となるだろう。地域住民の意識を高め、行動変容を促すのは容易なことではないが、わたしたちは学術調査のみならず、ささやかながら地域住民の意識を高める取り組みも進めている（コラム23）。

（山内太郎）

コラム23

「子どもクラブ」アクション・リサーチ

山内太郎

総合地球環境学研究所のプロジェクト研究として、サニテーション（衛生施設、トイレ）に関する国際プロジェクト「サニテーション価値連鎖の提案」を実施している。2017年8月に首都ルサカの2ヵ所のコンパウンド（コラム4参照）において、小学生と若者（地元の青年団）からなる子どもクラブ「Dziko Langa（現地語で、わたしのコミュニティーという意味）」を設立した。子どもから大人へ、サニテーションと健康に対する意識の向上と行動変容を促すボトムアップ型の波及をめざしている。調査者や研究者が調査をするのではなく、子どもクラブのメンバー自身が調査を進める「アクション・リサーチ」をおこなっている。過去2年半に実施したアクション・リサーチ、そして現在進行中の活動について紹介したい。

アクション・リサーチを開始する前に、子どもクラブのメンバーに、手洗い、ゴミ処理、安全な飲み水、トイレの使用法、汚染ルートといったサニテーションと衛生について学習してもらった。専門家や先生が子どもたちに「上から下へ」講義をするのではなく、子どもたちが参加して楽しんで学べるよう工夫した。

アクション・リサーチとして、フォトボイスという調査をおこなった。デジタルカメラや携帯端末のカメラで、自分たちが暮らすコミュニティーにおけるサニテーションの課題について子どもたち自身が気になった物、場所、風景について写真を撮ってもらい、それらについて自分の言葉でコメントを書くという手法である。カメラ機器を扱えない幼い子どもは、絵を描いたり、粘土によって地域のサニテーション問題を表現してもらった。

2018年3月には親と教師、地域の住民、

子どもクラブによる水・トイレ・衛生（WASH）のドラマ実演風景

さらに地元選出の議員を招いて発表会を開催した。発表会の計画や準備、運営は子どもクラブのメンバーが中心となって進めた。イベントには2日間で合計223人の来場者があり、予想以上のにぎわいだった。屋内会場では、自分が撮った写真と自分でコメントした文章について子どもたちが熱心に来場者に説明していた。また、会場の外では、子どもたちがサニテーション課題に関するドラマを演じて聴衆にアピールしたり、住民とグループ討論を開催したりした。

発表会を成功裡に終えて自信を付けた子どもクラブは、約半年後の2018年8月に、ルサカ市と協働して3日間のサニテーション・フェスティバルを開催した。ルサカ市長を先頭にブラスバンドを従えてパレードしたり、コンパウンドの清掃活動デモンストレーションをおこなったり、地域社会への啓発をおこなった。その後、クラブの活動をインターネットで発信していきたいという機運が高まり、研究プロジェクトと子どもクラブが協働して、SNSリテラシーのワークショップを開いた。民間企業のIT担当者を招いて講演してもらい、その後グループワークをおこなってSNSを使った情報発信のプランについてワークシートを作成した。これを元にして、子どもクラブはFacebookのアカウントを作り、情報を発信している。

研究プロジェクトとは独立して、子どもクラブは自主的にコンパウンドのゴミ（とくにペットボトルなどプラスチック）をリサイクルするビジネスモデルを検証している。その契機は、世界121ヵ国から100万人を超える若者が参加する「ハルト・プライズ」という学生起業アイデアコンテストであった。日本に留学しているメンバーが中心となって子どもクラブによる廃棄物収集ビジネスモデルを提案したところ、北海道地区予選で優勝し、地域予選（ベトナム・ホーチミンシティー）で最終選考に残る栄誉に輝いた。

子どもクラブの活動を通じて、子どもたちのサニテーションに関する意識は高まってきた。次のステップとして、地域の住民（大人）の意識を高め、行動変容を促すアクション・リサーチを研究プロジェクトと一緒に取り組んでいる。またプロジェクト終了後においても子どもクラブが継続するために、世代交代の仕組みづくりや運営費獲得についても挑戦している。

48

感染症と地域社会

★ハンセン病回復者の築いた村から★

ある日の朝のこと、友人になったザンビア人が話しかけてくれた。「ウモヨ村を訪れてごらん。まじめでよく働く人たちが住んでいるから。ハンセン病だった人たちの村だ。君が住むのにも安全だろう」。大学院生だった当時、わたしは調査地を決めかねて途方に暮れる毎日をザンビアで送っていた。ハンセン病という思いがけない言葉、ひとつひとつの単語が瞬時に結びつかずきょとんとするわたしに、今から行ってみようと彼は車を走らせた。なお、本章の文中に出てくる地名は仮名である。

WHO（世界保健機関）は20の感染症を「人類の中で制圧しなければならない熱帯病」と定義し、「顧みられない熱帯病」とよんでいる。ザンビアでもそれらの疾患は依然、問題として残されており、ハンセン病もそのひとつだ。ハンセン病は特効薬が発見され、現在では治癒可能な感染症である。発症すると手足の麻痺や皮膚などに症状を引き起こし、治癒後にも生活に困難をもたらすことがある。治療法が確立したあとも、医療基盤の充実していない地域では、誤診や治療の遅れによって症状を悪化させ障害を残す人もみられる。三大感染症とよばれるエイズ、結核、マラリアに比べると社会的な関心が薄いが、ハンセン病は単なる保健上の問題にとどまらず、発症した人、家族の生活、地域社会にも深刻な影響を及ぼす医療課題として残されている。

わたしが訪れたウモヨ村は、過去にハンセン病を発症し、村の近くにあった療養所で治療を受けた人たちが集まりつくった村である。19世紀終わり頃からキリスト教のミッション（伝道者のグループ）がザンビアを訪れるようになり、布教活動の一環として病院を開設した。その中にはハンセン病療養所を併設するものもあった。ウモヨ村近くの療養所は１９２０年代に開設され、その情報がひろまると患者たちは各地からやってきた。ときには地元の医療施設や行政、民族社会の権威者により、なかば強制的に転院させられてくることもあったという。各地の療養所では、その近くにコロニーとよばれる居住地がミッションによってつくられることがあった。そこでは治療が必要ではあるが入院するほどではない患者や、ハンセン病自体の治療は終わったが、後遺症のケアが必要な回復者が暮らすこともできた。ウモヨ近くのコロニーでは商店や学校、畑などが提供され、３００人ちかくが暮らしたこともあったという。ここで結婚し子どもを持ち、コロニーで暮らす家族も多くみられた。

各地から多くの人びとが療養所を訪れたが、治療が終わると退所しなければならない。しかし、治癒した人たちにも当時は依然、つよい偏見の念が襲いかかった。故郷の人びとが戻ることを許してくれない、戻れたとしても村の行事に参加できないなどの困難に直面した。またハンセン病が治癒したとしても、手足や皮膚の障害に悩まされ、医療施設から離れることを不安に思う人たちも多かった。

そこで退所を言い渡された患者や回復者たちは、ミッションに自分たちの苦しい立場を訴えた。「治ったから家に帰りなさい。ドクター、あなたはそう言う。でもわたしたちには戻るところがないのです。どうかパラマウント・チーフに、わたしたちが住むことのできる場所をお願いしてください」と。当時のパラマウント・チーフは現在のウモヨの土地を使うことを許し、1954年にウモヨ村が誕生した。そしてこの地に残ることを選んだ回復者やその家族が移り住むようになったのである。このような回復者村は、ザンビア各州に点在している。

ウモヨ村に移り住んだ回復者たちはどのような生活を送ったのだろうか。村ができた当時は、ミッションから村民に対し、食料や衣類など手厚い援助がおこなわれた。周辺の村の住民の中には、ウモヨ村の回復者のもとで日雇い労働をし、援助物資を手に入れる者もいた。ただ、ウモヨ村の住民が単純に他村より裕福だったため労働者を雇ったのではなく、援助物資の提供とひきかえに、後遺症や高齢などの理由により自分たちが働けない部分を補うという意味もあった。故郷に切り離され、最初は周りの村の住民たちにも恐れ避けられたウモヨ村の回復者であったが、時の流れとともに周囲の村とも交流がうまれ、この地のひとつの村としてその存在を確立していったのである。

しかし1980年代初め、その生活を大きくゆるがす出来事がおこった。ミッションが、コロニーの閉鎖と援助の打ち切りを決定したのである。コロニーで暮らしていた患者や回復者は、ウモヨ村に移動させられた。コロニーが閉鎖された理由は定かではない。その背景には、ハンセン病を新しく発症する人が減ったこと、発症しても薬の開発により障害が重症になることなく治療を終えることが可能になったことがあげられるかもしれない。ミッションからの援助が打ち切られたあとも、回復者たちはウモヨ村での生活をつづけてきた。村内の世帯のほとんどが畑を持ち、主食であるトウモロコシを栽培しながら生活をしている。2008年の調査では、80世帯、約400人が生活しており、うち

現在の療養所。ウモヨ村から4キロメートルほど離れたところにある。

回復者は33人、その平均年齢は60・8歳であった。平均年齢が高いのは、新たな回復者の流入がほとんどなくなったためである。そして現在では、村の人口の大半を回復者の子孫が占めている。

現在、国としてはすべての公立の病院や診療所でハンセン病の診断と治療ができるとみなし、特定の医療施設をハンセン病療養所と位置づけてはいない。しかし、実際はどこでも治療薬が手に入るわけではなく、専門スタッフがいて薬も確保されている病院に通うケースが多いようである。

ハンセン病以外にも、エイズや結核といった感染症問題を抱えるザンビアでは、ハンセン病対策に高い優先順位をつけることは難しいかもしれない。また、ザンビアの医療は財政を含め、国際機関やNGOなど外部からの援助にその多くを支えられており、それらの方針や支援の多寡により影響を受けやすい。そのため、ハンセン病対策に関しては後手に回されがちである。回復者へのケアについては、行政による対策はとくにとられておらず、関心は極めて低い。

ウモヨ村がつくられて年月がたった。すでに地域の一村となり、回復者たちは子どもや孫の世代に囲まれて日々を送っている。数十年もたたないうちに、外から見ただけでは回復者の村だったと思われることはなくなるだろう。

わたしはその後いく度か村を訪れ、村人たちに明るく迎え入れてもらえたこともあり、ウモヨ村での暮らしを始めた。回復者の生きざまや、ウモヨの生活をみつめることは、その国や地域の姿をみつめることなのかもしれない。社会から排除され孤立した病者であった彼らは、ウモヨにおいて独自のケアのつながりを紡ぎ出し、みずからの生活を築きあげたのである。

（姜 明江）

49

HIV／エイズ対策の成果と限界

★届かぬ医療と農民の対応★

ザンビアのヒト免疫不全ウイルス（ＨＩＶ）感染者は２０１８年現在、１２０万人で人口（15歳以上）の11・３％にのぼる。15歳以上の感染者比率を男女間で比較すると男性の８・８％に対して女性の方が14・３％と高い。この年の新規感染者数は４万８０００人（うち５４００人が14歳以下の子ども）で、エイズ関連の病気で死亡した人の数は１万７０００人であった。近年、母子感染防止プログラムの成果もあって母子感染は減少し幼児（0～14歳）死亡数も減少しつつある。感染者の78％は治療を受けているといわれ、平均寿命は２０１２年の49・４歳から２０１６年の男性60歳、女性64歳まで延びた。

遠距離トラックの運転手の感染率が高く大都市での感染率が高いといわれ、今もルサカやコッパーベルトの都市部における感染者率は高い。ザンビアには２０１６年現在、売春婦が約１万８０００人いて彼女たちの48・８％はＨＩＶに感染しているといわれる。都市部で感染者が多い傾向は今も変わらないが、現在では農村部でも感染者が広くみられる。

わたしがルサカ北方の村で調査していた１９９０年代は、ＨＩＶの農村部拡大が問題化しつつある時期であった。わたしの

農村部で新しく作られた診療所（中央州）。常駐の医師はいないが、子どもの健康診断や一般診療が定期的に実施されていた。

調査村でもＨＩＶ／エイズによると思われる死者が出始めていた。１００戸あまりの村だったが、エイズのため町で働けなくなり村に戻ってきた人が数名いた。彼らは父母や兄弟のところに身を寄せ一緒に住んでいた。その中の一例だが、エイズと診断され子連れで町から戻り妻方の父の家で生活している夫婦がいた。２００２年にその夫婦の乳児が亡くなったと聞いてお悔やみに行くと、小さな乳児の遺体の傍に、極端にやせ細った両親が悲嘆にくれる様子で腰を下ろしていた。そしてこの両親もこの数ヵ月後に相次いで亡くなった。

ＨＩＶ感染によるエイズ発症の怖さは村人のあいだに広く認識されていた。それゆえかこの村では、夫に先立たれた寡婦が亡夫の兄弟と再婚するレビレート婚の習慣に変化が起きていた。夫の死因が肺病や内臓疾患だといわれた場合でも、レビレート婚をしない人が増えてきていた。亡くなった兄の妻と再婚しなかった弟にその理由を聞くと「寡婦の意思が尊重される時代になり、法律も変わった」と説明した。兄が感染者と断定されていた訳ではないが、兄の子どもにも死者が出ていたのでＨＩＶ感染を恐れたのではなかろうか。村ではＨＩＶテストを受けた者は極めて少なく、人が亡くなってもその死因を医学的に確認することはできない。そのことがＨＩＶ感染に対する人びとの恐怖心をより一層高めているようであった。

ＨＩＶテストを推進するため、２０１５年にマラウイとジンバブエ、ザンビアで、ＨＩＶ自己診断キットが75万セット配布された。またザンビア政府は２０１７年に、病院での治療に際してＨＩＶテストを義務化する法律を作った。さらに、国家エイズ戦略フレームワークでは、コンドームの無料配布や、ＨＩＶやエイズに関する正しい知識の普及、学校での性教育の実施に力が注がれ、ＨＩＶ感染の防止、感染者の特定、さらには感染者に対する治療も進められた。これらの取り組みの結果、母子感染率は２００９年の24％から２０１２年の12％、２０１４年の約９％へと減少し、２０１７年にはＨＩＶ感染妊婦の92％が抗ＨＩＶ療法を受けたという。しかし農村部ではＨＩＶの診察や治療をおこなえる施設が少なく医療関係者も絶対的に不足しているのが現状である。

（島田周平）

50

エボラおよびマールブルグウイルス

★ザンビア大学獣医学部との共同研究★

エボラウイルスおよびマールブルグウイルスは、ヒトやサルに重篤な出血熱を引き起こす人獣共通感染症ウイルスとして知られている。これらのウイルスによる感染症（エボラウイルス病およびマールブルグ病）は、コンゴ民主共和国、スーダン、ガボン、コンゴ共和国、ウガンダ、コートジボワール、ケニア、アンゴラなどのアフリカ諸国で散発的に発生が報告されつづけている。2013～2016年、西アフリカ（主にギニア、リベリア、シエラレオネ）で起きたエボラウイルス病の流行は過去に類を見ない大規模なものとなり、周辺国およびヨーロッパ・アメリカを含めた他国への拡散によって世界的な問題となった。2018年8月からコンゴ民主共和国東部で流行していたエボラウイルス病も史上2番目の規模となり、2020年6月末にようやく終息した。

ザンビアはエボラウイルス病およびマールブルグ病の発生国に囲まれているが、今のところ発生報告はない。西アフリカでの流行時にザンビアでは、ザンビア大学獣医学部がエボラウイルス病の公式な診断機関として指定され、多くの感染疑い患者検体が持ち込まれ検査をおこなっているが、今のところエボラウイルスもマールブルグウイルスも検出されていない。

一般に、ヒトに急性で致死率の高い感染症を引きおこすウイルスは、感染してもすぐに死に至らない何らかの野生動物のあいだで受け継がれている。そのような動物をそのウイルスの自然宿主と呼ぶ。ウイルスは個々の自然宿主体内あるいは個体群内で、その宿主に大きな害を及ぼすことなく維持されている。それがウイルスにとって自然な姿なのである。

コウモリ調査のために洞窟に潜入

エボラウイルスの自然宿主として最も有力視されてきたのがコウモリである。しかし、エボラウイルスがコウモリから直接ヒトに伝播したと断定できるケースはなく、多くの研究グループによっておこなわれている膨大な数のコウモリの調査の中でもエボラウイルスが検出されるのは稀である。これらのことから、コウモリがエボラウイルスの自然宿主であるとは断言できない。一方、マールブルグウイルスは、アフリカに広く生息するエジプトルーセットオオコウモリのあいだで長期的に保持されヒトへの感染源となっている可能性が高い。ウガンダで、このコウモリからマールブルグウイルスが継続的に見つかり、ヒトへの伝播例が確認されたからである。ザンビアにもエジプトルーセットオオコウモリは生息しており、ザンビア大学獣医学部との共同研究としておこなっている我々の調査でも、マールブルグウイルスが検出されている（エボラウイルスは検出されていない）。先に述べたように、ザンビアではマールブルグ病の発生報告はないが、そのような国でもマールブルグウイルスは存在していることがわかったのだ。ウイルスを高濃度で排出しているコウモリと接触した場合、ヒトへの感染の可能性がある。ザンビアでは、今まで認識されてなかっただけで、すでに感染例はあるのかもしれない。

エボラおよびマールブルグウイルスの種類とそれらによる感染症の発生報告を表にまとめた。1967年に、ウガンダからドイツ（マールブルグ）に研究用として輸入されたアフリカミドリザルを扱った研究者・技術者が感染し、新種のウイルスが発見され、マールブルグウイルスと命名された。一方、エボラウイルスは1976年にコンゴ民主共和国およびスーダンで見つかった。マールブルグウイルスと同じ仲間に分類されるが新しいウイルスであることがわかり、エボラウイルスと命名された。その後、1994年にコートジボワールで、2007年にウガンダで新種のエボラウイルスによる出血熱が発生した。現在のところ、エボラウイルスは5種に分けられている。しかし近年、新種のエボラウイルスが西アフリカのコウモリから検出された。さらに、ヨーロッパや中国でもエボラやマールブルグウイルスに似たウイルスがコウモリから検出されている。

これらの研究によって、エボラおよびマールブルグウイルスの仲間がアフリカ以外にも広範囲に存在することがわかってきた。しかし、それらのウイルスがヒトに病気を起こす病原体であるかどうかは今のところ不明である。ザンビアでも、このような未知のウイルスが存在するかもしれないので、

エボラおよびマールブルグウイルスによる感染症の発生

属	種	年	発生国	患者数（死亡者数）
Marburgvirus	*Marburg marburgvirus*	1967	ドイツ、旧ユーゴスラビア	31 (7) [a]
		1975	南アフリカ	3 (1) [a]
		1980	ケニア	2 (1)
		1987	ケニア	1 (1)
		1990	ロシア	1 (1)
		1998–2000	コンゴ民主共和国 （旧ザイール）	154 (128)
		2004–2005	アンゴラ	252 (227)
		2007	ウガンダ	4 (1)
		2008	アメリカ	1 (0) [a]
		2008	オランダ	1 (1) [a]
		2012	ウガンダ	15 (4)
		2014	ウガンダ	1 (1)
		2017	ウガンダ	3 (3)
Ebolavirus	*Zaire ebolavirus*	1976	コンゴ民主共和国 （旧ザイール）	318 (280)
		1977	コンゴ民主共和国 （旧ザイール）	1 (1)
		1994	ガボン	52 (31)
		1995	コンゴ民主共和国 （旧ザイール）	315 (250)
		1996	ガボン	37 (21)
		1996–1997	ガボン	60 (45)
		1996	南アフリカ	2 (1) [a]
		1996	ロシア	1 (1) [b]
		2001–2002	ガボン、コンゴ共和国	124 (96)
		2002–2003	コンゴ共和国	178 (157)
		2004	ロシア	1 (1) [b]
		2005	コンゴ共和国	12 (10)
		2007	コンゴ民主共和国 （旧ザイール）	264 (187)
		2008–2009	コンゴ民主共和国 （旧ザイール）	32 (15)
		2013–2016	ギニア、リベリア、 シエラレオネ他	28,645 (11,323) [c]

（次ページにつづく）

エボラおよびマールブルグウイルスによる感染症の発生（つづき）

属	種	年	発生国	患者数（死亡者数）
Ebolavirus（つづき）	*Zaire ebolavirus*（つづき）	2014	コンゴ民主共和国（旧ザイール）	66 (49)
		2017	コンゴ民主共和国（旧ザイール）	8 (4)
		2018a	コンゴ民主共和国（旧ザイール）	54 (33)
		2018b	コンゴ民主共和国（旧ザイール）	3470 (2287) [d]
	Sudan ebolavirus	1976	スーダン	284 (151)
		1976	イギリス	1 (0) [b]
		1979	スーダン	34 (22)
		2000–2001	ウガンダ	425 (224)
		2004	スーダン	17 (7)
		2011	ウガンダ	1 (1)
		2012a	ウガンダ	11 (4)
		2012b	ウガンダ	6 (3)
	Taï Forest ebolavirus	1994	コートジボワール	1 (0)
	Bundibugyo ebolavirus	2007–2008	ウガンダ	131 (42)
		2012	コンゴ民主共和国（旧ザイール）	36 (13)
	Reston ebolavirus	1989	アメリカ	0 (0) [a) e)]
		1990	アメリカ	4 (0) [a) f)]
		1989–1990	フィリピン	3 (0) [f)]
		1992	イタリア	0 (0) [a) e)]
		1996	アメリカ、フィリピン	0 (0) [a) e)]
		2008	フィリピン	6 (0) [g)]

https://www.cdc.gov/vhf/ebola/outbreaks/history/chronology.html および https://www.cdc.gov/vhf/marburg/outbreaks/index.html 参照。

a) 輸入例。
b) 実験室内事故で感染。
c) 輸出例含む。
d) 2020年6月25日現在。可能性例含む。
e) 発症したのはサルのみ。
f) 発症したのはサルのみ。感染したサルを取り扱った関係者（無症状）に血中抗体の上昇が認められた。
g) 豚生殖器・呼吸器症候群のブタから分離されたが、レストンエボラウイルスの感染と疾病との因果関係は不明。感染したブタと接触した関係者（無症状）にウイルスに対する抗体が検出された。

ザンビア大学獣医学部とともにウイルス探索のための研究を進めている。

エボラおよびマールブルグウイルスは急性で致死率の高い感染症を引き起こすため、感染者の早期発見と適切な隔離措置が流行拡大防止に有効である。しかし、感染初期の症状は発熱をともなう頭痛や下痢等であり、マラリアやインフルエンザなどの他の感染症と区別することができない。わたしたちは、検査機器や冷凍・冷蔵設備等が整っていないような地域でも迅速で簡便に使える診断法として、イムノクロマトグラフィー法（日本ではインフルエンザなどの診断キットに使われている）に着目した。我々がザンビア大学獣医学部およびデンカ生研株式会社との共同研究によって開発したQuickNavi™-Ebolaは、血液と展開液をキットに滴下するだけで10～20分後に結果を判定できる。さらに、常温で保存が可能なうえ、温度5～45℃、湿度90％の環境下でも判定ができる。このキットは現在、エボラウイルス病の多発国であるコンゴ民主共和国の検査研究機関（Institut National de Recherche Biomédicale: INRB）での診断法として取り入れられ発生地域の検査機関に配備されており、エボラウイルス病が疑われる症例の診断補助に用いられている。現在は、同じ原理でマールブルグウイルスを検出できる迅速診断キットの開発に取り組んでいる。

エボラおよびマールブルグウイルスの感染源となる動物の特定は、これらのウイルスによる感染症の発生を未然に防ぐために重要である。また、発生が散発的で常時流行しているわけではないため、開発途中の予防・診断・治療薬の臨床試験が流行時にしかおこなえない。このような人獣共通感染症は他にも多く存在し、疫学研究ならびに予防・診断・治療薬の研究開発は長期的視野で取り組む必要があろう。

（髙田礼人）

コウモリが宿すウイルスを探る

コラム24

梶原将大

　ここは中央州のカサンカ国立公園。我々は少し離れて、森をじっと見つめている。南半球に位置するザンビアで11月は夏。早朝、低い位置で輝く太陽が、この後気温が上がることを予感させる。突如、コウモリの大群が森から舞い上がった。別働隊が森でコウモリの捕獲を始めたのだ。我々はザンビアでコウモリが保有するウイルスの研究をしている。もちろん、一番のターゲットはいまだ自然宿主が謎に包まれるエボラウイルスだ。

　カサンカ国立公園はコウモリ界では世界的に知られている。毎年11月になると、最大1000万頭のストローオオコウモリがここに集結するのだ。ストローオオコウモリは果実を主食とし、翼長は約80センチメートルに及ぶ。夕暮れ時、食餌に飛び立つコウモリで空が埋めつくされる様はまさに壮観だ。GPS発信機を使った追跡調査によると、コウモリたちはコンゴ民主共和国などのアフリカ中央部からザンビアへと集まって来るらしい。1月にはほとんどのコウモリがアフリカ中央部へ戻り、国立公園も平静を取り戻す。

　コウモリと一口に言っても、非常に多様性に富む。分類学的に翼手目《よくしゅもく》と呼ばれるこのグループは、ネズミ目に次いで2番目に大きい哺乳類のグループだ。1200種以上のコウモリが地球上に存在し、ザンビアでは少なくとも75種のコウモリが確認されている。我々はカサンカ国立公園以外にも、ザンビア全土でコウモリを探してきた。コウモリの種類によって、保有するウイルスが異なる可能性があるからだ。

　チョングウェ県にあるレオパーズヒル洞窟も調査地のひとつ。この洞窟には少なくとも5種、数万頭のコウモリが生息している。洞窟に

ストローオオコウモリの群れ。日中は樹にぶら下がって休んでいる。
（小川寛人氏 提供）

入る時は、水分を通さないタイベック素材のオーバーオールと特殊フィルター付き空気供給装置を搭載したフルフェイスのマスクで身を包む。それでも、洞窟に入るとカビと獣の匂いの入り混じった独特のコウモリ臭が鼻をつく。内部はコウモリの鳴き声がこだまし、懐中電灯で天井を照らせば無数の瞳がキラキラとこちらをうかがっている。洞窟の入り口にハープトラップと呼ばれる罠を仕掛け、夜に飛び立つコウモリを捕まえる。洞窟情報があればコウモリを求めてザンビア各地を訪問した。これらの洞窟は周辺住民にとって神聖な場所であることが多く、チーフなどの地域の伝統的指導者から必ず訪問の許しを得る。家畜などのお供え物とともに祈りを捧げる儀式が必要な場合もあり、フィールドにおける文系・理系の垣根を越えた協力の必要性を実感する。

　エボラウイルス以外にもコウモリの関与が知られる感染症が世界各地で報告されており、コウモリを対象とした感染症研究は世界的な潮流と言える。我々は10年以上調査をつづけているが、エボラウイルスがザンビアのコウモリから見つかったことはない。一方で、ヒトに出血熱を引き起こすマールブルグウイルスをはじめ、さまざまなウイルスがザンビアのコウモリから見つかっている。その中には新種のウイルスも含まれる。

公衆衛生学分野においてワンヘルスという言葉がある。ヒト、動物および環境はお互いに深く関わっており、これらのどれか1つでも健全でなくなれば全体がバランスを失ってしまう。これらの健全性を維持するために、分野横断的に共通課題に対して取り組もうという考え方だ。コウモリの保有するウイルスの研究が、ザンビアの人びとと動物の健康を守り、ひいては豊かな生態系の維持に貢献するものと信じ、我々はコウモリが宿すウイルスを追いつづけている。

51

教育分野の日本の国際協力

――★人づくりと学びの改善に向けた日本とザンビアの絆★――

ザンビアに対する日本の教育分野の国際協力は、1981年の青年海外協力隊理数科教師隊員の派遣を皮切りに開始された。1980年代の協力初期段階には、ザンビアの国づくりを支える人材育成が重視され、1985年と1987年にはそれぞれ、無償資金協力によるザンビア大学獣医学部の施設拡充と全国6ヵ所の職業訓練校の施設拡充協力事業が実施された。

その後、これらの「ハード」面での支援に対し、ザンビア人の人材育成に対する協力や研究・運営支援のための「ソフト」面での技術協力がおこなわれた。ザンビア大学獣医学部は南部アフリカ有数の獣医学教育・研究の拠点へと発展したが、その背景には北海道大学獣医学部による全面的な協力もあった。北海道大学は長年の協力を土台に、2011年にはザンビア大学とのあいだで大学間交流協定を締結したほか、地球規模対応国際科学技術協力（SATREPS）の支援を受けて感染症の研究協力もおこなっている。

1990年に「万人のための教育世界会議」が開催され、途上国の教育開発における基礎教育重視の方向性が鮮明となると、日本も高等教育や職業訓練重視から初等、中等教育分野を中核とする基礎教育重視の国際協力に大きく舵を切ることになる。1980年代後半には、すでにメヘバ難民キャンプや南部州などで中学校建設に対する協力を進めていたが、ザンビア政府が1996年に発表した教育政策（Educating Our Future）の中で、9年制の基礎教育（初等及び前期中等教育）の完全普及を目標として掲げると、日本も基礎教育支援に本格的に乗り出した。

日本がまず支援したのは、首都ルサカ市の都市貧困層が多く住むコンパウンド（コラム4参照）と呼ばれる地区での小中学校の建設であった。2期にわたる協力により、計10校の小中学校の校舎や図書室、机や椅子などが整備され、地方からの人口流入や初等教育無償化政策による就学者の急増などを背景に深刻な学校施設不足に陥っていたルサカ市の基礎教育拡充に貢献した。

2002年には、高円宮ご夫妻が、当時のチルバ大統領（12章参照）とともに、日本の協力で建てられた学校のうちの1校の開校式に参加した。以来同校は、「プリンス・タカマド小学校」という名称で親しまれている。また、日本大使館による「草の根・人間の安全保障無償資金協力」も、地方の学校の新設や修復などを支援してきている。

1990年代後半から2000年代なかば頃までは、援助協調が活発化した時代でもある。基礎教育分野においても、1998年に策定された「基礎教育サブセクター投資計画（BESSIP）」の実現のために、さまざまな援助機関が足並みをそろえて資金をザンビアに提供する「バスケット援助方式」や財政支援への移行が強く求められた。

筆者は1990年から2002年までの13年間、ザンビア大使館に専門調査員として勤務し、当地で頻繁に開催されていたドナー会合に出席した。最初は、世界銀行やイギリスなど財政支援を積極的

初等学校における算数の授業研究の様子（中井一芳氏 撮影）

に推進するドナーから、個別プロジェクト型の日本の学校建設事業への理解を求めることに随分苦労したが、多様なドナーやザンビア教育省のスタッフとザンビアの教育の改善という共通の目的のもと意見を交わし切磋琢磨したことは貴重な経験であった。

その後、2000年代なかばも過ぎると、資金援助以外は認めないという急進的な援助協調は影を潜め、プロジェクト型支援も認められるようになった。一方、基礎教育の量的拡大の裏で歯止めがかからない教育の質の低下に対応するため、JICAは2005年から、日本の授業研究の経験を活用した「理科研究支援プロジェクト」を開始した。プロジェクトでは、JICAの支援によりケニアで進められた「理数科教育域内連携ネットワーク」に参加したザンビア人教師たちの学び合い活動を体系化し、既存のザンビアの校内研修制度を活用して、教師が一方的におこなう授業から、より子ども中心の授業への転換を図ることをめざした。

現在、中央州でのパイロット事業での成果発現を踏まえ、授業研究はザンビアの全10州、全教科、全学年で展開されている。特筆すべき点は、ザンビアにおいて、「授業研究」は「ＪＩＣＡプロジェクト」ではなく、ザンビア教育省の優先的取組と位置づけられていることである。日本人の専門家が黒子に徹し、ザンビア側の自主性を重んじることで、ザンビア人たちが「自分たちの活動」として取り組んできたことが実を結んだ結果であろう。

２０１６年からは、「教員養成校と学校現場との連携による教育の質改善プロジェクト」として、ザンビア国内の３校の教員養成校を対象とし、教員養成の教官に対する教科知識の向上や、教員養成校と学校との連携を強化する協力も始まっている。また、２０１７年からは、ザンビアが、ガーナや南スーダンなど他のアフリカ諸国の教育関係者を受け入れ授業研究に関する研修をおこなうなど、アフリカにおける授業研究のハブとしても機能し始めている。

日本は、また、ザンビアを日本の基礎教育支援の重点国と定め、２０１１年からのべ３回にわたり貧困削減支援無償（教育）として3億円を「教育セクタープール基金」に投入した。この資金は、授業研究プロジェクトの全国展開にも活用された。さらに、２０１２年から２０１７年までの計５年にわたり、ＪＩＣＡから個別専門家が教育省に派遣され、資金協力の執行調整、教育政策の策定支援、ＪＩＣＡの教育プログラム策定、教育省との調整などに従事した。基礎教育ドナーの「新参者」であった日本は、関係者の尽力により、20年余の時を経て今やザンビアの基礎教育ドナーの中核と言えるまでに成長したと言ってよいであろう。

ザンビアにおける日本の教育協力を語るうえで、全国の学校や教員養成校に教師として配置されている青年海外協力隊の存在も忘れてはならない。1981年の理数科教師の派遣開始以降、中学・高校への理数科教員隊員の派遣は徐々に派遣規模を拡大し、今やザンビア人で日本人に理数科を教わったことのある人の数は相当数にのぼる。近年は、理数科だけでなく、小学校に音楽や体育教員として派遣される協力隊員も増えている。

また、2002年からは、広島大学国際協力研究科（IDEC）とJICAとの連携融合事業として「JOCVザンビア派遣プログラム」も開始されている。このプログラムでは、博士課程前期に在学中の2年間、ザンビアで協力隊理数科教師として活動をおこない、帰国後に成果を論文にまとめることで、実践と研究の融合が取り組まれている。プログラム修了生は現在、JICA専門家や開発コンサルタント、日本の学校や大学教員など多方面で活躍している。

日本のNGOもザンビアにおける教育協力に重要な役割を果たしてきた。難民を助ける会は、1984年から北西部州にあるメヘバ難民キャンプでの活動を開始し、コミュニティー・スクールに対する協力やアンゴラ帰還民へのポルトガル語教室に対して支援している。また、岡山に本部を置くNGOであるAMDAは、ルサカ市の貧困地区で、識字教育やコミュニティー・スクールに支援してきた。これらの団体と日本大使館やJICAは、資金援助や協力隊配置などを通じて協力関係が積み重ねられてきている。

このように、日本の対ザンビア教育協力はさまざまな分野で関係者の努力とザンビア側との信頼関係を柱に、発展をつづけている。

（興津妙子）

52

難民受け入れ

★ブッシュの中にあるフロンティア★

1964年の独立から50年以上の長きにわたり内戦やクーデターを経験していないザンビアは、アフリカ大陸の中でも極めて安定した国のひとつである。ところが、ザンビアが国境を接する7ヵ国（タンザニア、マラウイ、モザンビーク、ジンバブエ、ナミビア、アンゴラ、コンゴ民主共和国、ボツワナ）のうち、実に6ヵ国が何らかのかたちで内戦や隣国との紛争を経験している。また国境を接していないものの、ブルンジやルワンダ、ソマリア、南アフリカなど、国内に不安を抱えた国と比較的距離が近い。このため、ザンビアは難民と長く深いつながりを持ちつづけてきた。

ザンビアが初めて難民を受け入れたのは、独立からわずか1年後のことであった。1966年にはアフリカ大陸の中で最古の難民キャンプのひとつであるマユクワユクワ定住地が設置されている。まもなくして国内の難民の数は1万人に達し、政府は1970年に難民法を制定し、難民の受け入れに備えた。国内の難民の数は1980年代なかばには10万人を超え、1990年代から2000年代前半にかけて隣国アンゴラの内戦の激化を受けて急増し、ピーク時の2002年には30万人に迫る勢いであった。その後、ザンビアへの難民の流入は一旦落ち着きを見せたが、2017年頃からコンゴ民主共和国から流入する難民が急増し、2018年8月末の時点でザンビアには5万人弱の難民が居住している。

ザンビア政府はこれまで多くの難民を受け入れる中で、基本的な姿勢として難民に指定された居住地で生活することを求めてきた。ところが、実際には首都ルサカやンドラなどの都市住み難民や、農村地域に自主的に居住する難民も存在する。2018年の時点では、難民の6割強にあたる人数が、西部州のマユクワユクワと北西部州のメヘバ、ルアプラ州のマンタパラの3ヵ所の居住地に分かれて暮らしている。このうちマユクワユクワとメヘバにはかつて難民としてその地に暮らしていたアンゴラ人がそれぞれ6000人前後暮らしており、世界的な注目を集めている。

マユクワユクワ難民定住地は首都ルサカから西へ車でおよそ7時間、一部未舗装の道路を進んだ先に突如として姿を現す、40キロメートル四方にも及ぶ広大な土地である。国民と難民双方の安全への配慮から、都市部から遠く離れた場所に位置するこの地を、ルサカに住むザンビア人の中にはブッシュと揶揄する者もいる。アンゴラ国境から車で4時間の場所に位置することもあってかつてはアンゴラ難民が多く暮らしていたが、現在ここに居住する難民の大半はコンゴ民主共和国難民である。

一般的な難民キャンプと異なり、ここでは2・5ヘクタールの耕作地を与えられた難民が原則的に自給生活を送っている。多くの難民は農耕のほかに「ピースワーク」と呼ばれる日雇い労働や各自が持つ技能を生かしたビジネスなど、何らかの活動に従事し、生計を立てている。そうした活動の多くは、定住地の周囲にフェンスや壁といった物理的な障壁がなく、難民と地元住民が比較的自由に往来できることから、定住地と地元社会の境界を越えておこなわれてきた。また、敷地内に公立の小学校や病院のほか、難民が経営する商店が立ち並ぶマーケットを持つマユクワユクワは、周辺に位置する地元農村に暮らす数百人程度の住民にとって都市としての機能を担ってきた。こうした環境は、ここに暮らす難民と近隣に住む地元住民の相互交流を後押ししてきたのである。

マユクワユクワを拠点として長年にわたり難民を受け入れつづけた経験が国連難民高等弁務官事務所の目にとまり、２００３年から3年間、西部州では難民と地元住民の統合プロジェクトのパイロット・ケースである「ザンビア・イニシアティブ」が実施された。当時、国際社会では受け入れ国に長期間滞在する難民に対して、どのような解決策を講じるべきかが議論されており、１９６０年代にザンビアに逃れてきた第1世代の難民の孫やひ孫にあたる子どもたちも多数暮らしていたマユクワユクワは、まさに国際社会の懸念を象徴する場所であった。このプロジェクトでは、農業や保健・医療、教育およびインフラ整備事業がおこなわれ、積極的なドナーのひとつに日本政府が名を連ねていた。筆者が現地を訪れたのはちょうどプロジェクトと和平合意が締結されたアンゴラへの帰還事業が同時に進行していた時期であり、難民たちはアンゴラに帰るかマユクワユクワに残るかの選択を迫られていた。彼らとの交流の中で、紛争の記憶やザンビアで生まれ育ったことなどを理由に定住地に残ると語っていた人びとのことが思い出される。

一方、アンゴラへの帰還が可能となった以上、ザンビア政府が彼らを難民として受け入れつづける理由はどこにもない。実際に、政府は２０１１年12月をもってアンゴラ人に対して認めていた難民としての地位を停止した。ところが、マユクワユクワは閉鎖されることなく、難民とともに多数の元難

ブッシュを切り開いて作られたマユクワユクワ

民が暮らす空間として存続している。そして、マユクワユクワに隣接するかたちで設置された「再定住地」への元難民の再定住事業を機に、この地は今、ふたたび国際社会の注目を集めている。元難民がザンビアへ正式に定住するためには、アンゴラ政府からパスポートを取得しザンビア政府から「外国人登録カード」を取得しなければならないが、後者の発行費用は50クワチャ（500円程度）と元難民でも用立て可能な額に設定されている。無事にザンビアへの定住を許可された元難民は主に農業で生計を立てているが、中には銀行のエージェントとしてマユクワユクワで活動している者もいるという。インターネット上でこの情報に接したとき、奇しくもそこには筆者がマユクワユクワ滞在時に交流した元難民の姿を映した写真が添えられていた。

難民を地元社会に統合させるという方策は、古くから難民問題の解決手段のひとつに数えられてきたが、実現に至ったケースはそれほど多くない。マユクワユクワもそのスタート地点に立ったばかりで問題は山積している。ここが特殊なケースに終わるのか、画期的な先例となるのかは見当も付かない。日本から空路で1日、そこからさらに陸路で7時間かけてたどり着いたブッシュの中にある難民受け入れのフロンティアの行く末を、国際社会が固唾を飲んで見守っている。

（中山裕美）

外国人が生きるルサカ

コラム25

大門 碧

ルサカの低所得者層の居住地域、コンパウンド（コラム4参照）に出入りしていたウガンダ人の夫は、ささいな事でからんでくるザンビア人に本気になって英語で応戦しているうち、「バッド・マン（悪い輩）」とあだ名がついた。

そんな夫は、ルサカに来て1年が経つ頃、地元の有力者に、飲み屋の経営を持ち掛けられた。申し出を受けた夫は、その有力者の所有する建物内に、カウンターをつくり、テレビとスピーカーを設置し、バーを開店させた。酔った客のけんかの仲裁、酒代を踏み倒そうとする客の対応、吐物《とぶつ》の片づけ、苦労が絶えなかったが一番の問題は、地元の有力者である大家との関係だった。

夫と同年代の彼の息子たちは定職についておらず、酒を持ち逃げしたり、わざと客にけんかを売ったりするようになった。夫は何度も大家に報告したが、状況は変わらなかった。

「俺が外国人だからだ、俺に早く出て行ってほしいんだ」

ぼやく日々がつづいたが、最終的に夫は、地域内の別のザンビア人の有力者たちとともに大家に話をしに行き、解決を図った。

これで一件落着かと思われたある日の昼時、この一件に力を貸してくれた友人と話していると、ハエのような虫が飛んできて友人の足に当たった。直後、友人の足がみるみるうちに腫れあがった。驚いた夫は急いで友人を病院へ連れて行った。そのときに大家の姿があったことを思い出した夫は、「夜逃げ」を決意する。

「呪術は信じないが、これ以上危険な目に遭う人が出ては困る」

そう言って、その友人の足が治ったあと、彼の車で夫が購入した電化製品などいっさいがっさいをバーからすべて持ち出した。ちょうどその日は夫の誕生日だった。それを知っていた友人たちは「夜逃げ」後に、ケーキを買って祝ってくれた。帰宅した夫は言った。

「今日はザンビアに来て一番幸せな日だ」

再度、夫は小さな場所を借りてバーを始めた。そこでは、同郷のウガンダ人を夜警として寝泊まりさせた。しかしその彼が、「外国人」と言われて怒って客を殴ったために、警察に連れて行かれた。連れ戻しに行った夫は「外国人と言われたぐらいで、手を出すなんて」とつぶやいた。今度はザンビア人に夜警を頼んだ。しかし彼は酒癖が悪く、夜警としてまったく役に立たないぐらい泥酔する。その介抱のために、夫が夜警代わりにバーに寝泊まりする日々がつづいた。

かつて「夜逃げ」を手伝ってくれた友人に、バー経営の困難を愚痴っていると、彼からバーを買ってやるという申し出があった。夫はその申し出を受けて、支払いの一部を受け取ったものの、その後の支払いがなかなか進まず、不安を感じ始めた。ある晩、自宅敷地内でわたしを証人において、その友人と話をすることになった。

夫が大声でまくしたて始めたので、警備員や近所の住人が集まってきた。友人が「僕の話を聞いてくれ」と静かに言い始めると、夫がさえぎって責め立てる、それが繰り返された。しばらくすると、友人が低く小さな声で、夫を見つめながら、地元の言葉でなにかを言い始めた。夫は、まわりを見渡す。ザンビア人たちがうなずく。夫は必死に「英語で話せ！」と英語で叫ぶ。夫は、地元の言葉がかなりわかるようになっていたが、このときの言葉は、相手とわかり合おうとしてつむがれるものではなく、一方的に吐かれる、呪いの言葉のように人を戸惑わせる音だった。最終的にまわりのザンビア人が2人を落ち着かせて終わったが、「あんたは外の人間だ」ということを知らされた怖い瞬間が、確かにそこにあった。

3年以上も暮らしたザンビアから離れたのちも、夫はザンビアの出来事をSNSから拾いつづけている。電力会社へのデモがおこなわれたとか、親交のあった知人が亡くなったとか。あの友人とも連絡を取りつづけている。

「俺、ザンビアが恋しいみたい」

と苦笑しながら話す夫。


「ザンビアのなにが恋しい?」

と訊ねると、

「なんかあのザンビアの……」

「人?」

「人もそうだし、スタイルみたいな」

というあいまいな答え。「バッド・マン」は、外国人としてルサカに深く入り込んでいた。ただそのことだけは、苦笑する夫の顔から確かに伝わってきた。

53

アンゴラ難民の暮らし

★包括的にはなしえない難民問題の解決策★

アンゴラ紛争を逃れ、ザンビアに暮らす人びとは、従来から比較的援助に頼らない自立的な暮らしをしてきた。彼らの中には、難民認定を受け難民定住地に暮らす条約難民のほか、同認定を受け都市部に暮らす都市難民、認定の有無にかかわらず農村部に暮らす自主的定着難民がいる。中でもアンゴラ出身の条約難民については、2012年に終了条項が適用されたため、現在では難民支援に関わるいっさいのサービスを享受しておらず、在留外国人として難民定住地の内外で暮らしている。ここでは、以上のアンゴラ紛争を逃れて現在もザンビアに暮らす人びとを「アンゴラ難民」として、その暮らしをみていこう。

アンゴラ難民の主たる民族集団は、バントゥ系農耕民であるンブンダやルチャジ、ルヴァレ（21章参照）およびチョークウェである。彼らは、アンゴラで紛争が始まる以前から、今日のアンゴラからザンビア、コンゴ民主共和国の国境地域に混住しており、もともと、割礼や生業形態などの文化的、経済的な特徴が類似していた。彼らは小河川沿いを主な居住地として、農耕を中心としながらも、狩猟や漁撈、牧畜、採集など多様な生業を営んでいた。とくに主な生業であった農耕は18世紀、根菜類であるキャッサバを中心としながら、モロコシやトウジンビエといった雑穀を組み合わせ、焼畑で栽培していた。

また、19世紀までに、ンブンダやルチャジ、ルヴァレおよびチョークウェらは、地域間交易などを通じて今日のザンビア西部州に建国されていたロジ王国と交流していた。とくにアンゴラ難民の中でも多いンブンダに関する記録によると、19世紀、2人のチーフがロジ王国（17章参照）へ移住した。これらのチーフの移住を機に、その後はチーフを頼ってアンゴラからの移住者がつづいた。当初は民族集団内外での抗争を逃れる者や生業適地を求める者による移動であったが、20世紀初頭にポルトガル植民地政府がアンゴラ東部での実質的支配を強めると、その圧政を逃れ、多くの人びとがザンビア西部へと移住した。1961年にアンゴラ独立解放闘争が始まると、戦禍を逃れた人びとがさらにザンビアへと逃れ、やがてザンビア国内に設立された難民定住地へも収容されていった。こうして、アンゴラ難民はそれぞれの親族やチーフを頼り難民認定を受けないまま農村や都市に住む者、難民認定を受けて難民定住地や都市部、農村で生活する者へと分かれていった。

難民定住地に住んでいたアンゴラ難民は、2012年以降、難民の地位ではないため、対難民への支援は受け取っていない。彼らは、2014年より開始された住民移転をともなう開発事業によって、2019年現在では639世帯（推計で全体の約25％）がマユクワユクワおよびメヘバ難民定住地から再定住地に住居を移している。彼らは、1世帯あたり5ヘクタールもしくは10ヘクタールの区画をほぼ無料で入手し、住居のまわりに耕地を造成している。区画は、ザンビア国土省によって準備される。とくに、低地の畑を利用していたマユクワユクワのアンゴラ難民は、必要に応じて販売していた野菜

第53章

アンゴラ難民の暮らし

難民定住地のマーケット

類が耕作できなくなり、キャッサバとトウモロコシの販売に大きく依存する世帯が増えている。再定住地のマーケットは建設中であるため、収穫した農産物は難民定住地のマーケットで販売されている。一方、難民定住地に残っているアンゴラ難民は、低地畑、焼畑と屋敷畑を耕作している。主な収入源は、低地畑で得られる野菜および焼畑で収穫するトウモロコシ、キャッサバである。このほかにも、難民定住地や再定住地に住むアンゴラ難民のうち、3割程度の人びとは、難民定住地のマーケットでの小売業や炭焼き、農作業をするなどして現金収入を得ている。

条約難民のうち、内務省難民局に主たる収入源が確保できると判断された者は都市部に住むことが許可される。アンゴラ難民のうち都市難民となった者は少なく、教会や国立・私立の教育機関で教師などとして教育補助に従事したり、医療機関で医者や看護師、仕立て屋、美容師、ホテル営業、キオスクなどをして働いている。いずれにしても身元引き受けをするザンビア人もしくは在留外国人などが求められることが多い。

また、農村に住むアンゴラ難民は、紛争前よりザンビアの農村部で暮らす親族と農業に従事している者や、木材の切り出し・販売ほか炭づくりに従事する者もいる。彼らはほかに、漁撈や採集などもおこない、日々の食事に利用している。農村のアンゴラ難民は、とくに西部州に先に住んでいたロジのチーフが治めている村々で生活してきたため、ロジによって許可される林のみを耕作して生計を営んできた。彼らの主な作物はキャッサバであり、そのほかトウモロコシやササゲ、ラッカセイなどの一年生作物は余剰が出たときのみ販売している。

近年、難民が地域経済の発展に貢献する点で、彼らの経済活動が注目を集めている。世界の難民数が最多を更新し、難民を支援していく財政的な負担やその責任の分担をめぐって、グローバルな体制づくりが検討されており、ザンビアはその良き手本となることが期待されている。一方、その背景には、難民が支援に依存するものであるとするステレオタイプ的な難民理解があることが指摘されてきた。しかし、ザンビアのアンゴラ難民の暮らしを振り返れば、彼らが自給自足の生活を基礎としながら、受け入れ社会と歴史的に交流を積み重ねつつ、個々の営みを展開させてきたことが示されている。それは、増加する難民への包括的な対応ではなしえない、難民自身によるささやかながら不断の難民問題解決への取り組みであるといえよう。

（村尾るみこ）

54

民主化後ザンビアの政治変動

★不安定な「競争的権威主義」の軌跡★

ザンビアでは、1990年の12月に一党体制は制度上憲法改正により終焉し、複数政党制を採用した第三共和制に移行した。回復された複数政党制のもとでの選挙が1991年10月末に実施され、それまで18年にわたり一党体制を堅持してきたカウンダ大統領率いる統一民族独立党（UNIP）に対し、労働組合の指導者であったチルバ率いる新政党の複数政党制民主主義運動（MMD）が大統領・国会選挙で地すべり的な勝利を収めた（12章参照）。これを受け、ザンビアは平和裡に政権移行がおこなわれた英語圏最初の国として、民主化という方向に政治体制構築に新たな船出をしたと考えられた。当時としてはアフリカにおける安定した民主主義が導入されることへの期待感を抱かせる動きであった。

しかし、この選挙においては政党支持に関わる「地域主義」的傾向がすでに観察された。野党に転落したUNIPは25議席を獲得しているが、その内の21議席は東部州で占められている。この議席数は、東部州に割り当てられた全議席であった。したがって、UNIP支持が東部州に集中する傾向がはっきりと示されることになったのである。また初期にみられたMMDの分裂にもザンビア国内の地域対立を背景とする問題が関わっている可能性が指摘された。

１９９６年11月におこなわれた第三共和制のもとでの第2回目の大統領・国会選挙では、前回とは逆に、選挙監視をおこなったＮＧＯが「自由、かつ公平」ではないという評価を下す結果となった。これにはいくつかの要因があった。その中でも決定的に大きかったのが憲法改正をめぐる問題点であった。憲法は、第三共和制下における政治論争の重要なイシューである。この憲法自体、キリスト教会などの仲介のもとでＭＭＤとＵＮＩＰが厳しい交渉をおこなった末、１９９１年7月にようやく合意され、ザンビアにおける「民主化」を決定づける重要な構成要素であった。しかし、大統領権限の抑制などの点において、課題が残る内容であった。当時ＭＭＤは大統領権限の縮小と国会権限の強化を主張したが、ＵＮＩＰとカウンダがそうした変更に抵抗したため、一党体制下での憲法規定がそのまま残った。

こうした問題を引き継いで、改めてこの憲法の見直しがおこなわれることになり、１９９３年12月ムワナカトウェ憲法改正委員会が、審問法のもとで大統領任命により設立された。この委員会は、国内各地で公聴会を開催し広く意見を聴取するなどの調査をおこない、１９９５年6月に報告書が作成され憲法草案が政府に答申された。この答申では新憲法の策定に関しては制憲議会を開催し、採択は国民投票の手続きをとることを勧告していた。しかし、ＭＭＤ政権は審問法で認められている大統領の特権にもとづく形でこれを棄却し、安定多数を擁する議会において憲法修正法（１９９６）を制定する形で憲法改正を強行したのである。この憲法改正手続きをめぐり、国内の政治的不満が高まったほか、憲法改正法では、大統領の被選挙権がこれまでより厳しく規定されることになった。

これを受け、野党に選挙ボイコットの動きが広がり、ＵＮＩＰをはじめとして多くの野党が選挙参加を辞退した。こうした動きは、ザンビアにおける民主化の動きに疑念を投げかける結果となり、民主主義の指標（たとえばフリーダムハウス指標）上の評価は後退した。その結果、「滞った移行」という状況認識が示されるようになったほか、政治体制の評価としても「ハイブリッド・レジーム」や「似《え》非《せ》民主主義」、さらに選挙はおこなわれているものの、選挙の公正性が実現していないことを根拠とした「選挙権威主義」「競争的権威主義」などといった性格を持つ政治体制と評価された。

第三共和制のもとでの第３回の大統領・国会選挙は、地方選挙と同時に２００１年12月末に実施された。この選挙に至る過程において、１９９６年の選挙と同様、憲法改正をめぐる争点が再浮上した。それは、三選を禁止した憲法35条２項の規定を見直し、チルバ大統領の三選出馬の道を開くか否かという問題であり（「三選論争」）、この点をめぐって、与党ＭＭＤの内部の権力闘争をめぐる対立と分裂、「市民社会」の新たな行動など、選挙に至る過程での政治的な動きを生んだ。この問題をめぐり、最終的には３分の１を超える約90名の国会議員が憲法改正に反対する請願書に署名をしたため、国会で憲法改正に必要な票を集めることが困難になり、チルバ自身が２期で大統領を辞する旨を明言したことで「三選論争」には終止符が打たれた。この際の選挙の結果、大統領選挙ではＭＭＤのムワナワサが全体の29・２％の票を獲得して当選を果たしたものの、次点の国家開発統一党（ＵＰＮＤ）候補マゾカが得た27・２％とは僅差であった。とくに、ＵＰＮＤ支持が固いとされた南部州、西部州、北西部州では、マゾカへの票がムワナワサへの票を大幅に上回った。

２００６年におこなわれた第３回選挙は新たな問題がザンビア国内に生起していることを示すも

のであった。当時野党であった愛国戦線（ＰＦ）の大統領候補者サタ（通称「キングコブラ」）が「排中国」政策をかかげ、結果的に現職ムワナワサに敗れ当選はしなかったものの、大統領選挙において都市部（とくにコッパーベルト州）での一定の支持（得票率29％）を獲得することになった「事件」が起きたのである。この背景には、当時都市部の労働者を中心として、中国資本の進出や雇用環境に対する労働者の不満が存在していたことが顕在化した事例であるという見方が示されていた。これに加えて、ザンビア国内におけるメディアの報道の中にも、西側の報道の影響を受ける形で、中国をスケープゴート化する動きに連動した面も見られた。その後２００８年７月にムワナワサ大統領が病気で逝去した後におこなわれた10月の大統領の補欠選挙の際には、ＰＦのサタは方針転換しており、中国の投資家を基本的に歓迎する姿勢を示した。この補欠選挙では副大統領であったＭＭＤのバンダが勝利した。

２０１１年９月に実施された総選挙では、大統領選挙において、当時野党ＰＦのサタが初当選を果たした（得票率は41・９８％）。サタは、中国との関係を強化する中で、雇用創出、経済の多角化を図る政策を推進したが、任期途中の２０１４年10月に病気のため逝去した。２０１５年の補欠選挙では、与党ＰＦの国防大臣兼法務大臣であったルングが当選し、サタの路線を継承する政策をおこなってきた。２０１６年８月の総選挙でもルングが当選し、継続的に政権運営に当たっているものの、２０１７年４月に野党ＵＰＮＤ党首のヒチレマを投獄したり、政府に批判的な新聞社を閉鎖したりするなど、「競争的権威主義」的傾向を強める傾向が見られる。

（遠藤　貢）

コラム26

後継者の選択と政治の断絶

遠藤　貢

2001年選挙の際の大きな特徴のひとつは、1996年選挙がその過程で有力政党の選挙への不参加が確定したことで政党間の競争が十分でなかったことに比べ、最終的な選挙結果にも現れたようにかなり激しい「競争」が展開された点にあった。大統領の後継に指名されたのは、チルバ政権の1991年から1994年に副大統領を務め、後に解任された弁護士のムワナワサであった。この人選は意外とも受け止められたが、チルバの意向が強く働いた面もあった。

この指名を受け、与党・複数政党制民主主義運動（MMD）の有力政治家は次々とMMDを離党、あるいは除名された。2011年に愛国戦線（PF）の候補として大統領に就任したサタも、この中のひとりであった。こうした選挙実施の過程でチルバは、大統領基金を流用して選挙戦に深く関与することになる。具体的には、ザントロップ（Zamtrop）として知られる政府の資金を流用して蓄えた隠し口座の資金を、教会組織への寄付、地方の伝統的指導者の「宮殿」の修復、公営住宅の廉価な払い下げなどの形で、MMDを支援する選挙運動につぎ込んだ。また、この資金を流用し150台の車を購入して、大掛かりな選挙運動を展開した。

この選挙の後、選挙資金に関わる公金横領の問題が、政局にも関わる大きな問題として浮上した。これは、汚職疑惑を受け選挙と政権そのものの正統性が問われるに至り、国内外に新政権の特徴をアピールする必要に迫られたことを背景とするものだった。そこで、新大統領ムワナワサは、政権の正統性を保つ意味でも積極的に汚職を取り締まる政策を打ち出すことになる。

着任早々、チルバ政権下での汚職疑惑の捜査を開始し、汚職や公金横領容疑でチルバ政権下の複数の閣僚の逮捕に踏み切ったほか、前大統領チルバ本人にも厳しい姿勢で臨む姿勢を示した。こうしたムワナワサの姿勢をめぐり、MMD内部では親ムワナワサ派と親チルバ派の対立がみえ始めることにもなった。

ムワナワサは2002年7月には特別国会における演説において、一連の汚職や不正にチルバ本人の関与の可能性を示唆して、チルバの不逮捕特権剝奪の是非を国会の判断に委ねた。同月11日には国会が全会一致で不逮捕特権剝奪を決議した。これに対し、チルバは剝奪の無効を訴える裁判を起こしたが、高等裁判所、最高裁判所で敗訴し、2003年2月には65訴因の公金の不正使用の容疑で逮捕されるに至った。さらに8月には199の訴因が加わる形となり、同年12月に裁判が始まった。

しかし、この裁判はさまざまな問題に直面することになる。第一に、公訴局長官（DPP）によって当初公判に召喚された証人の誰ひとりとして、チルバの公金横領に関する証言をおこなう者がいなかったことから、このDPPに対し疑惑の目が向けられることになった。これを受けてこのDPPは解任され、新たなDPPが任命され、そのもとで公判を進めることになった。第二に、以上の状況を受けて始められた公判において鍵となる証人と考えられた、元諜報機関の長官チュングと前アメリカ大使のシャンソンガが国外に逃亡する形で失踪したことである。この2名は、チルバ政権下における公金流用の核心を知る人物と目されており、その失踪を受け、チルバの公金流用疑惑に関する多くの裁判は宙に浮いた。

その後長い紆余曲折を経て、2009年8月ザンビアの治安判事裁判所は、チルバに無罪判決を言い渡した。

55

新型コロナウイルス感染症の拡大と市民生活

★重視するのは感染予防か、経済活動か★

コロナウイルスによる新型肺炎の感染症（COVID-19）は2019年12月31日に中国・武漢で報告されたのち、世界各地で拡大しつづけ、2020年1月30日にWHO（世界保健機関）によって「国際的に懸念される公衆衛生上の緊急事態」が宣言された。2020年3月13日には世界の感染者は13万4787人、7月15日には1328万7651人に増加しつづけている。また、死亡者は2020年3月13日に4984人、7月15日には57万7954人へと増加している。ザンビアでは3月18日に初めて感染者が出て、4月2日に1人目の死亡者が報じられた。寒くなる6～7月にかけて感染者の増加が予想され、7月15日の時点で国内の感染者が2283人、死亡者は128人となっている。感染者はルサカやンドラなどの大都市のほか、タンザニア国境のナコンデ、ジンバブエ国境のチルンドといった国境の町などで記録されている。

ザンビア政府は2020年2月11日にアメリカ政府の支援によりルサカで検査体制の整備に着手し、12日には日本政府の支援で2ヵ所目の検査施設を開設している。3月14日には感染国からの入国者に対する14日間の隔離が発表された。3月17日には保健大臣が、3月20日より公立学校を閉鎖することを決定し、国内移動の自粛を要請した。そして、3月18日にルサカのケネス・カウンダ国際空港で帰国者2人の感染者が出て、ザンビアにおける感染者の増加が始まった。

ルング大統領は3月25日に声明を出し、内陸国のザンビアは隣国の国境閉鎖により経済的な打撃を受ける危険性があることを説明したうえで、生活必需品の物流を止めないこと、市民には平常どおり生活をつづけるよう訴えかけた。ソーシャルディスタンス（身体的な距離）として、人との1メートルの距離をもうけることが注意された。小学校から大学まで各種学校の閉鎖が発表され、市民に対して不要な集会、抱擁や握手などが禁止され、手洗いや消毒、清掃の励行、体調不良時には自宅待機が求められた。ルサカの国際空港をのぞく、ンドラとリヴィングストン、ムフウェの空港では国際線の運行が停止された。

政府が主導しテレビやラジオ、SNSなどを通じて、感染予防や治療に関する情報を広報するとともに、宗教指導者や教師、歌手などが啓発に努めた。有名な歌手が石鹸による手洗いの励行とソーシャルディスタンスの確保、コロナ専用電話の番号を英語とベンバ語、トンガ語、ニャンジャ語、カオンデ語、ロジ語の6言語をまぜて歌っている。ルサカの教会ではソーシャルディスタンスを確保するため、駐車した自家用車の中で礼拝する「ドライブイン礼拝」が開催されている。また、各地の教会では、コロナウイルス感染症の終息を祈願して礼拝がつづけられている。

政府の政策について、都市閉鎖によってコロナ対策に重点をおくのか、あるいは経済の疲弊を招かないよう都市閉鎖を最小限にするのか意見が分かれている。3月27日以降、各種学校やレストラン、バー、ジム、映画館が閉鎖され、結婚式や葬式、礼拝への参加は人数が制限された。公務員は交替で出勤し、多くの企業も同様の措置をとった。公衆衛生法によって感染者および疑いのある者は検疫対象となったが、マスク着用の義務化、感染者や疑われる者の国内移動の制限、50人以上の集会に対する規制には法律の裏付けがないまま、政府のコロナ対策が進められた。

警察の報道官はテレビ・インタビューの中で、大統領の指示に従わず、夜間のルサカ市内で外出者が飲酒している場合には罰則を加えることを発表した。警察官が「夜間ステイホーム作戦」として一般市民に暴行をふるうという事件が発生している。また、北西部州の州都ソルウェジでは4月20日に、警察がソーシャルディスタンスの取り締まりで露店を取り壊した結果、それに抵抗した市民の暴動が発生している。市民15人が負傷し、24人が逮捕された。警察による強引な取り締まりはＳＮＳで拡散し、法的根拠をめぐる議論に発展した。

市民の不安は生活物資の不足と価格高騰、都市閉鎖による失業率の上昇、銅価格の下落による鉱山の閉鎖、景気悪化、国家財政の破綻にも及ぶ。ルング大統領による4月24日の演説では、公務員への給与や退職者に対する年金の支払い、農業投入財の補助金、ガソリンやディーゼルの輸入、国家の食料備蓄、学校教育、干ばつが発生した南部州の食料支援といった解決すべき課題が示された。

２０２０年4〜5月には北部のムチンガ州で20リットルのトウモロコシ価格が１２０クワチャ（７２０円）にまで高騰している。この時期、政府による要請もあって国内移動の自粛がつづき、都市間だけではなく、都市と農村とのあいだの移動も控えられた。新型肺炎が農村部に拡大することを恐れ、商人による農産物の買い付けを禁止するチーフもいた。この方針により、農村における感染症の拡大が防止された一方で、都市では農産物の需給バランスがくずれ、食料価格が高騰した。チーフが移動制限を解除したのち、商人による農産物の買い付けは再開され、7月にはトウモロコシ価格は32〜40クワチャ（192〜240円）にまで下落している。

ザンビア政府は中国国有銀行のほか、国際通貨基金（IMF）や世界銀行などの国際機関、国際的な民間債権者が絡む、外貨建て債務の整理を進めている。2020年6月の時点で中国国有銀行に対する債務は30億ドル、国際機関には20億ドル、民間債権者には20億ドルにのぼるという報道がある。債権者による厳しい資金回収は、ザンビア経済に大きな打撃を与え、国家財政の破綻につながる危険性がある。アフリカの他の債務国にも影響が及ぶため、ザンビアと中国との交渉による債務免除の行方が注目されている。

政府はコロナ対策を名目として、メディアへの圧力を強めている。情報・放送大臣は、コロナ対策の政府公報を無償で放送することを拒否したテレビ局に対し、放送権の停止という強硬手段に出ている。また、SNS上におけるニセの情報、つまり「フェーク・ニュース」の掲載は情報・電気通信庁によって不法行為と判断された。しかし、この判断には法的根拠がなく、市民による表現とコミュニケーションの自由が脅かされるという議論が起きている。政府の権力行使をチェックする市民社会の機能は、コロナ対策の名目のもとで十分に発揮されなくなっている。

3月18日に新型肺炎の拡大により国会の開催は無期限に延期され、法律の制定や改正は困難となっている。国会の承認が必要な手続きも中断している。大統領による非常事態宣言の公布には7日以内の国会承認が必要であるにもかかわらず、国会の閉会がつづき、公布の審議や承認ができない。

司法の停止、あるいは縮小も問題である。２０２０年4月におこなわれる予定だった最高裁判所などの審理は延期され、業務が縮小している。各県における高等裁判所は4月6日より、一部の重要案件をのぞき、刑事裁判を延期している。

5月8日にはルング大統領が専門家の意見にもとづき規制の緩和を発表し、レストランやジム、カジノの営業再開を許可した。また、入学試験を受験する7年生と9年生、12年生については、6月1日より授業が再開されることも発表された。5月9日にはナコンデで76人の感染者が出たため、5月11日からタンザニア国境が閉鎖された。その後も感染者は出たが、生活必需品や燃料、医療品、食料の輸入、そして銅やコバルトの輸出を目的に、5日後には国境封鎖が解除された。6月25日には、閉鎖されていた地方の国際空港も再開された。

コロナウイルス感染症の影響により銅価格の下落、観光業やホテル、外食、小売業などの衰退により国内経済が大幅に縮小するという国家的危機にザンビアは直面している。この国家的危機を乗り越えるという名目のもとで権威主義が台頭し、権力者が独断で政策を実行する専制国家になるのではないかという危惧もある。日々、刻々と変化する感染拡大の中で、政府が国民の生命や生活、財産をいかに守るのか、その対応は非常に難しい。

コロナウイルス感染症の拡大により、我々の日常は激変した。日本と同様にザンビアでも頻繁に手洗いを励行し、マスクを装着し、身体の接触を慎まなければならない。２０２０年7月時点では観光ビザの発給が停止し、国際線の飛行機に乗るのも容易ではなくなった。ルサカの国際空港では検疫と2週間の隔離措置がつづく。

ザンビアではあいさつの際、ザンビア式の握手をするのが日常である。まず右手でふつうに握手をする。つづけざまに、腕相撲をするようにお互いの親指どうしを組んで自分の４本の指で相手の手を握ったのち、ふつうの握手にもどす。その際、左肘を曲げて手のひらで右手の肘をささえるのが相手への敬意を示し、礼儀正しいあいさつの作法とされる。

温和で平和な国――ザンビアの青い空のもと、以前のように人びとと握手をできる日が早く来ることを願いつつ、その日が来れば、ザンビアに滞在できることに対して感謝の気持ちを忘れないようにしたい。

（大山修一）

髙田礼人（2018）『ウイルスは悪者か――お侍先生のウイルス学講義』亜紀書房.
中山裕美（2014）「アフリカの難民収容施設に出口はあるのか」内藤直樹・山北輝裕（編）『社会的包摂／排除の人類学――開発・難民・福祉』昭和堂 103–121.
Adger, W.N. (2000). Social and Ecological Resilience: Are They Related? *Progress in Human Geography* 24 (3): 347–364.
Ellis, F. (2000) *Rural Livelihoods and Diversity in Developing Countries.* Oxford University Press.
International Business Publications (2014) *Zambia Land Ownership and Agricultural Laws Handbook Volume 1: Strategic Information and Basic Laws.*
Jurgen, S. (1976) *Land Use in Zambia: Part 1: The Basically Traditional Land Use Systems and their Regions*. Welfforum- Verlag GmbH.
Kanno, H., Sakurai, T., Shinjo, H., Miyazaki, H., Ishimoto, Y., Saeki, T. & Umetsu, C. (2015) Analysis of Meteorological Measurements Made over Three Rainy Seasons and Rainfall Simulations in Sinazongwe District, Southern Province, Zambia. *Japan Agricultural Research Quarterly* 49 (1): 59–71.
Miyazaki, H. (2011) Adaptation and Coping Behavior of Farmers during Pre- and Post-Shock Periods. In Umetsu, C. (ed.) *Vulnerability and Resilience of Social-Ecological Systems*. FR4 Project Report, 164–170.
Miyazaki H., Ishimoto Y., Tanaka U. & Umetsu C. (2013) The Role of the Sweet Potato in the Crop Diversification of Small-scale Farmers in Southern Province, Zambia. *African Study Monographs* 34 (2): 119–137.
Walker, B., Holling, C.S., Carpenter, S., & Kinzig, A. (2004) Resilience, Adaptability and Transformability in Social-ecological Systems. *Ecology and Society* 9 (2): 5.

(2015) *Information and Communications Technology and Postal Services Investment Profile.*
Zambia Information and Communications Technology Authority (ZICTA) (2018a) *2018 Annual Report.*
Zambia Information and Communications Technology Authority (ZICTA) (2018b) *2018 National Survey on Access and Usage of Information and Communication Technologies by Household and Individuals.*

V　宗教と教育、文化、スポーツ

大山修一（2015）「ザンビアの領土形成と土地政策の変遷」武内進一（編）『アフリカ土地制作史』アジア経済研究所 63–88.
大山修一（2017）「ザンビアの土地政策と慣習地におけるチーフの土地行政」武内進一（編）『現代アフリカの土地と権力』アジア経済研究所 71–105.
Allan, W. (1965) *The African Husbandman*. Oliver & Boyd.
Audrey I.R. (1995) *Land, Labour and Diet in Northern Rhodesia: Economic Study of the Bemba Tribe*, Lit Verlag.
Banda, S.C. & Hector H. Banda (2007) *Zambian Cookbook*. Zambia Adventist Press.
Binsbergen, V.M.J.V. (1981) *Religious Change in Zambia Exploratory Studies.* Kegan Paul International.
Carmody, B.P. (2004) *The Evolution of Education of Zambia*. Mission Press.
Hansen, K.T. (2000) *Salaula: The World of Secondhand Clothing and Zambia.* The University of Chicago Press, Ltd.
Tateyama, Y., Musumari, P.M., Techasrivichien, T., Suguimoto, S.P., Zulu, R. et al. (2019) Dietary Habits, Body Image, and Health Service Access Related to Cardiovascular Diseases in Rural Zambia: A Qualitative Study. *PLOS ONE* 14(2): e0212739.

Ⅵ　社会の問題と克服

石本雄大・宮嵜英寿・梅津千恵子（2013）携帯電話を利用したセーフティネット：ザンビア南部州の事例を元に.『開発学研究』24 (1): 26–35.
島田周平（2006）「『過剰な死』が農村社会に与える影響」高梨和紘（編）『アフリカとアジア――開発と貧困削減の展望』慶應義塾大学出版会 89–114.
世界銀行（著），喜多悦子・西川潤（訳）（1999）『経済開発とエイズ』東洋経済新報社.

African Institute. 9–46.
McCulloch, M. (1951) *The Southern Lunda and Related Peoples.* International African Institute.
Moore, H.L. & Megan Vaughan (1994) *Cutting Down Trees: Gender, Nutrition, and Agricultural Change in the Northern Province of Zambia, 1890–1990.* Social History of Africa Series Editors.
Oyama, S. & F. Kondo. (2007) Sorghum Cultivation and Soil Fertility Preservation under Bujimi Slash-and-burn Cultivation in Northwestern Zambia. *African Study Monographs* Supplementary 34: 115–135.
Pesa, I. (2019) *Roads through Mwinilunga: A History of Social Change in Northwest Zambia.* Brill.
Richards, A.I. (1982) *Chisungu: A Girl's Initiation Ceremony among the Bemba of Zambia.* Clays Ltd. St Ives PLC.
Roberts, A. (1976) *A History of Zambia.* Heinemann.
Turner, V.W. (1996) *Schism and Continuity in an African Society: A Study of a Ndembu Village Life.* Berg.
Whiteley, W.H. (1950) B*emba and Related Peoples of Nothern Rhodesia.* International African Institute.

Ⅳ　産業と開発

石本雄大・宮嵜英寿・梅津千恵子（2013）「携帯電話を利用したセーフティネット――ザンビア南部州の事例を元に」『開発学研究』24 (1): 26–35.
伊藤千尋（2015）『都市と農村を架ける――ザンビア農村社会の変容と人びとの流動性』新泉社.
Allan, W. (1965) *The African Husbandman.* Greenwood Press.
Miller, D., Nel, E. & Hampwaye, G. (2008) Malls in Zambia: Racialised Retail Expansion and South African Foreign Investors in Zambia. *African Sociological Review* 12 (1): 35–54.
Siachoono, S. (2003) *Guide to the Copperbelt.* Copperbelt Museum.
Welborn, P. & Colbourne, M. (2016) *Shop Africa 2016: Sub-Saharan Shopping Centre Development Trends.* Knight Frank.
Welborn, P. & Colbourne, M. (2017) *Africa Report 2017/18: Real Estate Markets in a Continent of Growth and Opportunity.* Knight Frank.
Zambia Information and Communications Technology Authority (ZICTA)

原将也（2018）「ザンビア北西部におけるルンダによるキャッサバ栽培――キャッサバのイモの収穫方法に着目して」『アフリカ研究』94: 1–8.
村尾るみこ（2012）『創造するアフリカ農民――紛争国周辺農村を生きる生計戦略』昭和堂.
吉田憲司（1992）『仮面の森――アフリカ・チェワ社会における仮面結社，憑霊，邪術』講談社.
吉田憲司（2016）『仮面の世界をさぐる――アフリカとミュージアムの往還』臨川書店.
Brelsford, W.V. (1956) *The Tribes of Northern Rhodesia.* The Government Printer (Northern Rhodesia).
Brelsford, W.V. (1965) *The Tribes of Zambia*. The Government Printer (Zambia).
Bustin, E. (1975) *Lunda under Belgian Rule: The Politics of Ethnicity.* Harvard University Press.
Caplan, G.L. (1970) *The Elites of Barotseland 1878–1969: A Political History of Zambia's Western Province.* C. Hurst & Company.
Colson, E. (1962) *The Plateau Tonga of Northern Rhodesia: Social and Religious Studies*. Manchester University Press.
Crane, T.M. (2013) Resultatives, Progressives, Statives, and Relevance: The Temporal Pragmatics of the -ite Suffix in Totela. *Lingua* 133: 164–188.
Crawford, J.R. (1967) *Witchcraft and Sorcery in Rhodesia*. Oxford University Press.
Ellert, H. 2005. *The Magic of Makishi: Masks & Traditions in Zambia.* CBC Publishing.
Gann, L.H. (1958) *The Birth of a Plural Society.* Manchester University Press.
Gluckman, M. (1959) The Lozi of Barotseland in North-Western Rhodesia. In E. Colson and M. Gluckman (eds.) *Seven Tribes of British Central Africa.* Manchester University Press. 1–93.
Jaeger, D. (1981) *Settlement Patterns and Rural Development: A Human Geographical Study of the Kaonde Kasempa District, Zambia.* Royal Tropical Institute.
Kashoki, M.E. (1978) The Language Situation in Zambia. In Ohannessian, S. and Kashoki, M.E. (eds.) *Language in Zambia*. International

Dictionary of Zambia Second Edition. Scarecrow Press Inc.
Mackenzie, R. (1993) David Livingston: *The Truth Behind the Legend Commemorative Special Edition.* International Motors Group Ltd.
Meebelo, H.S. (1971) *Reaction to Colonialism: A Prelude to the Politics of Independence in Northern Zambia 1893–1939.* Manchester University Press.

Ⅲ　民族と言語

大山修一（2003）「ザンビアの焼畑農耕ブジミにおける農耕空間の多様性」『エコソフィア』12: 100–119.
大山修一（2011）「アフリカ農村の自給生活は貧しいのか？」『E-Journal GEO（日本地理学会 電子ジャーナル）』5 (2): 87–124.
小倉充夫（1995）『労働移動と社会変動――ザンビアの人々の営みから』有信堂高文社.
小倉充夫（2012）「多民族国家における言語・民族集団と国民形成」小倉充夫（編）『現代アフリカ社会と国際関係――国際社会学の地平』有信堂高文社 205–226.
掛谷誠（1998）「焼畑農耕民の生き方」高村泰雄・重田眞義（編）『アフリカ農業の諸問題』京都大学学術出版会 59–86.
掛谷誠（2017）『掛谷誠著作集　第１巻――人と自然の生態学』京都大学学術出版会.
杉山祐子（1996）「離婚したって大丈夫――ファーム化の進展による生活の変化とベンバ女性の現在」和田正平（編）『アフリカ女性の民族誌――伝統と近代のはざまで』明石書店 83–114.
杉山祐子（2001）「ザンビアにおける農業政策の変化とベンバ農村」高根務（編）『アフリカの政治経済変動と農村社会』アジア経済研究所 223–278.
杉山祐子・大山修一（2011）「ザンビア・ベンバの農村」掛谷誠・伊谷樹一（編）『アフリカ地域研究と農村開発』京都大学学術出版会 213–280.
ターナー，Ｖ・Ｗ（1996）冨倉光雄（訳）『儀礼の過程』新思索社.
塚田健一（2014）『アフリカ音楽学の挑戦――伝統と変容の音楽民族誌』世界思想社.
原将也（2013）「キャッサバの種茎は銀行と同じだ――ザンビア農村の生活世界」『アジア・アフリカ地域研究』13 (1): 66–69.
原将也（2016）「ザンビア北西部における移入者のキャッサバ栽培と食料確保」『アジア・アフリカ地域研究』16 (1) 73–86.

Hupe, I. & Vachal, M. (2016) *Luangwa Valley: Unique Wilderness in Africa*. Iloha Hupe Publishers.

Moore, A.E., Cotterill, F.P.D., Main, M.P.L. and Williams, H.B. (2007) The Zambezi River. Gupta, A. (ed.) *Large Rivers: Geomorphology and Management*. John Wiley & Sons, Ltd. 311–332.

Negi, R. (2014) 'Solwezi Mabanga': Ambivalent Developments on Zambia's New Mining Frontier. *Journal of Southern African Studies* 40 (5): 999–1013.

Poll, M. (1956) Poissons Cichlidae. *Résultats scientifiques. Exploration Hydrobiologique du Lac Tanganika (1946–1947)* vol. III, fasc. 5B. Institut Royal des Sciences Naturelles de Belgique. 619pp., 131 fig., 10 pl. phot., 1 carte.

Shimada, S. (ed.) (1995) *Agricultural Production and Environmental Change of Dambo: A Case Study of Chinena Village, Central Zambia*. Tohoku University.

Smith, P. (ed.) (2001) *Ecological Survey of Zambia: The Traverse Records of C.G. Trapnell 1932–43*, Vol. 1. Kew Royal Botanic Gardens.

Storrs, A.E.G. (1982) *More About Trees (a Sequel to "Know Your Trees")*. The Forest Department.

Ⅱ　歴史――内戦・紛争のないザンビア

小倉充夫（2009）『南部アフリカ社会の百年――植民地支配・冷戦・市場経済』東京大学出版会.

児玉谷史朗（1993）「ザンビアにおける商業的農業の発展」児玉谷史朗（編）『アフリカにおける商業的農業の発展』アジア経済研究所 63–124.

児玉谷史朗（1995）「ザンビアの構造調整とメイズの流通改革」原口武彦（編）『構造調整とアフリカ農業』アジア経済研究所 57–94.

Gann, L.H. (1969) *A History of Northern Rhodesia: Early Days to 1953*. Humanities Press.

Hamalngwa, M. (1991) *Class Struggles in Zambia 1889–1989 & The Fall of Kenneth Kaunda 1990–1991*. University Press of America.

Heisler, H, (1974) *Urbanization and the Government of Migration: The Inter-relation of Urban and Rural Life in Zambia*. C. Hurst and Company.

John J.G., Brian V. Siegel and James R. Pletcher (1979) *Historical*

◉ザンビアをもっと知るための文献ガイド

Ⅰ　自然と国土

小倉充夫（1995）『労働移動と社会変動――ザンビアの人々の営みから』有信堂高文社.

加藤博・島田周平（編）（2012）『世界地名大事典３　中東・アフリカ』朝倉書店.

木村圭司（2005）「気候からみたアフリカ」水野一晴（編）『アフリカ自然学』古今書院 15–24.

島田周平（2007）『アフリカ　可能性を生きる農民：環境－国家－村の比較生態学研究』京都大学学術出版会.

島田周平（2007）『現代アフリカ農村――変化を読む地域研究の試み』古今書院.

諏訪兼位（1997）『裂ける大地アフリカ大地溝帯の謎』講談社選書メチエ.

水野祥子（2020）『エコロジーの世紀と植民地科学者――イギリス帝国・開発・環境』名古屋大学出版会.

Alan, M. (1978) *Cassava or Maize: A Comparative Study of the Economics of Production and Market Potential of Cassava and Maize in Zambia*. University of Zambia.

Butler, L.J. (2007) *Copper Empire: Mining and the Colonial State in Northern Rhodesia, c. 1930–64*. Palgrave Macmillan.

Chidumayo, E.N. (1997) *Miombo Ecology and Management: An Introduction*. Intermediate Technology Publications.

Coleman, F.L. (1971) *The Northern Rhodesia Copperbelt 1899–1962*. Manchester University Press.

Fanshawa, D.B. (1969) *Ministry of Rural Development Forest Research Bulletin No.7: The Vegetation of Zambia*. The Government Printer.

Ferguson, J. (1999) *Expectations of Modernity: Myths and Meanings of Urban Life on the Zambian Copperbelt*. University of California Press.

Gardiner, J. (1970) *Zambian Urban Studies No. 3: Some Aspects of the Establishment of Towns in Zambia during the Nineteen Twenties and Thirties*. University of Zambia, Institute for African Studies.

Hori, M. (1987) Mutualism and Commensalism in the Fish Community of Lake Tanganyika. In Kawano, S., Connell, J. H. & Hidaka, T. (eds.) *Evolution and Coadaptation in Biotic Communities*. University of Tokyo Press. 219–239.

山本麻起子（やまもと・まきこ）［コラム21］
株式会社三祐コンサルタンツ海外事業本部技術第 3 部技術課主幹
専攻・専門：アジア・アフリカ・中東地域を対象とした開発コンサルタント
主な著書・論文：「ザンビア北部州における小規模灌漑技術の普及と農家の市場志向性」（『国際開発研究』第 29 巻第 1 号，2020 年），「ザンビア北部州コシマ村における小規模灌漑と人びとの生計戦略――灌漑農業を重視しながらも水路建設を中断した村の事例」（国際開発学会第 20 回春季大会発表論文，2019 年），「ザンビア北部州ルンポンブエ村における小規模灌漑開発と農家の多様な生計活動」（国際開発学会第 29 回全国大会発表論文，2018 年）

吉田憲司（よしだ・けんじ）［15，コラム9］
国立民族学博物館館長
専攻・専門：博物館人類学，アフリカ研究
主な著書・論文：『宗教の始原を求めて――南部アフリカ聖霊教会の人びと』（岩波書店，2014 年），『文化の「肖像」――ネットワーク型ミュージオロジーの試み』（岩波書店，2013 年），『柳宗悦と民藝運動』（思文閣出版，2005 年，共編著）

松村元博（まつむら・もとひろ）［37］
独立行政法人国際協力機構（JICA）ザンビア事務所次長
専攻・専門：開発学，教育開発
主な著書・論文："Cross-Border Higher Education and Regional Integration: A Comparative Study of ASEAN and the EU" (Institute of Development Studies, 2012)

水野祥子（みずの・しょうこ）［コラム2］
駒澤大学教授
専攻・専門：イギリス帝国史，環境史
主な著書・論文：『エコロジーの世紀と植民地科学者――イギリス帝国・開発・環境』（名古屋大学出版会，2020年），*Environmental History in the Making*, vol.2 (Springer, 2016，共著)，『イギリス帝国からみる環境史――インド支配と森林保護』（岩波書店，2006年）

三好崇弘（みよし・たかひろ）［43］
有限会社エムエム・サービス，グローカルな仲間たち主催，宮城大学客員教授
専攻・専門：国際協力のプロジェクトマネジメント，参加型開発，評価，地方創生
主な著書・論文：「ザンビアにおける農業普及サービスの効果に関する一考察――経済的効果と心理的効果」（『国際農林業協力』Vol.39，No.3，2016年），『グローバル人材に贈るプロジェクトマネジメント』（関西学院大学出版会，2013年，共著），「アフリカの農村開発プロジェクトの成功要因についての一考察――ザンビアの参加型農村開発プロジェクトの成功要因にかかる調査から」（『比較文化研究』No.99，2010年）

村尾るみこ（むらお・るみこ）［17，コラム11，53］
総合地球環境学研究所研究員
専攻・専門：アフリカ地域研究，難民・帰還民研究，人類学
主な著書・論文：「ザンビア」（宇佐見耕一・小谷眞男・後藤玲ら編『新　世界の社会福祉11巻　アフリカ／中東』，旬報社，2020年），「紛争後の農業再構築――アンゴラの農耕民がとった新生活戦略」（湖中真哉・太田至・孫暁剛編『地域研究から見た人道支援』，昭和堂，2019年），『創造するアフリカ農民――紛争国周辺農村を生きる生計戦略』（昭和堂，2012年）

山内太郎（やまうち・たろう）［47，コラム23］
北海道大学大学院保健科学研究院教授，総合地球環境学研究所教授
専攻・専門：人類生態学，国際保健学，サニテーション
主な著書・論文：「時とともにどのように変化したのか」（丸井英二編『わかる公衆衛生学・たのしい公衆衛生学』弘文堂，2020年），Assessing the impact of improved sanitation on the health and happiness of a west African local population: concepts and research methodology (*Sanitation Value Chain*, 1(1), 2017)，「子どもの身体に異変が起きている――世界の子どもの体格・体力の現状と時代変化」（『日本健康学会誌』83(6)，2017年）

執筆者紹介

飯崎　尭（はんさき・たかし）［30］
独立行政法人国際協力機構（JICA）企画部業務企画第二課調査役
専攻・専門：応用ミクロ計量経済学
2016〜2019年，JICAザンビア事務所在任

半澤和夫（はんざわ・かずお）［24，33，40，46］
日本大学生物資源科学部特任教授
専攻・専門：農業経済学，国際農業開発論，アフリカ経済論，地域研究アフリカ
主な著書・論文：「グローバル化とローカル化」（日本大学生物資源科学部国際地域開発学研究会編『国際地域開発学入門』268，農林統計協会，2016年），「グローバル化の中のアフリカ農業」（日本国際地域開発学会編『国際地域開発の新たな展開』221，筑波書房，2016年），"Agricultural Change and Unstable Production over a 20-year Period in a Central Zambian Village" (*Quarterly Journal of Geography*, 66, 2015)

細井義孝（ほそい・よしたか）［29］
独立行政法人国際協力機構（JICA）国際協力専門員，資源開発アドバイザー
専攻・専門：資源経済・開発経済学，陸上・深海底の鉱物資源探査・開発，鉱山環境調査・対策，国際協力
主な著書・論文：*Mining and Development: A Case Study Assessing National Economic and Environmental Issues* (LAP LAMBERT, 2009),『陸上から海底まで広がる鉱物資源フロンティア』（日刊工業新聞社，2012年），『成長する資源大陸アフリカを掘り起こせ——鉱業関係者が説く資源開発のポテンシャルとビジネスチャンス』（日刊工業新聞社，2014年）

堀　道雄（ほり・みちお）［4，コラム3］
京都大学名誉教授
専攻・専門：動物生態学
主な著書・論文：「タンガニイカ湖の魚類群集と左右性の動態」（松本忠夫・長谷川眞理子編『生態と環境』（シリーズ21世紀の動物科学第11巻，培風館，2007年），*Fish Communities in Lake Tanganyika*（京都大学学術出版会，1997年，共編著），『タンガニイカ湖の魚たち』（シリーズ地球共生系6，平凡社，1993年，編著）

牧野友香（まきの・ゆか）［コラム8］
東京外国語大学アジア・アフリカ言語文化研究所，日本学術振興会特別研究員（PD）
専攻・専門：ザンビア中部で話されるバントゥ諸語を中心とした言語記述
主な著書・論文：「ランバ語のテンス・アスペクト体系の再検討」（『スワヒリ＆アフリカ研究』30号，2019年），「スワヒリ語動詞の反復形：機能と派生の条件」（『スワヒリ＆アフリカ研究』27号，2016年）

中和　渚（なかわ・なぎさ）［41，コラム19］
関東学院大学建築・環境学部共通科目教室准教授
専攻・専門：国際教育開発，数学教育
主な著書・論文：'Proposing and modifying guided play on shapes in mathematics teaching and learning for Zambian preschool children' (*South African Journal of Childhood Education*, 10(1), 2020),「第２部 国際教育開発の諸領域（1）教育の質的改善において授業研究は有効か」（馬場卓也・清水欽也・牧貴愛編著『国際教育開発入門――フィールドの拡がりと深化』学術研究出版，2020 年，分担執筆），「国際バカロレア・ミドル・イヤー・プログラム（MYP）数学と日本の数学Ⅰに関する数学教科書分析――統計の内容に注目して」（『国際バカロレア教育研究』4，2020 年）

成澤徳子（なりさわ・のりこ）［18］
国際教養大学アジア地域研究連携機構プロジェクト研究員
専攻・専門：アフリカ地域研究
主な著書・論文：『メディアのフィールドワーク――アフリカとケータイの未来』（北樹出版，2012 年，共著），『「シングル」で生きる――人類学者のフィールドから』（御茶の水書房，2010 年，共著）

西浦昭雄（にしうら・あきお）［28］
創価大学経済学部教授
専攻・専門：開発経済学，アフリカ経済論
主な著書・論文：『南アフリカ経済論――企業研究からの視座』（日本評論社，2008 年），『アフリカから学ぶ』（有斐閣，2010 年，共著），『貧困削減戦略再考――生計向上アプローチの可能性』（アジア経済研究所叢書 4，岩波書店，2008 年，共著）

花井淳一（はない・じゅんいち）［25，35］
一般財団法人ササカワ・アフリカ財団事業部長
専攻・専門：熱帯農学，アフリカ農業・農村開発，国際協力論
ザンビア大学獣医学部技プロ調整員（1994 ～ 1997），JICA ザンビア事務所長（2017 ～ 2019）として２度ザンビアに駐在

原　将也（はら・まさや）［1，6，14，19，コラム12，21，コラム13，32，38］
神戸大学大学院人間発達環境学研究科助教
専攻・専門：地域研究，地理学
主な著作・論文：「ザンビア北西部における移入者のキャッサバ栽培と食料確保」（『アジア・アフリカ地域研究』16 巻 1 号，2016 年），「アフリカ農村における移入者のライフヒストリーからみる移住過程――ザンビア北西部の多民族農村における保証人に着目して」（『E-journal　GEO』12 巻 1 号，2017 年），「ザンビア北西部におけるルンダによるキャッサバ栽培――キャッサバのイモの収穫方法に着目して」（『アフリカ研究』94 号，2018 年）

田端友佳（たばた・ともか）［コラム22］
京都大学大学院アジア・アフリカ地域研究研究科博士課程
専攻・専門：アフリカ地域研究，国際開発の分野における情報通信技術の応用
主な著書・論文：「ザンビアの農業政策における情報技術の導入とベンバ農村の生活——農業組合における投入財の分配とトウモロコシ生産」（博士予備論文（修士論文），2020年）

塚本すみ子（つかもと・すみこ）［7，8，コラム5］
ライプニッツ応用物理学研究所（ドイツ）主任研究員
専攻・専門：堆積物の年代測定，ザンビアでは遺跡調査に3度参加
主な著書・論文："Direct dating of fault movement" (D. Tanner and C. Brandes eds., *Understanding Faults*, Elsevier, 2020, 共同執筆)，「光ルミネッセンス（OSL）年代測定法の最近の発展と日本の堆積物への更なる応用の可能性」（『第四紀研究』57，2018年），"New investigations at Kalambo Falls, Zambia: Luminescence chronology, site formation, and archaeological significance" (*Journal of Human Evolution*, 85, 2015, 共同執筆)

徳織智美（とくおり・ともみ）［23］
独立行政法人国際協力機構（JICA）コートジボワール事務所，広域企画調査員
専攻・専門：経済学，アフリカ地域研究
主な著書・論文：「アビィ首相が描く『新エチオピア』：国民の融和と持続的経済発展の行方」（『三井物産戦略研究所マンスリー12月号』三井物産戦略研究所，2019年），"Trade Facilitation in Africa", Asia-Africa Partnership for Inclusive and Sustainable Development Vision Document" (IDE-JETRO, 2017), "Local Construction Enterprises in Transition: Empirical Evidence from Burkina Faso (2004–2010)" (Delivering Sustainable Growth in Africa, IDE-JETRO, Palgrave Macmillan, 2014)

中田北斗（なかた・ほくと）［コラム14］
北海道大学大学院獣医学研究院 毒性学教室・博士研究員
専攻・専門：環境毒性学
主な論文："Current trends of blood lead levels, distribution patterns and exposure variations among household members in Kabwe, Zambia" (*Chemosphere*, 243, 2020, 共同執筆), "One year exposure to Cd- and Pb-contaminated soil causes metal accumulation and alteration of global DNA methylation in rats" (*Environ Pollut*, 252, 2019, 共同執筆), "Reliability of stable Pb isotopes to identify Pb sources and verifying biological fractionation of Pb isotopes in goats and chickens", (*Environ Pollut*, 208, 2016, 共同執筆)

中山裕美（なかやま・ゆみ）［52］
東京外国語大学大学院総合国際学研究院准教授
専攻・専門：国際関係論，難民・移民研究，地域主義研究
主な著書・論文：『難民問題のグローバル・ガバナンス』（東信堂，2014年）

杉山祐子（すぎやま・ゆうこ）［16，コラム10］
弘前大学人文社会科学部教授
専攻・専門：生態人類学，地域研究
主な著書・論文：『極限 ―― 人類社会の進化』（京都大学学術出版会，2020年，共著），"Grassroots Innovation in 'Natural Society'" (T. Tsuruta(ed.), *Proceedings of 8th International Workshop on African Moral Economy, Peasant Economy in Comparative and Historical Perspectives*, Kindai Unversity, 2018),『地方都市とローカリティ』（弘前大学出版会，2016年，共著）

大門　碧（だいもん・みどり）［39，42，コラム20，コラム25］
北海道大学アフリカルサカオフィス特任助教／留学コーディネーター
専攻・専門：文化人類学・都市文化（ポピュラー音楽，ショー・パフォーマンス等）
主な著書・論文：「学校から盛り場へ――ウガンダの首都カンパラにおける若者文化『カリオキ』の大衆化の過程」（『アフリカ研究』89，2016年），『ショー・パフォーマンスが立ち上がる――現代アフリカの若者たちがむすぶ社会関係』（春風社，2015年）

髙田礼人（たかだ・あやと）［50］
北海道大学人獣共通感染症リサーチセンター教授
専攻・専門：ウイルス学，人獣共通感染症
主な著書・論文：『ウイルスは悪者か――お侍先生のウイルス学講義』（亜紀書房，2018年），『新型コロナ19氏の意見――われわれはどこにいて，どこへ向かうのか』（農山漁村文化協会，2020年，共著）

高橋基樹（たかはし・もとき）［22］
京都大学大学院アジア・アフリカ地域研究研究科教授
専攻・専門：開発経済学，政治経済学，アフリカ地域研究
主な著書・論文：『開発と共生のはざまで――国家と市場の変動を生きる』（太田至総編集〈アフリカ潜在力〉3，京都大学学術出版会，2016年，共編著），『現代アフリカ経済論』（〈シリーズ・世界の現代経済〉8，ミネルヴァ書房，2014年，共編著），『開発と国家――アフリカ政治経済論序説』（〈開発経済学の挑戦〉3，勁草書房，2010年）

立山由紀子（たてやま・ゆきこ）［コラム18］
京都大学環境安全保健機構　特定助教
専攻・専門：グローバルヘルス，社会疫学，非感染性疾患
主な著書・論文："Obesity matters but is not perceived: A cross-sectional study on cardiovascular disease risk factors among a population-based probability sample in rural Zambia" (*PLoS One*, 13 (11), 2018, 共同執筆), "Dietary habits, body image, and health service access related to cardiovascular diseases in rural Zambia: A qualitative study" (*PLoS One*, 14 (2), 2019, 共同執筆)

梶原将大（かじはら・まさひろ）［コラム24］
北海道大学人獣共通感染症リサーチセンター助教
専攻・専門：ウイルス学，人獣共通感染症，獣医学
主な著書・論文："Marburgvirus in Egyptian Fruit Bats, Zambia"（*Emerg Infect Dis* 25 (8), 2019，共同執筆），「アフリカを舞台にしたフィロウイルス研究――自然宿主探索と診断法開発」（『臨床とウイルス』45 (1), 2017 年, 共同執筆），「フィロウイルスの生態」（『実験医学』31 (19)，2013 年，共同執筆）

川畑一朗（かわばた・いちろう）［5，コラム4］
京都大学大学院アジア・アフリカ地域研究研究科博士課程
専攻・専門：アフリカ地域研究，文化人類学

姜　明江（きょう・あきえ）［48］
薬剤師
専攻・専門：国際保健，地域研究
主な著書・論文：「ザンビアのハンセン病回復者村における生活――病と生きるコミュニティ」（西川勝編『孤独に応答する孤独――釜ヶ崎・アフリカから』大阪大学コミュニケーションデザイン・センター，2013 年）

児玉谷史朗（こだまや・しろう）［9，10，11，12，13］
一橋大学名誉教授
専攻・専門：アフリカ地域研究，アフリカ開発論
主な著書・論文：「ザンビア：対アフリカ援助の政治経済学」（黒崎卓，大塚啓二郎編著『これからの日本の国際協力』日本評論社，2015 年），「ザンビアにおける自由化後のトウモロコシ流通と価格」（高根務編『アフリカとアジアの農産物流通』アジア経済研究所，2003 年），"Agricultural policies and Food Security of Smallholder Farmers in Zambia"（*African Studies Monographs*, Suppplement 42, 2011）

島田周平（しまだ・しゅうへい）［はじめに，コラム1，49］
編著者紹介欄を参照

真常仁志（しんじょう・ひとし）［2］
京都大学大学院地球環境学堂准教授
専攻・専門：土壌学，環境農学
主な著書・論文：『熱帯農学概論』（培風館，2019 年，共著），『土のひみつ――食料・環境・生命』（朝倉書店，2015 年，共著）

遠藤　貢（えんどう・みつぎ）［54，コラム26］
東京大学大学院総合文化研究科教授
専攻・専門：国際政治学，比較政治学
主な著書・論文：『東大塾　社会人のための現代アフリカ講義』（東京大学出版会，2017 年，共編著），『武力戦争を越える――せめぎ合う制度と戦略のなかで』（太田至総編集〈アフリカ潜在力〉2，京都大学学術出版会，2016 年，編著），『崩壊国家と安全保障――ソマリアにみる新たな国家像の誕生』（有斐閣，2015 年）

大山修一（おおやま・しゅういち）［はじめに，20，34，55］
編著者紹介欄を参照

興津妙子（おきつ・たえこ）［51］
大妻女子大学文学部コミュニケーション文化学科准教授
専攻・専門：比較教育学・国際教育開発論
主な著書・論文：『教員政策と国際協力――未来を拓く教育をすべての子どもに』（明石書店，2018 年，共編著），"Policy promise and the reality of community involvement in school-based management in Zambia: Can rural poor hold schools and teachers to account?" (*International Journal of Educational Development*, Vol. 56, 2017，共同執筆)，「ボランティア教員が農村部の教員不足に果たす役割と課題――ザンビア共和国マサイチ郡のコミュニティ・スクールを事例に」（『国際教育協力論集』第 15 巻第 1 号，2012 年）

奥村正裕（おくむら・まさひろ）［3，26］
北海道大学大学院獣医学研究院教授，同大学国際連携機構アフリカルサカオフィス所長
専攻・専門：獣医外科学，動物の関節疾患の評価法・治療法の開発
主な著書・論文："Anti-arthritic effect of pentosan polysulfate in rats with collagen-induced arthritis" (*Res Vet Sci.* 122, 2019), "Face validity of a proposed tool for staging canine osteoarthritis: Canine OsteoArthritis Staging Tool (COAST)" (*Vet J.* 235, 2018), "Pentosan polysulfate inhibits IL-1β-induced iNOS, c-Jun and HIF-1α upregulation in canine articular chondrocytes" (*PLoS One*, 12 (5))

小倉充夫（おぐら・みつお）［コラム6］
津田塾大学名誉教授
専攻・専門：社会学
主な著書・論文：『解放と暴力――植民地支配とアフリカの現在』（東京大学出版会，2018 年，共著），『南部アフリカ社会の百年――植民地支配・冷戦・市場経済』（東京大学出版会，2009 年），『開発と発展の社会学』（東京大学出版会，1982 年）

◉執筆者紹介（五十音順，［　］内は担当章）

荒木　茂（あらき・しげる）［2］
京都大学名誉教授（アフリカ地域研究資料センター特任教授）
専攻・専門：土壌からみたアフリカ各地の在来農業と生態環境の持続性
主な著書・論文：JST/JICA SATREPS プログラム終了報告書『カメルーン熱帯林とその周辺地域における持続的生存戦略の確立と自然資源管理：地球規模課題と地域住民ニーズとの結合』（https://www.jst.go.jp/global/kadai/h2209_cameroun.html，2016 年），「アフリカの土壌特質と地力改善」（『ARDEC』53 号，2015 年）

石本雄大（いしもと・ゆうだい）［コラム15，44］
青森公立大学専任研究員
専攻・専門：地域研究，生態人類学
主な著書・論文：「地域運営組織の体制づくりと人材確保――青森市浅虫まちづくり協議会の事例を中心に」（『青森公立大学論纂』5 巻 1・2 号，2020 年，共同執筆），「携帯電話を利用したセーフティネット――ザンビア南部州の事例を元に」（『開発学研究』24 巻 1 号，2013 年，共同執筆），『サヘルにおける食料確保――旱魃や虫害への適応および対処行動』（京都大学アフリカ研究シリーズ 006，松香堂書店，2012 年）

伊藤千尋（いとう・ちひろ）［コラム7，27，コラム16，31，コラム17，36］
福岡大学人文学部准教授
専攻・専門：人文地理学，アフリカ地域研究
主な著書・論文：「ザンビア・カリバ湖の商業漁業――アクターの変化と資源をめぐる諸問題」（今井一郎編『アフリカ漁民文化論――水域環境保全の視座』，春風社，2019 年），「ザンビアへフィールドワークに行ってみよう」（荒木一視・林紀代美編『食と農のフィールドワーク入門』，昭和堂，2019 年），『都市と農村を架ける――ザンビア農村社会の変容と人びとの流動性』（新泉社，2015 年）

梅津千恵子（うめつ・ちえこ）［45］
京都大学大学院農学研究科生物資源経済学専攻教授
専攻・専門：環境資源経済学，応用ミクロ経済学，水資源管理，食料安全保障
主な著書・論文：“Dynamics of Social-ecological Systems: The Case of Farmers' Food Security in Semi-Arid Tropics” (Shoko Sakai and Chieko Umetsu eds., *Social-Ecological Systems in Transition*, Springer, 2014, 共同執筆), “Efficiency and Technical Change in the Philippine Rice Sector: A Malmquist Total Factor Productivity Analysis” (*American Journal of Agricultural Economics*, 85 (4), 2003), “Basinwide Water Management: A Spatial Model,” (*Journal of Environmental Economics and Management*, 45 (1), 2003)

◉編著者紹介

島田周平（しまだ・しゅうへい）

名古屋外国語大学世界共生学部教授

東北大学理学部地理学科卒業（1971年）。理学博士（1989年）。アジア経済研究所調査研究員，立教大学文学部教授，東北大学理学研究科教授，京都大学大学院アジア・アフリカ地域研究研究科教授，東京外国語大学国際社会学部特任教授を歴任。1972年よりナイジェリアの調査研究に従事，1984年以降ザンビア，ジンバブエでも調査研究をおこなう。

専攻・専門：アフリカ地域研究（ナイジェリア研究，人文地理学，ポリティカル・エコロジー論）

主な著書・論文：『地域間対立の地域構造――ナイジェリアの地域問題』（大明堂，1992年），*Agricultural production and environmental change of Dambo: a case study of Chinena Village, Central Zambia* (Tohoku University, 1995, 編著), 'The impact of HIV/AIDS on agricultural production in Zambia' (*African Geographical Review*, 22, 2003),『アフリカ　可能性を生きる農民』（京都大学学術出版会，2007年），『現代アフリカ農村――変化を読む地域研究の試み』（古今書院，2007年），『世界地誌シリーズ：アフリカ』（朝倉書店，2017年，島田周平・上田元編著），『物語　ナイジェリアの歴史――「アフリカの巨人」の実像』（中央公論新社，2019年）

大山修一（おおやま・しゅういち）

京都大学大学院アジア・アフリカ地域研究研究科教授

慶應義塾大学環境情報学部中退，京都大学大学院人間・環境学研究科博士後期課程修了（1999年）。博士（人間・環境学, 1999年）。1993年よりザンビア北部ベンバ社会で調査，1999年より北西部カオンデ社会で調査を開始し，現在も継続中。

専攻・専門：地域研究（地理学，生態学，農村研究）

主な著書・論文：「市場経済化と焼畑農耕社会の変容――ザンビア北部ベンバ社会の事例」（掛谷誠編『アフリカ農耕民の世界』，〈生態人類学講座〉第3巻，京都大学学術出版会，2002年，共著），「アフリカ農村の自給生活は貧しいのか？」（『E-Journal GEO（日本地理学会電子ジャーナル）』5巻2号，2011年），「ザンビアの領土形成と土地政策の変遷」（武内進一編『アフリカ土地政策史』，アジア経済研究所，2015年，共著），"Guardian or misfeasor? Chief's roles in land administration under the new 1995 Land Act in Zambia" (Moyo S. and Mine Y. eds. *What Colonialism Ignored: 'African Potentials' for Resolving Conflicts in Southern Africa*, LANGAA Publishers, 2016, 共著), "Urbanization, housing problems and residential land conflicts in Zambia" (*Japanese Journal of Human Geography*, 69(1), 2017, 共著)，ザンビアの土地政策と慣習地におけるチーフの土地行政（武内進一編『現代アフリカの土地と権力』，アジア経済研究所，2017年，共著）

エリア・スタディーズ　180
ザンビアを知るための 55 章

2020 年　8 月 31 日　初版第 1 刷発行

編著者　島田周平
　　　　大山修一
発行者　大江道雅
発行所　株式会社 明石書店
〒101-0021 東京都千代田区外神田 6-9-5
電　話　03-5818-1171
FAX　03-5818-1174
振　替　00100-7-24505
http://www.akashi.co.jp/

装　丁　明石書店デザイン室
印刷／製本　日経印刷株式会社

（定価はカバーに表示してあります）　ISBN 978-4-7503-5062-2

エリア・スタディーズ

1 現代アメリカ社会を知るための60章
明石紀雄、川島浩平 編著

2 イタリアを知るための62章【第2版】
村上義和 編著

3 イギリスを旅する35章
辻野功 編著

4 モンゴルを知るための65章【第2版】
金岡秀郎 著

5 パリ・フランスを知るための44章
梅本洋一、大里俊晴、木下長宏 編著

6 現代韓国を知るための60章【第2版】
石坂浩一、福島みのり 編著

7 オーストラリアを知るための58章【第3版】
越智道雄 著

8 現代中国を知るための52章【第6版】
藤野彰 編著

9 ネパールを知るための60章
日本ネパール協会 編

10 アメリカの歴史を知るための63章【第3版】
富田虎男、鵜月裕典、佐藤円 編著

11 現代フィリピンを知るための61章【第2版】
大野拓司、寺田勇文 編著

12 ポルトガルを知るための55章【第2版】
村上義和、池俊介 編著

13 北欧を知るための43章
武田龍夫 著

14 ブラジルを知るための56章【第2版】
アンジェロ・イシ 著

15 ドイツを知るための60章
早川東三、工藤幹巳 編著

16 ポーランドを知るための60章
渡辺克義 編著

17 シンガポールを知るための65章【第4版】
田村慶子 編著

18 現代ドイツを知るための67章【第3版】
浜本隆志、髙橋憲 編著

19 ウィーン・オーストリアを知るための57章【第2版】
広瀬佳一、今井顕 編著

20 ハンガリーを知るための60章【第2版】 ドナウの宝石
羽場久美子 編著

21 現代ロシアを知るための60章【第2版】
下斗米伸夫、島田博 編著

22 21世紀アメリカ社会を知るための67章
明石紀雄 監修 赤尾千波、大類久恵、小塩和人、落合明子、川島浩平、高野泰 編

23 スペインを知るための60章
野々山真輝帆 著

24 キューバを知るための52章
後藤政子、樋口聡 編著

25 カナダを知るための60章
綾部恒雄、飯野正子 編著

26 中央アジアを知るための60章【第2版】
宇山智彦 編著

27 チェコとスロヴァキアを知るための56章【第2版】
薩摩秀登 編著

28 現代ドイツの社会・文化を知るための48章
田村光彰、村上和光、岩淵正明 編著

29 インドを知るための50章
重松伸司、三田昌彦 編著

30 タイを知るための72章【第2版】
綾部真雄 編著

31 パキスタンを知るための60章
広瀬崇子、山根聡、小田尚也 編著

32 バングラデシュを知るための66章【第3版】
大橋正明、村山真弓、日下部尚徳、安達淳哉 編著

33 イギリスを知るための65章【第2版】
近藤久雄、細川祐子、阿部美春 編著

34 現代台湾を知るための60章【第2版】
亜洲奈みづほ 著

35 ペルーを知るための66章【第2版】
細谷広美 編著

36 マラウィを知るための45章【第2版】
栗田和明 著

37 コスタリカを知るための60章【第2版】
国本伊代 編著

38 チベットを知るための50章
石濱裕美子 編著

エリア・スタディーズ

39 **現代ベトナムを知るための60章**【第2版】
今井昭夫、岩井美佐紀 編著

40 **インドネシアを知るための50章**
村井吉敬、佐伯奈津子 編著

41 **エルサルバドル、ホンジュラス、ニカラグアを知るための45章**
田中高 編著

42 **パナマを知るための70章**【第2版】
国本伊代 編著

43 **イランを知るための65章**
岡田恵美子、北原圭一、鈴木珠里 編著

44 **アイルランドを知るための70章**【第3版】
海老島均、山下理恵子 編著

45 **メキシコを知るための60章**
吉田栄人 編著

46 **中国の暮らしと文化を知るための40章**
東洋文化研究会 編

47 **現代ブータンを知るための60章**【第2版】
平山修一 著

48 **バルカンを知るための66章**【第2版】
柴宜弘 編著

49 **現代イタリアを知るための44章**
村上義和 編著

50 **アルゼンチンを知るための54章**
アルベルト松本 著

51 **ミクロネシアを知るための60章**【第2版】
印東道子 編著

52 **アメリカのヒスパニック＝ラティーノ社会を知るための55章**
大泉光一、牛島万 編著

53 **北朝鮮を知るための55章**【第2版】
石坂浩一 編著

54 **ボリビアを知るための73章**【第2版】
真鍋周三 編著

55 **コーカサスを知るための60章**
北川誠一、前田弘毅、廣瀬陽子、吉村貴之 編著

56 **カンボジアを知るための62章**【第2版】
上田広美、岡田知子 編著

57 **エクアドルを知るための60章**【第2版】
新木秀和 編著

58 **タンザニアを知るための60章**【第2版】
栗田和明、根本利通 編著

59 **リビアを知るための60章**【第2版】
塩尻和子 編著

60 **東ティモールを知るための50章**
山田満 編著

61 **グアテマラを知るための67章**【第2版】
桜井三枝子 編著

62 **オランダを知るための60章**
長坂寿久 著

63 **モロッコを知るための65章**
私市正年、佐藤健太郎 編著

64 **サウジアラビアを知るための63章**【第2版】
中村覚 編著

65 **韓国の歴史を知るための66章**
金両基 編著

66 **ルーマニアを知るための60章**
六鹿茂夫 編著

67 **現代インドを知るための60章**
広瀬崇子、近藤正規、井上恭子、南埜猛 編著

68 **エチオピアを知るための50章**
岡倉登志 編著

69 **フィンランドを知るための44章**
百瀬宏、石野裕子 編著

70 **ニュージーランドを知るための63章**
青柳まちこ 編著

71 **ベルギーを知るための52章**
小川秀樹 編著

72 **ケベックを知るための54章**
小畑精和、竹中豊 編著

73 **アルジェリアを知るための62章**
私市正年 編著

74 **アルメニアを知るための65章**
中島偉晴、メラニア・バグダサリヤン 編著

75 **スウェーデンを知るための60章**
村井誠人 編著

76 **デンマークを知るための68章**
村井誠人 編著

77 **最新ドイツ事情を知るための50章**
浜本隆志、柳原初樹 著

エリア・スタディーズ

78 セネガルとカーボベルデを知るための60章
小川了 編著

79 南アフリカを知るための60章
峯陽一 編著

80 エルサルバドルを知るための55章
細野昭雄、田中高 編著

81 チュニジアを知るための60章
鷹木恵子 編著

82 南太平洋を知るための58章 メラネシア ポリネシア
吉岡政德、石森大知 編著

83 現代カナダを知るための57章
飯野正子、竹中豊 編著

84 現代フランス社会を知るための62章
三浦信孝、西山教行 編著

85 ラオスを知るための60章
菊池陽子、鈴木玲子、阿部健一 編著

86 パラグアイを知るための50章
田島久歳、武田和久 編著

87 中国の歴史を知るための60章
並木頼壽、杉山文彦 編著

88 スペインのガリシアを知るための50章
坂東省次、桑原真夫、浅香武和 編著

89 アラブ首長国連邦（UAE）を知るための60章
細井長 編著

90 コロンビアを知るための60章
二村久則 編著

91 現代メキシコを知るための70章【第2版】
国本伊代 編著

92 ガーナを知るための47章
高根務、山田肖子 編著

93 ウガンダを知るための53章
吉田昌夫、白石壮一郎 編著

94 ケルトを旅する52章 イギリス・アイルランド
永田喜文 著

95 トルコを知るための53章
大村幸弘、永田雄三、内藤正典 編著

96 イタリアを旅する24章
内田俊秀 編著

97 大統領選からアメリカを知るための57章
越智道雄 著

98 現代バスクを知るための50章
萩尾生、吉田浩美 編著

99 ボツワナを知るための52章
池谷和信 編著

100 ロンドンを旅する60章
川成洋、石原孝哉 編著

101 ケニアを知るための55章
松田素二、津田みわ 編著

102 ニューヨークからアメリカを知るための76章
越智道雄 著

103 カリフォルニアからアメリカを知るための54章
越智道雄 著

104 イスラエルを知るための62章【第2版】
立山良司 編著

105 グアム・サイパン・マリアナ諸島を知るための54章
中山京子 編著

106 中国のムスリムを知るための60章
中国ムスリム研究会 編

107 現代エジプトを知るための60章
鈴木恵美 編著

108 カーストから現代インドを知るための30章
金基淑 編著

109 カナダを旅する37章
飯野正子、竹中豊 編著

110 アンダルシアを知るための53章
立石博高、塩見千加子 編著

111 エストニアを知るための59章
小森宏美 編著

112 韓国の暮らしと文化を知るための70章
舘野晳 編著

113 現代インドネシアを知るための60章
村井吉敬、佐伯奈津子、間瀬朋子 編著

エリア・スタディーズ

エリア・スタディーズ

150 イギリスの歴史を知るための50章
川成洋 編著

151 ドイツの歴史を知るための50章
森井裕一 編著

152 ロシアの歴史を知るための50章
下斗米伸夫 編著

153 スペインの歴史を知るための50章
立石博高、内村俊太 編著

154 フィリピンを知るための64章
大野拓司、鈴木伸隆、日下渉 編著

155 バルト海を旅する40章　7つの島の物語
小柏葉子 著

156 カナダの歴史を知るための50章
細川道久 編著

157 カリブ海世界を知るための70章
国本伊代 編著

158 ベラルーシを知るための50章
服部倫卓、越野剛 編著

159 スロヴェニアを知るための60章
柴宜弘、アンドレイ・ベケシュ、山崎信一 編著

160 北京を知るための52章
櫻井澄夫、人見豊、森田憲司 編著

161 イタリアの歴史を知るための50章
高橋進、村上義和 編著

162 ケルトを知るための65章
木村正俊 編著

163 オマーンを知るための55章
松尾昌樹 編著

164 ウズベキスタンを知るための60章
帯谷知可 編著

165 アゼルバイジャンを知るための67章
廣瀬陽子 編著

166 済州島を知るための55章
梁聖宗、金良淑、伊地知紀子 編著

167 イギリス文学を旅する60章
石原孝哉、市川仁 編著

168 フランス文学を旅する60章
野崎歓 編著

169 ウクライナを知るための65章
服部倫卓、原田義也 編著

170 クルド人を知るための55章
山口昭彦 編著

171 ルクセンブルクを知るための50章
田原憲和、木戸紗織 編著

172 地中海を旅する62章　歴史と文化の都市探訪
松原康介 編著

173 ボスニア・ヘルツェゴヴィナを知るための60章
柴宜弘、山崎信一 編著

174 チリを知るための60章
細野昭雄、工藤章、桑山幹夫 編著

175 ウェールズを知るための60章
吉賀憲夫 編著

176 太平洋諸島の歴史を知るための60章　日本とのかかわり
石森大知、丹羽典生 編著

177 リトアニアを知るための60章
櫻井映子 編著

178 現代ネパールを知るための60章
公益社団法人 日本ネパール協会 編

179 フランスの歴史を知るための50章
中野隆生、加藤玄 編著

180 ザンビアを知るための55章
島田周平、大山修一 編著

――以下続刊
◎各巻2000円（一部1800円）

〈価格は本体価格です〉